L'ÉNIGME DE SAINT-OLAV

DU MÊME AUTEUR

L'ÉNIGME DE SAINT-OLAV, MELCHIOR L'APOTHICAIRE, LIVRE 1, Gaïa, 2013.

LE SPECTRE DE LA RUE DU PUITS, MELCHIOR L'APOTHICAIRE, LIVRE 2, Gaïa, 2014 ; Babel noir nº 131.

LE GLAIVE DU BOURREAU, MELCHIOR L'APOTHICAIRE, LIVRE 3, Gaïa, 2015 ; Babel noir nº 159.

L'ÉTRANGLEUR DE PIRITA, MELCHIOR L'APOTHICAIRE, LIVRE 4, Gaïa, 2016 ; Babel noir nº 185.

LA CHRONIQUE DE TALLINN, MELCHIOR L'APOTHICAIRE, LIVRE 5, Gaïa, 2017.

Titre original :
Oleviste mõistatus
Éditeur original :
Varrak, Tallinn
© Indrek Hargla, 2010

© Gaïa Éditions, 2013
pour la traduction française

ISBN 978-2-330-03063-6

INDREK HARGLA

L'ÉNIGME
DE SAINT-OLAV

MELCHIOR L'APOTHICAIRE
LIVRE 1

roman traduit de l'estonien
par Jean Pascal Ollivry

BABEL NOIR

Toompea

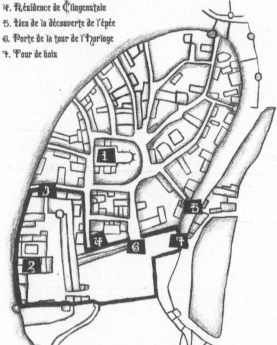

Ville basse

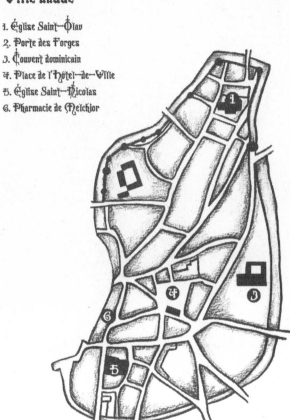

Avant-propos

Tallinn, anno Domini 1409

Jamais, au cours de son histoire, l'Estonie ne fut plus étroitement liée à l'Europe occidentale qu'au cours du xve siècle. C'était l'époque où, le pouvoir de l'ordre Teutonique sur le pays s'étant définitivement affermi, on édifiait villes et forteresses, et où guildes et couvents se multipliaient. L'afflux continuel de colons et la prospérité de la ligue Hanséatique nécessitaient des liaisons maritimes permanentes avec les ports d'Allemagne et de Scandinavie. Jamais non plus l'Estonie ne s'était encore trouvée mêlée à ce point aux guerres que se livraient les puissances européennes pour la domination de la mer Baltique. Les Frères Vitaliens, apparus à l'occasion des querelles entre les princes allemands et la maison royale de Danemark, pillaient sans pitié les côtes estoniennes, tout en se rangeant aux côtés des évêques de Tartu dans les luttes fratricides que ces derniers menaient contre l'Ordre. Les Vitaliens s'étaient emparés de Visby et en avaient fait leur base, jusqu'à ce que la flotte de l'Ordre, sous le commandement d'Ulrich von Jungingen, reconquière Gotland en 1398 et les chasse de l'île. Mise à sac, Visby perdit sa position dans le commerce baltique. Tous les Vitaliens qui ne réussirent pas à fuir furent massacrés, avec la même sauvagerie que ces brigands avaient mise à massacrer leurs prisonniers. En 1409, l'Ordre revendit l'île à la reine de Danemark. La bataille de Tannenberg, qui allait voir les Chevaliers teutoniques se faire écraser par les Polonais, aurait lieu à peine un an plus tard.

En 1409, Tallinn ne ressemblait pas à ce que l'aspect actuel de la vieille ville nous permet d'imaginer. La cité était encore en construction. Le plan général était certes déjà en place, avec les rues, les terrains, l'hôtel de ville, mais l'enceinte, les tours et les églises n'étaient pas encore achevées. Cependant, les rues étaient pavées, la forteresse de l'Ordre, au sommet de la colline de Toompea, était l'une des plus formidables de toute l'Europe du Nord, et le système d'alimentation en eau, avec le canal creusé depuis le lac Ülemiste, les douves et trois moulins, représentait pour l'époque un exploit inégalé dans le domaine du génie civil. Un style architectural propre à la ville commençait à peine à se dégager, et l'on croisait encore nombre de constructeurs étrangers. Tallinn était en passe de devenir un des principaux ports de l'Ordre, par lequel transitaient le commerce et l'approvisionnement de toute la Livonie. Bien que la prospérité de Tallinn et de la Livonie ne puisse certes pas être comparée à celle des villes d'Allemagne ou des Pays-Bas, la cité n'en était pas moins en pleine croissance et en plein développement.

Tallinn était entourée de faubourgs et d'une vaste zone administrative où était en vigueur le droit de Lübeck, qui remettait le gouvernement aux mains des citoyens, c'est-à-dire des marchands. Sur Toompea s'exerçaient les lois de l'Ordre et le droit coutumier. Les relations entre la ville et l'Ordre s'avéraient souvent compliquées, mais aucun des deux n'aurait pu vivre sans l'autre, les Chevaliers teutoniques maintenant la paix sur un territoire dont l'activité économique avait Tallinn pour centre vital. Sur Toompea, un commandeur représentait le pouvoir de l'Ordre.

Grâce aux anciens registres du Conseil de Tallinn, nous savons qu'en 1409 un chevalier de haut rang fut assassiné dans des circonstances mystérieuses à Toompea, où il faisait étape entre Gotland et Marienburg, la capitale de l'Ordre. Ce ne fut pas le seul crime à ébranler la ville ce printemps-là. Aussi bien l'Ordre que le Conseil se mirent à la recherche du meurtrier de Toompea, mais sans succès ; et les raisons de ces crimes demeurèrent elles-mêmes inexpliquées. Cependant, la chronique du tribunal nous apprend qu'un apothicaire de Tallinn, un certain Melchior, s'était présenté un jour à l'hôtel de ville et avait affirmé connaître l'identité du mystérieux meurtrier et le mobile de ces assassinats. Le Conseil n'avait pas voulu l'entendre et l'avait renvoyé, mais pourtant pas les mains vides : on lui avait remis la somme de dix marks pour sa peine. Était-ce là le prix de son silence ? Les explications de l'apothicaire étaient-elles à ce point sensibles que le Conseil avait préféré ne pas mettre en péril les relations entre les marchands de la ville, l'Ordre, les autorités religieuses et les représentants des puissances étrangères ? Nous n'en savons rien, et nous ne pourrons jamais le savoir. Pas plus que la raison qui poussa le greffier du Conseil à écrire ces lignes, demeurées comme une énigme pour tous les chercheurs jusqu'à aujourd'hui : *« Que la paix du Seigneur s'étende sur ceux qui ont voulu du bien à notre ville. Ceux qui ont vécu avant nous ont été plus proches de Dieu. Que les tombes fassent silence et que règne le Très-Haut. »* Nous ne savons pas qui Melchior avait accusé, ni d'ailleurs ce qu'il advint de lui : par la suite, l'apothicaire ne fut plus mentionné une seule fois dans les livres du Conseil.

0

1409, Toompea
15 mai, tard dans la soirée

Henning von Clingenstain, ancien commandeur de l'ordre Teutonique sur Gotland, était ivre mort.

À vrai dire, il était dans cet état depuis déjà cinq jours, et si le commandeur de la place n'avait veillé à lui offrir à manger en abondance – les plats, en provenance de la cuisine de la petite forteresse, se succédaient du matin au soir –, il se serait effondré depuis longtemps et aurait dormi en cuvant sa bière. Mais Tallinn semblait être une ville riche et accueillante, à la différence de Visby. Ici on savait manger et boire, ici on avait coutume de faire ripaille comme, se souvenait Clingenstain, on ripaillait naguère au cours des fêtes à Warendorf, sa ville natale. Et Spanheim, le commandeur, semblait être le roi des ripailleurs de l'endroit. Cinq jours et cinq nuits durant, la table avait ployé sous la bière, le vin et les mets de choix. S'abstenir de tout cela aurait été un grand péché. En réalité, engloutir, dévorer tout ce qui se présentait était un péché tout aussi grand, mais Clingenstain s'en était déjà soucié, et il s'était confessé l'après-midi même au prieur des dominicains. Bien entendu, ses excès de nourriture et de boisson avaient été, sans surprise, pardonnés.

Mais maintenant, Clingenstain sentait que cela suffisait peut-être vraiment : ses entrailles remuaient, sa tête bourdonnait et ses pensées étaient déjà trop embrouillées. Il ne commença, à grand-peine, à faire la part entre les choses réelles et celles que lui montrait son imagination avinée que quand il trouva enfin dans l'aile nord, après s'être trompé plusieurs fois, la porte latérale par laquelle on rejoignait directement, en passant par-dessus le fossé, l'autre forteresse – la grande, celle de l'évêque. Un serviteur lui ouvrit la porte et le chevalier se dirigea en titubant vers son logement. *Malédiction, je vois déjà des démons*, pensa-t-il. Un soldat du Christ ne devait pas avoir de pareilles visions.

Il avança en essayant de respirer à pleins poumons l'air de cette douce nuit de mai. Les noires murailles de Toompea semblaient être les ombres du royaume des Ténèbres, prêtes à se refermer sur lui. À ses oreilles résonnaient encore les chansons joyeuses des musiciens du commandeur, et peut-être d'ailleurs la fête se poursuivait-elle dans la forteresse. Mais les pierres dont la ruelle était pavée dépassaient du sol et lui heurtaient les pieds. Le représentant de l'Ordre trébucha et tomba. Il lui faudrait de l'aide s'il voulait rejoindre son logement.

« Jochen, fils de pute ! » rugit-il. Où son écuyer était-il encore allé se fourrer ? Il aurait dû se tenir aux côtés de son maître comme un chien fidèle, au lieu d'aller traîner chez les ribaudes.

« Jochen ! cria-t-il de nouveau. Je suis plein comme une outre, et toi tu te caches dans un grenier avec une lavandière ! Jochen ! Fils de pute ! »

Mais l'écuyer demeurait introuvable, et le chevalier Clingenstain demeura planté seul au beau milieu de Toompea : tout juste distinguait-il un feu, au-delà du fossé, du côté des écuries, allumé par des serviteurs. Dans le lointain, les murs de la cathédrale étaient à peine visibles.

« Demain, je te ferai écorcher vif ! » promit Clingenstain, puis il se remit à avancer en chancelant. Bon sang, il n'était pas si mal en point, il se débrouillerait bien tout seul. Il se rappelait où il était logé, non loin de là, dans une maison adossée à la muraille ; il s'en sortirait tout seul !

En se traînant vers ses quartiers, le haut responsable de l'Ordre ne remarqua pas la forme qui s'était détachée de l'obscurité d'un recoin de la muraille et le suivait à pas de loup. Il ne vit pas cette ombre marcher sur ses talons jusqu'à la maison en se dissimulant avec soin. Il ne réalisa même pas, lorsqu'il réussit enfin à ouvrir la porte après bien des efforts, que la silhouette se tenait à ses côtés et, après son passage, glissait un pied dans l'entrebâillement de la porte. Clingenstain se tint dans la vaste entrée et la lumière le fit cligner des yeux. Quelqu'un, sans doute Jochen, avait allumé les chandelles sur le candélabre, et dans le premier instant leur vive clarté l'aveugla. Le chevalier s'appuya à la cheminée, puis il saisit le chandelier posé sur la table et l'éleva : il devait y avoir quelque part une porte menant à la chambre à coucher, si son souvenir était exact, et il y avait là-bas un lit. Il tenta de se débarrasser de son manteau, mais il s'empêtra et manqua de tomber. Que fabriquait donc son serviteur, au lieu de l'aider à se dévêtir !

« Jochen ! gronda-t-il encore une fois. Ah ! Te voilà donc, canaille ! »

Confusément, du coin de l'œil, il vit que quelqu'un avait pénétré dans le vestibule. Ce ne pouvait être que Jochen, même s'il avait encore du mal à le distinguer.

« La prochaine fois, je te couperai les oreilles ! Où est-ce que tu traînais encore, chien ? »

La silhouette sombre se rapprocha du chevalier, qui plissa les yeux et eut tout juste le temps de se dire que Jochen était de plus petite taille et ne portait pas d'ordinaire un manteau semblable à celui-ci ; mais ce fut tout ce qu'il parvint à penser avant que l'inconnu l'empoigne subitement à la poitrine et le fasse basculer en arrière. Clingenstain s'effondra, comme frappé par la foudre.

« Forban, voleur ! s'écria-t-il d'une voix rauque. Comment oses-tu, chien ! Je suis chevalier de l'Ordre ! »

L'étranger lui asséna un coup de pied en pleine poitrine, et Clingenstain se recroquevilla sous l'effet de la douleur. L'agresseur avait tiré une épée de dessous son manteau.

Clingenstain se sentait incapable de se relever, sans même parler de se battre, mais le sentiment du danger et la douleur l'avaient subitement dégrisé. Il parvenait presque à distinguer les traits de l'étranger sous sa capuche…

« Qui… Qui… es-tu ? demanda-t-il.

— Quelqu'un qui a prié pour avoir un jour ton âme scélérate à sa merci ! lui répondit une voix sourde.

— Jochen, à l'aide ! » Clingenstain voulait crier, mais il ne produisit qu'un gémissement chétif, qui n'avait aucune chance de traverser les murs épais ni d'être entendu de la ruelle.

Tenant son épée d'une main, l'inconnu saisit le chevalier à la poitrine et le hissa sur la table. Clingenstain essaya de résister et de se débattre, mais il n'était pas de force contre son adversaire.

« Qu'est-ce que tu veux ? réussit-il cependant à demander.

— Rien d'autre que la justice ! » répondit l'agresseur. L'homme plaquait Clingenstain d'une main contre la table, tandis qu'il assurait de l'autre sa prise sur l'épée. « C'est juste ainsi que ça doit se passer, toi vautré dans ta fange, effrayé, appelant au secours. Tu vas mourir sans te recommander à Dieu, et tous tes péchés te suivront dans la tombe. Tu pars droit pour l'Enfer, von Clingenstain ! »

Mourir ? Je vais donc mourir ? L'idée traversa l'esprit du chevalier. Connaître pareille fin, à Tallinn, et non sur le champ de bataille, l'épée à la main ! À Tallinn, dans une demeure bourgeoise, ivre mort, et sous l'épée d'un voleur ! *Vierge Marie, tout cela ne doit pas finir ainsi. Pas maintenant, pas ici, je n'ai pas mérité cela...* Ses pensées étaient claires, mais son corps ne lui obéissait plus.

« Qui es-tu ? » demanda-t-il à nouveau.

Pour toute réponse, l'inconnu lui présenta quelque chose devant les yeux. La vision était confuse, mais Clingenstain finit par distinguer de quoi il s'agissait. Il vit aussi l'étranger tirer en arrière la capuche qui lui couvrait la tête. Ce visage... Ce visage... et cet objet dans sa main, c'était bien... Mais non, c'était impossible ! Il reconnaissait ce visage. Oui, *maintenant* il le reconnaissait.

Mais l'heure de Clingenstain était venue. Il le savait sans le moindre doute, il se sentait sans force et sans secours. Il crut même un instant entrevoir les saints du Paradis, qui jetaient sur lui des regards indifférents ou apitoyés. « Oui, disaient ces regards, ici et maintenant, Henning von Clingenstain : ici et maintenant, c'est ton destin, nous n'y pouvons rien. »

Une main de fer saisit Clingenstain par la mâchoire et lui ouvrit la bouche. Une onde de douleur violente traversa encore une fois le corps du chevalier, lorsque l'inconnu lui fourra dans la bouche l'objet qu'il venait de tenir devant ses yeux.

« Juste comme ça, dit l'homme. Sans même que tu puisses implorer miséricorde. Rendez-vous en Enfer ! »

Il rabattit la tête du chevalier sur la table, leva l'épée à deux mains et frappa.

Henning von Clingenstain sentit le choc de l'épée contre son cou. Il la sentit même traverser ses vertèbres. Cela faisait mal, insupportablement mal, mais cette douleur n'était rien à côté de ce qui l'attendait.

1

Tallinn, rue du Puits
La boutique de Melchior
16 mai, le matin

Melchior Wakenstede, l'apothicaire de Tallinn, venait
tout juste de quitter la table où sa chère Keterlyn lui
avait servi, pour le repas du matin, du pain fraîche-
ment cuit et une bonne tranche de lard gras. Il passa
dans la pièce de devant de son logis, qui n'était autre
que l'apothicairerie de Tallinn et où l'attendait en
principe une journée de travail sans histoire. Il écou-
terait les habitants de la ville lui décrire leurs dernières
douleurs et leurs éternelles misères, il entendrait des
dizaines de racontars, vendrait quelques remèdes et
quelques friandises, servirait quelques timbales de
sa fameuse liqueur d'apothicaire. Il y aurait dans sa
clientèle des souffreteux et des égrotants, mais aussi
des vigoureux et bien portants, qui passeraient par là
juste pour bavarder, prendre les dernières nouvelles
et s'offrir un gobelet de cette liqueur forte tout en gri-
gnotant un biscuit sucré ou un bonbon à l'anis. Melchior remplissait sa fonction avec joie et satisfaction,
ce qui était peut-être naturel chez un homme enta-
mant sa trente et unième année, sous la protection de
son saint patron et pour la plus grande fierté de son

père – *que celui-ci repose en paix, à la droite de la Sainte Vierge !*

Melchior Wakenstede était né à Lübeck, d'où son père avait déménagé il y avait maintenant plus de vingt ans pour gagner Tallinn et ces contrées nouvelles où tout était encore en train de se construire et qui venaient à peine d'être arrachées aux mains des païens et vouées à la Vierge Marie. Melchior lui-même se rappelait avoir entendu, lorsqu'il était encore enfant, les histoires racontées par les vieux soldats qui venaient parfois à la boutique de son père acheter des onguents pour leurs membres douloureux : comment ils avaient combattu les païens qui vivaient à l'époque sur cette terre, comment leur armée avait assiégé Tallinn. Aujourd'hui, tout cela paraissait incroyable, car bien des petits-enfants de ces fameux païens lui rendaient visite tous les jours dans sa boutique, et sa chère épouse elle-même, Keterlyn, appartenait à cette lignée et descendait des peuples qui avaient vécu ici depuis l'aube des temps : même s'ils ne cuisaient pas le pain et ne brassaient pas la bière de la même façon qu'en Thuringe ou en Westphalie, ces gens se rendaient désormais à l'église chaque dimanche, comme tous les bons chrétiens.

Melchior Wakenstede considérait Tallinn comme sa patrie, car il se souvenait à peine de Lübeck. Il était le seul apothicaire dans cette ville, comme l'avait été son père. Melchior aimait Tallinn. C'était là qu'il avait grandi, c'était la ville à laquelle il avait juré de prêter assistance par ses remèdes et dont il voulait aider les habitants dans la détresse en soulageant leurs maux. On l'appelait le cuisinier du médecin, mais il était en réalité davantage que cela. Égal des marchands par le statut, du prêtre ou du procureur par l'éducation, c'était dans la ville un homme respecté, que les membres du Conseil, les nobles et même les chevaliers ne dédaignaient pas de rencontrer.

Par cette belle matinée de printemps, l'apothicaire passa donc de la cuisine à la boutique, ouvrit en grand la porte de devant et laissa pénétrer la fraîcheur de l'air marin. Sa demeure était petite, mais c'était tout ce que son père avait été capable d'acheter. Comme il était d'usage chez les commerçants, l'entrée, qui ouvrait sur la rue, était occupée par la boutique ; il vivait dans l'arrière-salle, d'où un étroit passage conduisait vers la cuisine que son père, déjà, avait transformée en « cuisine de sorcier », comme on l'appelait. Autour de la cheminée étaient disposés des pressoirs à levier, des cornues : c'était là que Melchior mijotait et distillait ses philtres. À l'étage étaient entreposées les caisses en bois où il conservait ses herbes médicinales séchées. Dans la boutique elle-même se trouvait une vaste table, et sur les murs les étagères étaient garnies de récipients de verre renfermant teintures, huiles ou mixtures, et de mortiers. Tous les apothicaires ont besoin de préserver une apparence quelque peu mystérieuse et de manifester au peuple leur appartenance à une élite, aussi Melchior avait-il suspendu au plafond, au-dessus de la table, une sorte de petit crocodile empaillé, qu'il avait payé dix marks et dont un marchand au regard rusé l'avait assuré qu'il provenait tout droit de l'Égypte. Les gens de la ville, en tout cas, semblaient y croire.

C'était un homme au teint clair, de petite taille, plutôt maigre et anguleux, et à la démarche hésitante. Ses cheveux blonds et clairsemés se tenaient dressés sur sa tête, même lorsqu'il les laissait pousser sur les côtés et les coupait plus bas que l'oreille. Ses yeux gris et un peu ternes semblaient déborder en permanence de gaîté : Melchior aimait rire à gorge déployée aux plaisanteries d'autrui, d'un rire enfantin et confiant. Si beaucoup le tenaient pour un homme toujours affable et jovial – et certes, un apothicaire ne saurait se montrer sévère et revêche –, d'aucuns néanmoins avaient déjà été témoins de ces moments où flottait sur son visage timide comme une ombre sinistre. C'était lorsqu'il s'imaginait que personne ne le regardait, et il arrivait alors que passe dans son regard comme un tourment insondable, un gouffre presque dément, une terreur écrasante et douloureuse. Mais il chassait tout cela bien vite, pour redevenir le plaisant apothicaire de Tallinn, l'ami de tous, le compagnon serviable.

Il était encore tôt, et la ville s'éveillait à peine. Melchior s'assit et consulta son registre pour voir qui devait venir aujourd'hui lui réclamer tel ou tel remède. Il était entouré de ses pots et de ses mortiers, de ses mélanges et de ses herbes séchées : c'était là son monde, un monde dont il ne s'échapperait jamais, même si d'aventure l'envie lui en venait. Il dénoua un petit sac contenant des copeaux d'ail séché et prit sur une étagère une bouteille d'alcool fort. Bientôt, ces ingrédients allaient soigner la gorge de la boulangère, même s'il y avait bien plus à gagner avec le blé torréfié, lorsqu'on le mêlait à des herbes et qu'on l'administrait à ce cher Wentzel Dorn, le bailli, sous forme de potion contre les maux de ventre.

Mais au moment précis où Melchior déposait les copeaux d'ail dans son mortier, de la musique retentit à ses oreilles. Jetant un coup d'œil dans la rue par sa porte ouverte, il vit que de la maison de Mertin Tweffell, située juste en face de chez lui, de l'autre côté de la rue du Puits, venait de sortir Kilian Rechpergerin, l'hôte du propriétaire, qui était allé s'asseoir sur la margelle du puits et s'était mis à jouer de son instrument.

Le jeune homme avait à peine dix-sept ans, mais l'apothicaire savait qu'il avait déjà appris l'art du chant dans plusieurs villes étrangères, et qu'il était arrivé à Tallinn avec une recommandation de son père : Tweffell, le vieux commerçant, se trouvait en effet être parent des Rechpergerin de Nuremberg. Depuis l'été précédent déjà, Kilian était l'hôte du maître de la Grande Guilde ; il chantait aux fêtes que l'on donnait dans la ville et on le voyait souvent dans la maison des Têtes-Noires, chez qui dernièrement pas un banquet ne s'était passé sans que le garçon y ait fait entendre ses couplets enjoués. Kilian avait coutume de se présenter comme *Schulfreund*, le terme par lequel sa guilde, celle des Maîtres Chanteurs de Nuremberg, désignait les compagnons itinérants partis se former dans les pays lointains. Melchior était forcé de reconnaître qu'il appréciait la musique que jouait Kilian ; on y trouvait l'atmosphère, les mélodies et les tournures des pays chauds et méditerranéens, inconnues des musiciens de Tallinn, et sa voix était claire et pure, chaude et sonore. *Ce qui, bien entendu, ne laisse pas indifférentes les jeunes filles de Tallinn*, pensa Melchior en fronçant les sourcils.

Tout en poursuivant la préparation de sa mixture antitussive, l'apothicaire vit la porte de la maison d'en face s'ouvrir et livrer passage à la jeune épouse de Tweffell, Gertrud. De toute évidence, le chanteur n'avait attendu que ce moment-là. Melchior prit son mortier et se rapprocha un peu de la fenêtre ouverte. La curiosité est le défaut de tous les apothicaires.

La jeune dame Gertrud, qui pouvait avoir en tout et pour tout un an ou deux de plus que Kilian, mais au bas mot quarante de moins que son époux, marchait en tenant un cabas sous le bras et fit un signe de tête aimable à Kilian. Le jeune homme, lui, se leva promptement de la margelle du puits et s'inclina.

« Bonjour, ma dame ! s'exclama-t-il gaiement. Que la matinée vous soit douce ! Voyez comme la journée s'annonce belle et faste : ce serait un péché que de ne pas la saluer par une chanson ! »

La jeune femme s'immobilisa et répondit avec entrain :

« Bonjour, Kilian Rechpergerin ! La journée n'est belle que pour ceux qui ont tout loisir de la passer à chanter et à jouer de leur instrument. Pour les autres bourgeois honorables, elle sera semblable à toutes les journées, vouée au travail et aux affaires. »

Kilian joua une mélodie rapide et incroyablement compliquée, puis il s'écria : « Oh ! dame Gertrud, croyez-vous donc vraiment que le chant et la musique naissent par le seul effet de la bonté divine, sans qu'il faille pour cela travailler et se donner de la peine ?

— Tout naît de la bonté divine, déclara la jeune femme. Moi aussi je sais chanter, mais personne ne va se charger de mes travaux et de mes tâches à ma place. À certains la journée est donnée pour jouer de la musique, à d'autres pour gagner leur pain quotidien.

— Le vieil oncle Mertin est bien assez riche, maintenant : sa jeune femme ne devrait pas avoir besoin de s'affairer tout le jour comme une lavandière. Et vous avez Ludke, par-dessus le marché, et la vieille servante… répliqua Kilian d'un ton narquois, avant que Gertrud l'interrompe avec un peu de mauvaise humeur.

— Ne raconte pas de bêtises, Kilian Rechpergerin ; ce n'est pas à toi de dire comment le maître doit faire marcher sa maisonnée, tu n'es que notre hôte.

— L'hôte aussi a des yeux pour voir. Je comprends déjà bien comment les choses se passent à Tallinn, et chez nous à Nuremberg, et comment le cousin de mon grand-oncle accable sa jeune épouse de travaux et de charges qui occuperaient au moins trois servantes, alors que le vieil avare aurait bien assez d'argent pour les payer. »

Quel effronté ! pensa Melchior en écoutant cette conversation par sa fenêtre. *Effronté, mais il a le courage de dire la vérité.* Personne n'aurait pu accuser maître Tweffell de dépenses excessives ou de débauche. Sa jeune épouse – en plus d'offrir une réjouissance aux yeux de son vieillard de mari – abattait réellement plus de tâches domestiques que n'importe quelle riche femme de marchand dans toute la ville. Ludke, le valet, et la vieille servante étaient les seuls domestiques de la maisonnée.

Gertrud s'écria, d'un ton plus courroucé encore : « Tais-toi donc, Kilian, cesse immédiatement de dire des sottises ! Si Ludke t'entend, il ira tout de suite le répéter à maître Mertin. »

Le jeune homme se rapprocha d'elle, pencha la tête de côté et demanda avec malice : « Mais vous, dame Gertrud, vous ne direz rien ? »

Gertrud se troubla. « Je… je dois y aller, je suis pressée », dit-elle.

Kilian fit comme s'il n'avait rien entendu.

« Voulez-vous écouter une chanson ? demanda-t-il. Ou mieux encore, puisque vous venez de dire que vous aussi savez chanter… Est-ce qu'une si belle matinée de printemps ne pousse pas à chanter ? Faisons plutôt ainsi : je joue, et vous chantez ! »

La jeune femme secoua la tête. « Tu t'imagines que je vais me mettre à chanter en pleine rue ? Jamais de la vie ! Il faut que je m'en aille, maintenant. »

Mais Kilian insistait. « Une seule chanson, permettez que je la chante pour vous !

— Non, Kilian, non ! Pas même une seule.

— Vous ne voulez vraiment pas écouter un des plus beaux airs des Maîtres Chanteurs de Nuremberg ? J'en connais plusieurs : il me revient justement en mémoire celui où l'on parle d'un vieux tanneur qui a épousé une femme de cinquante ans plus jeune que lui et qui devient la risée de toute la ville, et qui ensuite… »

Gertrud poussa une exclamation étouffée et lança : « Tais-toi donc, Kilian ! Et je t'en prie, ne me fais pas honte devant tout le monde : je m'en vais tout de suite.

— Hé ! Attendez un peu ! Une autre chanson, alors ? Quelque chose d'ancien, peut-être, comme chantaient les *minnesingers* ? Tous nos maîtres apprennent les chants des *minnesingers*. Voulez-vous que je vous chante la façon dont Tannhäuser ou Konrad von Würzburg brûlaient pour leur dame ? Oui ?

— Non, Kilian, non ! J'ai à faire en ville et je n'ai plus envie de parler avec toi. Bonne journée ! » Gertrud serra fermement son cabas sous son bras et fit mine de partir. Mais Kilian ne renonçait pas : il passa les doigts sur son instrument et s'écria à voix basse :

« Ou quelque chanson de Tallinn, dame Gertrud ? Mais celles-là sont si tristes qu'elles ne conviennent guère à une belle journée de printemps. Pourtant, j'en connais une qui est gaie ! La chanson des joyeux marins, elle devrait vous plaire ! »

Sans attendre la réponse, il se mit à chanter :

« J'ai dix-sept frères et dix-sept navires,
Et dix-sept ports pleins de filles gentilles,
Mes frères ne craignent ni la mort ni le Ciel… »

Gertrud poussa un cri subit, et Melchior lui-même tressaillit de colère. La jeune femme se précipita sur Kilian et lui couvrit la bouche de sa main menue.

« Ne chante jamais cette chanson à Tallinn, si tu ne veux pas qu'on te chasse d'ici ! s'écria-t-elle, effarée. Tu es donc devenu fou ? Les Vitaliens nous ont fait tant de mal, ces pirates, ces assassins… Il faut être fou à lier pour oser chanter un de leurs chants ici. »

Kilian retira lentement la main de la jeune femme de devant sa bouche et demanda, à voix si basse que Melchior l'entendit à peine : « Et si j'étais fou à lier ?

— Sois ce que tu veux, mais tu ne peux pas chanter des choses pareilles dans Tallinn, si tu ne veux pas te faire lapider, dit Gertrud.

— D'accord, mais alors dites-moi quelle chanson vous voudriez entendre ce matin !

— Aucune, je dois m'en aller. Aucune chanson de maîtres chanteurs ni de *minnesingers*, ni sur le printemps ni sur la mer, rien ! Je… je dois vraiment me dépêcher. Toi aussi, va faire ce que tu as à faire. »

Kilian sourit tristement. « Sans chansons, votre vie risque de devenir vide et sinistre, sans joie, sans consolation. Toujours vous affairer, toujours travailler, vous faire du souci, vous fatiguer ! Bonne journée donc, dame Gertrud, et à ce soir ; moi aussi j'ai à faire, chez les Têtes-Noires. Au fait, où allez-vous, peut-être prenons-nous le même chemin ?

— Moi ? Je devais juste aller ici, chez l'apothicaire, puis au port et au marché.

— Chez l'apothicaire ? demanda Kilian. Est-ce que Ludke ne peut pas aller chercher lui-même les baumes et les remèdes de son maître ?

— Maître Mertin a envoyé Ludke faire une course hier soir, et je ne l'ai pas vu depuis… Au revoir, Kilian, je dois y aller. »

La jeune femme prit alors congé pour de bon. Kilian sourit, lui fit un signe de la main et descendit la rue du Puits en direction de la porte qui était au bas de la Côte longue. Melchior le suivit des yeux et secoua la tête pensivement. *Cela n'est pas convenable.* Il ne convenait pas qu'un vieux marchand prenne une femme si jeune, et pas davantage qu'un hôte jeune et avenant vive sous le même toit. Cependant, il s'éloigna vivement de la fenêtre et prit place derrière son comptoir.

Dame Gertrud devait venir aujourd'hui à la boutique chercher un baume contre les rhumatismes, pour les membres douloureux de son époux. Melchior le préparait en suivant la recette du médecin de la ville, tout en étant convaincu que l'onguent n'améliorerait guère l'état des articulations et des membres du vieillard.

Lorsque Gertrud entra dans la boutique et salua l'apothicaire, elle avait encore le teint un peu vif.

« Dame Gertrud, notre chère voisine ! s'écria Melchior. Quelle joie de vous voir de si charmante humeur en ce beau matin !

— C'est vous qui êtes toujours de bonne humeur, au point que je regrette de venir vous voir si peu souvent, dit la jeune femme avec modestie.

— Mais venez plus souvent, alors : même pour une personne jeune et bien portante, cela ne fait pas de mal d'avaler de temps à autre un remède tonique, assura l'apothicaire. Ah ! votre baume pour les rhumatismes. Le voici, il est tout prêt : comme d'habitude, étendez-le sur les os douloureux et dites une prière à la Vierge Marie, c'est ainsi qu'il est le plus efficace. Ou du moins il aide à alléger les tourments de la vieillesse. Mais c'est plutôt Ludke, et non vous, que j'attendais…

— Maître Mertin l'a envoyé je ne sais où faire une course, hier déjà. Je ne l'ai pas revu depuis, répondit Gertrud.

— Et votre époux lui-même ?

— Il est parti en hâte pour le port, dès l'aube, pour quelque affaire. Merci pour le remède !

— En hâte ? répéta Melchior, pensif. Écoutez, je ne suis pas un vrai médecin, bien entendu, mais je sais tout de même deux ou trois choses sur les maladies. À l'âge de maître Mertin, il n'est pas sage de se hâter, voilà ce que je peux dire. Une vie paisible et calme, une nourriture riche – et pendant le Carême ne jeûner qu'avec modération, n'est-ce pas –, des saignées selon le besoin, passer de temps en temps un baume sur les membres douloureux, et aller à l'étuve bien chaude – ce sont là tous les remèdes que l'on peut conseiller. »

Tout en parlant, il observait discrètement le visage de Gertrud. La fille n'avait même pas encore vingt ans. Blonde, les yeux bleus, elle montrait sous son long foulard de femme mariée un visage très innocent et attendrissant. Cachait-elle sous son abord insouciant toutes les peines qui devaient affliger une jeune fille, lorsque son époux avait cinquante ans de plus qu'elle et était, de surcroît, malade ?

« Il fait aussi prier pour lui à Saint-Nicolas, et il donne de l'argent pour des messes », ajouta la jeune femme en soupirant. *Sans avoir la main trop généreuse, d'après ce que j'ai pu entendre dire*, pensa Melchior, qui hocha toutefois la tête avec conviction.

La fille se tut. Son regard se fit plus soucieux et elle demanda soudain : « Mais dites-moi, maître Melchior, tout cela ne sert peut-être à rien ? Ses douleurs n'ont pas l'air de diminuer.

— Chère voisine, il en va des jours de notre vie selon ce qui est échu à chacun, et les remèdes, prières et saignées parviennent peut-être tout juste à les rallonger un petit peu. Mais si maître Mertin effectue consciencieusement ses saignées, si l'on enduit de ce baume ses articulations et ses membres malades, il n'est point encore à l'article de la mort, comme je le lui ai dit en personne. Il pourrait bien vivre encore dix années.

— Est-ce votre carte du ciel qui le dit ?

— Ma carte du ciel ? » demanda Melchior. Il se pencha et sortit de sous son comptoir une carte pliée, œuvre d'un maître brugeois, que son père lui avait léguée. La lecture en était l'un des secrets des guildes d'apothicaires. Les astrologues royaux lisaient ces cartes d'une manière, les apothicaires d'une autre ; il fallait pour cela connaître le nom du malade et le mois de sa naissance.

« Non, pas la carte du ciel, dit-il enfin. C'est l'intuition et l'expérience qui parlent ici. Les membres de votre époux sont malades et ses os le font souffrir, mais sa force vitale est encore solide. La carte du ciel me permet de déterminer le meilleur jour pour procéder à une saignée, et je vois ici que… »

Il passa rapidement les doigts sur les symboles présents sur la carte, tout en marmonnant : « Pour les douleurs dans les hanches de maître Tweffell, il nous faut chercher où se trouve Sagittarius ; les jambes sont chez Capricornus et les genoux souffrants chez Aquarius… Et comme la Lune sera après-demain soir chez Capricornus, je dirais que dans deux jours, au matin, votre époux aurait intérêt à se rendre chez le barbier pour une saignée, après quoi il conviendra de lui appliquer sans tarder cet onguent : avec cela, ses douleurs aux jambes devraient diminuer.

— Je le lui répéterai. Mille mercis, messire apothicaire, et au revoir ! »

La jeune femme soupira une fois encore et s'apprêta à partir.

Melchior hocha la tête. « Oui oui, c'est là une vieille sagesse, que nous ont transmise Guillaume de Saliceto et Gérard de Crémone, et tous les célèbres guérisseurs du passé. Ne manquez pas de recommander à votre époux de faire procéder à cette saignée avec exactitude, et vous verrez, chère voisine, qu'il conservera la santé.

— Dieu le veuille ! » marmonna Gertrud. Puis elle sortit et l'apothicaire, pensif, la regarda s'éloigner.

« La pauvre fille ! » Une voix de femme s'éleva soudain dans le dos de Melchior. Celui-ci n'avait même pas entendu sa chère épouse pénétrer dans la boutique.

2

L'hôtel de ville de Tallinn
16 mai, le matin

Wentzel Dorn, bailli du Conseil de Tallinn, se tenait debout face au conseiller Bockhorst et à un membre subalterne de l'Ordre ; en pensée, il s'efforçait d'énumérer toutes les professions qu'il aurait eu plaisir à exercer à la place de cette maudite et misérable charge de bailli. En premier lieu, il songea au noble métier de brasseur, et cela pour deux raisons. Tout d'abord parce qu'un tel homme avait toujours de la bière fraîche à portée de la main, et ensuite parce qu'on ne le tirait jamais du lit à point d'heure pour lui ordonner de se présenter en toute hâte à l'hôtel de ville et d'y rencontrer – Dieu miséricordieux ! – le propre serviteur du commandeur de l'Ordre à Tallinn, porteur d'un message à lui faire tomber les cheveux de la tête.

Cependant il se trouvait là, privé de son compte de sommeil, et son ventre se mit à faire entendre les plaintes qui accompagnaient d'ordinaire la survenue de mauvaises nouvelles. De très mauvaises nouvelles.

« Aujourd'hui à midi », déclara le serviteur de l'Ordre. Le conseiller approuva de la tête.

« Quoi, à midi ? » demanda Dorn.

Le serviteur le dévisagea sans masquer son irritation. « Le noble commandeur attend que vous vous présentiez devant lui à midi, dit-il.

— Bien entendu, bredouilla le bailli. Mais attend-il d'autres conseillers, ou seulement le bailli ?

— À midi, les conseillers assistent à la messe en l'église du Saint-Esprit, se hâta de préciser le conseiller Bockhorst. Mais le bailli sera sans faute à Toompea à midi. C'est lui qui connaît le mieux les lois, dans les moindres détails… »

Dans les moindres détails… sans faute ! pensa Dorn. Maintenant que le commandeur traquait un meurtrier dans la ville, le bailli se retrouvait naturellement meilleur connaisseur des lois ! Par la fenêtre ouverte, il apercevait le marché, et un vendeur de bière qui brandissait une énorme chope. Wentzel Dorn déglutit. *Avant de monter à Toompea, cela ne ferait pas de mal de passer voir l'ami Melchior.* Surtout si le commandeur avait de mauvaises nouvelles à annoncer. Des nouvelles à ne pas écouter d'une tête sobre.

Cette histoire trimballait avec elle des relents que le bailli préférait d'ordinaire tenir à distance. Cet important chevalier qui venait d'être assassiné ne venait-il pas de Gotland, et Gotland n'était-elle pas en conflit perpétuel avec les villes dont Tallinn s'efforçait de conserver l'amitié ? C'était du moins ce que Dorn comprenait. Déjà que le Conseil avait eu récemment des explications, voire des disputes, avec Novgorod et Vyborg, et même avec Tartu ! Peu s'en était fallu qu'il ne soit obligé, pour satisfaire aux exigences de Tartu, d'emprisonner au nom du Conseil tous les marchands russes présents dans la ville ! Mais dans ce cas, que serait-il advenu des marchands de Tallinn qui se trouvaient au même moment au comptoir de la

Hanse à Novgorod ? Dorn détestait tout ce qui pouvait se trouver lié aux puissants et aux intérêts étrangers, et le meurtre de ce haut dignitaire de l'Ordre sentait tout cela à plein nez. Le serment attaché à sa charge l'obligeait à faire régner la paix et la justice à Tallinn, et c'était dans le même souci que le Conseil avait édicté ses lois. Celles-ci étaient simples et claires. Un commerçant qui vendait au marché ses denrées en falsifiant les poids était condamné aux chaînes, et des ouvriers tanneurs qui troublaient la paix nocturne en se battant avec des couteaux étaient mis à l'amende : c'était là, pensait Dorn, la tâche la plus importante du bailli, une tâche qu'il remplissait avec ponctualité et en son âme et conscience, car il savait que la ville en tirait profit. Mais pourchasser les meurtriers de nobles étrangers, chevaliers de l'Ordre, voilà une chose qu'il aurait volontiers laissée à d'autres.

« Quelle histoire ! soupira le conseiller Bockhorst en secouant les épaules. Heureusement que la ville a pour bailli le valeureux Wentzel Dorn, qui saura dénicher ce meurtrier, dût-il aller le chercher sous terre ! »

Faute de quoi sa tête sera la prochaine qu'on plantera sur un crochet, songea le valeureux bailli Wentzel Dorn.

« L'Ordre espère sincèrement que ce meurtrier sera capturé sans délai, déclara le messager d'un air important. Mais le commandeur vous en dira davantage. Toutefois, avant qu'il ait fait connaître ses volontés, personne ne doit parler de cela en ville. Les racontars n'apportent rien de bon. »

Oh non ! Qu'est-ce que tu vas imaginer là ! pensa le bailli. Dans une ville où se tenait un marché, le Conseil n'avait pas besoin de héraut pour annoncer ce que tout le monde savait déjà.

Plus tard, en redescendant l'escalier de l'hôtel de ville en compagnie du serviteur de l'Ordre, il demanda à ce dernier si le commandeur avait mis à prix la tête de l'assassin.

« C'est plutôt à la ville de le faire, estima le serviteur. Nous ne pouvons rien entreprendre nous-mêmes sur son territoire.

— Fichue affaire, soupira Dorn.

— C'est bien une fichue affaire, oui, renchérit l'autre en soupirant pareillement. Toute la nuit, ça a été une pagaille incroyable sur Toompea. Mais il est bien évident que le commandeur veut à tout prix éviter d'envoyer au grand maître de l'Ordre un message lui annonçant qu'un haut responsable a eu la tête tranchée, qu'on lui a en prime fourré une pièce de monnaie dans la bouche, que le meurtrier s'est enfui dans la ville et qu'on a perdu sa trace. Non, en aucun cas…

— Une pièce ? Quelle pièce ? demanda Dorn, intrigué.

— Je ne sais pas de quelle pièce il s'agissait, mais elle a roulé hors de la bouche de Clingenstain quand on a décroché la tête. La tête que le meurtrier avait plantée sur un crochet.

— Le mal qu'il ne s'était pas donné ! » grommela Dorn.

Le serviteur s'arrêta brusquement devant la porte de l'hôtel de ville. Il regarda Dorn avec hésitation. « En fait, ajouta-t-il, le commandeur avait interdit aussi de parler de cette pièce. Alors le bailli pourrait peut-être oublier ce détail, jusqu'à ce que le commandeur lui-même en dise davantage…

— Entendu », grommela Dorn avant de prendre congé du messager. Puis il décida pour de bon d'aller faire un tour chez Melchior, car une boisson forte pour soulager son mal au ventre était certainement indiquée, et pour autant qu'il le sût, son ami l'apothicaire n'avait justement pas son pareil pour dénicher les meurtriers. Si Melchior, au printemps passé, n'avait pas deviné qui avait étranglé cet hérétique flamand, l'assassin fréquenterait toujours les rues de Tallinn, offrant aux yeux de tous les apparences d'une dame digne et respectable. Le Conseil consentirait sans aucun doute à ce que Dorn enrôle Melchior comme adjoint.

3

Rue du Roi
La demeure de l'orfèvre Casendorpe
16 mai, le matin

Le maître orfèvre Burckhart Casendorpe, chef de la
guilde des Kanuts, n'était pas habitué à entendre des
nouvelles stupéfiantes de la bouche de sa fille. Il les
apprenait d'ordinaire à l'atelier, par les compagnons,
ou à la maison de la guilde en conversant avec les
autres maîtres. Pour autant qu'il circulât à Tallinn des
nouvelles stupéfiantes. Nul ne pouvait accuser maître
Casendorpe de curiosité : l'état d'orfèvre était trop
important et trop digne pour lui laisser du temps de
reste à discuter des affaires de la ville ou à se distraire
et s'amuser. Comme doyen de la guilde des Kanuts,
il avait déjà trop de charges à assumer, qu'il s'agisse
de l'entretien des autels de la guilde, de la convoca-
tion des assemblées, de la tenue des comptes, des
réponses à faire au nom de ses confrères, et ainsi de
suite. Au long de ses quarante-trois années d'existence – dont trente déjà s'étaient écoulées à Tallinn –,
messire Casendorpe avait pourtant toujours rêvé de
consacrer son temps avant tout au travail de l'or et de
l'argent. À quelque époque que l'on vive, par temps
de guerre, de famine ou de peste, l'or ne disparaissait

nulle part, pas plus que le besoin que les hommes en avaient. L'or faisait vivre. L'or était le symbole de toutes les richesses et de toute la puissance qui soient au monde. Les riches voulaient toujours posséder des bijoux en or. S'ils n'avaient pas d'or à montrer, s'ils n'en portaient pas autour du cou, personne ne croyait à leur richesse ni à leur importance. C'était aussi la raison pour laquelle l'orfèvre était toujours un maître hautement prisé. Ainsi, lorsque Burckhart Casendorpe avait été porté à la tête de la guilde des Kanuts, il lui avait sans doute fallu, à regret, s'occuper de choses qui ne l'enchantaient guère ; en revanche, cela avait fait de lui un citoyen important, *très* important. Et sa fille était devenue l'un des partis les plus recherchés dans Tallinn.

Pour l'heure, Hedwig se tenait devant la fenêtre de son atelier et, du haut de ses dix-huit printemps, elle lui annonçait des nouvelles stupéfiantes :

« Et ce chevalier, à Toompea, était découpé en morceaux. Les mains, les pieds, tout ! En morceaux ! »

Hedwig avait accompagné sa mère au marché le matin même – ce qui voulait dire qu'elle avait entendu ce qui se disait.

« Plus bas, ma fille, parle plus bas ! » marmonna Casendorpe en regardant derrière lui d'un air courroucé, en direction de ses compagnons qui s'efforçaient de se donner l'allure de gens occupés à travailler sans prêter l'oreille aux nouvelles incroyables qu'apportait la fille du maître. Il n'était pas convenable que des jeunes filles parlent de choses pareilles.

« Mais père, c'est quand même incroyable, c'est stupéfiant ! s'écria Hedwig.

— Oui, convint l'orfèvre. Je suis de cet avis, moi aussi. » Il ôta ses lunettes de son nez et fronça les sourcils. Le travail des orfèvres devait demeurer visible aux yeux des habitants de la ville – afin qu'ils ne gaspillent pas de métal précieux : c'est pour cette raison que le Conseil exigeait d'eux que leur demeure soit pourvue d'une vaste fenêtre donnant sur la rue, par laquelle il était possible de voir l'intérieur de l'atelier. Casendorpe servait ses clients par la fenêtre ouverte, à la base de laquelle était disposée une table ; contre le mur attenant, une étagère supportait des objets qui attestaient l'importance, la dignité et la richesse de cet homme versé dans toutes sortes de mystères. On y trouvait des dents de requin, une coque de noix de coco, du corail, des plumes de paon, un bloc d'ambre, des plumes de perroquet, un crabe séché et d'autres objets originaires de contrées lointaines, impressionnants et aux propriétés puissantes, qu'il avait tout simplement achetés fort cher à des marchands. Quant au risque d'attraper froid en commerçant en plein hiver par la fenêtre ouverte, il n'y avait rien à craindre. Dans l'atelier de l'orfèvre se trouvait un grand fourneau, dans le foyer duquel un apprenti faisait du feu en permanence pendant le travail.

Hedwig se tenait donc près de la fenêtre, et elle s'écria, sur un ton qui fit se retourner tous les compagnons dans l'atelier : « Mais père, c'est le même chevalier à qui tu as vendu cette chaîne hier ! Dieu du Ciel, imagine un peu que tu as vu cet homme quelques instants seulement avant qu'il se fasse découper en morceaux… »

Casendorpe leva lentement la tête. « Est-ce qu'on a parlé de ça aussi au marché ? demanda-t-il à voix basse en jetant autour de lui des regards méfiants.

— Non, mais tu as dit toi-même qu'il s'appelait Clingenstain, ce chevalier de Gotland, et maintenant on raconte au marché que c'est lui qui a été mis en pièces !

— En pièces ? » marmonna l'orfèvre. Il demanda ensuite, sur un ton plus sérieux : « Tu n'es quand même pas allée raconter que j'avais vendu une chaîne à ce chevalier ?

— Non, père, moi je n'ai rien dit », assura la fille.

Casendorpe repoussa le livre de comptes de la guilde, dans lequel il venait, installé à sa table, de porter quelques inscriptions. « Allons nous promener un petit peu en ville, Hedwig, dit-il ensuite. Par exemple du côté du marché, et chez l'apothicaire.

— Ah ! Toi aussi, tu veux entendre les nouvelles ! Mais père, je viens de te dire qu'il a été découpé en mille morceaux et…

— Tais-toi, maintenant ! ordonna l'orfèvre. Ce ne sont pas des choses à dire pour une jeune fille. Attends-moi à la porte, je serai prêt dans un instant. »

Racontars, ragots de marché : c'étaient là des choses si dangereuses qu'il valait mieux en prendre connaissance tout de suite, sans délai. Surtout lorsque cela concernait un homme qui portait au cou une chaîne d'or qu'on avait soi-même fabriquée, et que cet homme était mort.

Grâces soient rendues au Ciel, il est mort !

फ

Place du Marché, à Tallinn
16 mai, le matin

C'est aussi au marché que le chef de la confrérie des Têtes-Noires, Clawes Freisinger, marchand de son état, apprit le meurtre du dignitaire de l'Ordre : flanqué de deux acolytes, il cherchait les meilleurs aliments pour accompagner la dégustation de bière de ce soir. L'oncle du laitier de Toompea avait raconté à la fille du poissonnier… quelqu'un avait vu, quelqu'un avait entendu… la tête avait été tranchée… quelle horreur !… mais ces chevaliers ne savaient pas garder la tête sobre… c'était le même Clingenstain, oui, qui faisait la noce là-haut depuis plusieurs jours et que le conseil nourrissait et abreuvait… une honte pour la ville entière…

Freisinger tendait l'oreille, mais les racontars n'étaient jamais que cela. Une chose semblait sûre, en tout cas, c'est que le sang avait coulé en abondance.

À la différence de l'orfèvre Casendorpe, par exemple, Freisinger était un homme *très curieux*. Dans la profession de marchand, une rumeur n'est jamais à négliger, et les informations sur les affaires de la ville, les malheurs et les accidents, les joies et les festivités, sont toujours utiles à connaître. Un marchand, et à plus forte raison un marchand originaire d'un pays étranger, doit en savoir davantage encore sur la ville qu'un membre du Conseil. Freisinger prêta l'oreille, mais il y avait déjà trop de versions différentes. Il avait coulé beaucoup de sang là-haut. Il devait avoir coulé beaucoup de sang.

Il fallait qu'il en sache davantage, aussi prit-il le chemin de la boutique, mais il aperçut alors l'orfèvre Casendorpe qui s'approchait, tenant sa fille par la main. Freisinger bondit de joie intérieurement. Son futur beau-père et sa fiancée se dirigeaient vers lui. Un instant, il oublia ces histoires de meurtre sanglant sur Toompea.

Hedwig représentait pour Clawes Freisinger sa lettre d'introduction auprès des grands et des puissants de Tallinn. C'était le meilleur parti de toute la ville, d'abord parce qu'elle était aussi belle que sainte Ursule, et aussi riche que… aussi riche, en réalité, que l'était l'orfèvre Casendorpe lui-même. Hedwig était le sésame qui donnerait à Freisinger accès à la Grande Guilde, et au diable les Têtes-Noires ! D'ailleurs, beaucoup de gens à Tallinn regardaient messire Tête-Noire lui aussi comme un parti idéal. Personne ne pouvait l'accuser d'être pauvre, Clawes Freisinger y prenait garde. Ses vêtements, ses manteaux, étaient toujours coupés dans les étoffes les plus chères, et ses chapeaux superbes étaient ornés de plumes comme ceux d'un baron. Il n'avait pas ménagé ses deniers pour se parer de chaînes et de bagues, une broche d'argent ornait toujours son revers, et il portait même, l'hiver, un pendentif d'or sur sa pelisse de fourrures précieuses.

Personne non plus ne pouvait trouver à redire à sa façon de manier les armes ; il montait à cheval aussi bien qu'un chevalier, tirait à l'arbalète avec la précision d'un archer anglais, et lorsque le Conseil voulait inspecter l'équipement du contingent militaire des Têtes-Noires, tout était toujours impeccable, l'armure bien huilée et les hallebardes tranchantes comme des couteaux de boucher. Si les guildes de la ville organisaient un tournoi, Freisinger mettait un point d'honneur à ce que les Têtes-Noires remportent davantage de prix que les autres et que les membres de la confrérie soient jugés les plus valeureux.

Ils n'étaient tous que des marchands, bien entendu, et étrangers pour la plupart, mais un tournoi permettait à chaque habitant de la ville de se sentir, ne fût-ce que pour un instant, comme un noble. D'ailleurs, Freisinger n'était pas certain que lui ou un autre des plus braves Têtes-Noires, affrontant à cheval un des vassaux de Harju, n'arriverait pas à le désarçonner avec sa pique.

Clawes Freisinger vivait à Tallinn depuis cinq ans, et il estimait que si les Têtes-Noires, auparavant presque invisibles, étaient aujourd'hui reconnus et célèbres dans toute la ville, c'était bien grâce à lui.

Le sieur Freisinger était dans Tallinn un célibataire convoité : il avait l'habitude des regards que les épouses des marchands posaient sur lui, et il n'avait jamais eu besoin de payer pour jouir de la compagnie des jeunes filles. Rien de tout cela n'était un secret pour la jeune Hedwig, certainement pas.

Clawes Freisinger se tint immobile et attendit avec patience que la jeune fille remarque sa présence. Puis il hocha la tête prudemment en indiquant l'extrémité ouest de la place du marché. Sans doute parviendraient-ils à se retrouver dans un coin discret, où ils se promettraient à nouveau ce qu'ils n'avaient cessé de se promettre depuis un an.

À son propre étonnement, Clawes Freisinger avait abouti à la conclusion qu'il aimait la demoiselle Hedwig Casendorpe d'un amour sincère et profond, et qu'il était sans doute prêt à payer, de son renoncement à l'état de Tête-Noire, le plaisir de conduire jusqu'à sa couche, en tant que légitime épouse, celle dont il ne faisait jusqu'à présent que deviner les formes sous sa robe.

Je devrais dominer cette tentation, pensa-t-il, tout en courant maintenant après Hedwig comme un vulgaire garçon vacher.

5

Le couvent des dominicains
16 mai, le matin

Depuis quelque temps, Baltazar Eckell, le prieur des dominicains, ne se sentait pas bien du tout. Il était tourmenté par des douleurs, des brûlures gastriques, des élancements ; son appétit avait disparu, la tête lui tournait, tout vacillait devant ses yeux et, parfois, lorsqu'il était au plus mal, il lui semblait entendre la voix de l'archange Michel l'appeler, lui dire qu'on l'attendait. Peut-être son temps sur cette terre touchait-il pour de bon à son terme, bien qu'il y eût encore tant à faire – tant à réparer, parmi les choses que le Mal avait fait naître. Mais la vie d'un autre homme était arrivée la veille à son terme, c'était ce qu'il entendait maintenant de la bouche du cellérier, Hinricus, qui le tenait du cuisinier du couvent, qui lui-même avait entendu cela au marché.

Henning von Clingenstain avait été assassiné sur Toompea. On lui avait coupé la tête. *Que Dieu ait pitié de lui.*

Le prieur Eckell était assis dans le scriptorium, en compagnie du jeune cellérier. Le chapitre venait de prendre fin ; depuis plusieurs années, le prieur se rendait invariablement au scriptorium à cette heure-là, pour réfléchir sur les affaires célestes, et sur d'autres qui l'étaient beaucoup moins. Les frères travaillaient en cette heure précédant le déjeuner, ceux du moins qui n'étaient pas en ville pour prêcher ou pour s'occuper d'autres questions intéressant le couvent. Il avait aujourd'hui un besoin urgent de réfléchir, et ce d'autant plus qu'il avait déjà prié. À vrai dire, il ne se rappelait pas avoir dormi cette nuit. La prière était un art – la prière réelle, cette force suppliante qui jaillissait du cœur de l'homme pour rejoindre Dieu –, un art qu'il fallait apprendre avec soin. Eckell avait appris à prier de telle façon, avant de s'endormir, que ses prières l'accompagnaient toute la nuit pendant ses rêves. En rêvant il les revivait, elles tournoyaient autour de ses pensées, il s'entendait même converser avec les anges et les saints qu'il avait implorés. Tout jeune déjà, il avait développé cette faculté, pour se préserver des rêves d'un moine de vingt ans. Et cette aptitude, cet art, lui étaient restés. Le péché rôdait autour de l'homme à chacun de ses pas. Les pensées d'un moine devraient être pareilles à une citadelle qu'entoure une puissante muraille, mais lorsqu'il rêvait, c'était comme si les gardes de la forteresse avaient disparu avec les clés, laissant les portes grandes ouvertes. C'était la raison pour laquelle le jeune Baltazar avait appris à lutter contre ses rêves, afin que les tentations nocturnes ne polluent pas ses pensées diurnes.

Et cette nuit, il avait eu grand besoin de cela.

« Mon père, ce chevalier de l'Ordre, n'est-ce pas le même que vous êtes allé confesser hier, à Toompea ? demanda Hinricus avec anxiété.

— Si, c'est bien lui, répondit Eckell d'un ton las.

— Tout semble donc être arrivé sous le coup de quelque prescience céleste ! Dans la journée il veut

se confesser, et à peine quelques heures plus tard…
il tombe sous les coups de l'épée. Comme s'il l'avait
lui-même pressenti ! »

Eckell ne répondit pas. Il ne dit pas à Hinricus que
Clingenstain n'avait eu aucune raison d'imaginer
qu'il trouverait la mort cette nuit-là sur Toompea. Par
tous les saints, le devoir d'un prieur était de préserver
ses jeunes moines des horreurs du monde, car ils ne
connaissaient pas encore la mort, ils ne connaissaient
pas son odeur, ils ne se *souvenaient* pas d'elle comme
le prieur, lui, s'en souvenait. Et Baltazar Eckell se souvenait de bien des morts différentes, de leurs teintes, de
leurs odeurs, de leurs voix… Oh, non ! Clingenstain
ne s'attendait certainement pas à ce que sa mort ait la
teinte écarlate du sang coulant sur le calcaire gris, ni
la puanteur de la bière bue sans mesure.

« Voulez-vous que je vous fasse apporter de l'extrait de lierre par l'infirmier ? demanda soudain Hinricus d'une voix inquiète. Vous êtes si pâle, mon père !

— Si je suis pâle, c'est parce que mon sang a perdu
sa couleur, comme mes cheveux, répondit le prieur.
Non, je n'ai pas besoin de l'infirmier. Est-ce que tu
sais où se trouve Wunbaldus ?

— Tout à l'heure il était dans la brasserie, occupé
à goûter sa bière cuivrée : celle-là même qui doit être
dégustée ce soir chez les Têtes-Noires. Voulez-vous
que je l'appelle ?

— Oui. C'est-à-dire… non », bredouilla le prieur.
*Il faut que je réfléchisse. Il faut que je me calme et
que je réfléchisse.* « Fais porter mon échiquier dans
l'atelier de Wunbaldus, je te prie, et… »

Le prieur s'interrompit soudain. Hinricus attendait patiemment. Le vieillard inspira profondément,
la main posée sur son livre fermé, le regard rivé à la

fenêtre, comme si sainte Catherine lui était apparue. Dans le silence religieux du scriptorium aux murs frais ne filtrait du dehors que le chant des oiseaux. Le prieur sentit les idées qui venaient de lui traverser l'esprit filer maintenant entre ses doigts et fondre comme neige au printemps.

« Est-ce qu'il neige encore, Hinricus ? demanda-t-il soudain, le regard toujours tourné vers la fenêtre par laquelle apparaissaient les arbres fruitiers du couvent, bourgeonnants.

— Non, mon père, il ne neige pas », répondit Hinricus à voix basse. *Cela fait deux mois qu'il ne neige plus. Que la Sainte Vierge ait pitié de nous !*

« La neige s'est arrêtée, chuchota le prieur. C'est bien, Hinricus, loué soit le Seigneur, c'est très bien. »

6

La boutique de Melchior
16 mai, le matin

« La pauvre fille, répéta Keterlyn en s'approchant de son mari et en regardant Gertrud s'en aller.

— Tout ce que tu voudras, mais pas cela, ma chère femme, dit Melchior en souriant. Gertrud est peut-être malheureuse, mais pauvre certainement pas, car maître Mertin est l'un des hommes les plus riches de Tallinn.

— À quoi servent les richesses si tu n'en vois jamais un sou, si tu dois frotter toi-même les jambes boursouflées de ton mari, comme ceux qui travaillent à l'hospice ? demanda Keterlyn. Je me souviens de Gertrud à l'époque où nous jouions ensemble dans les prés, en dehors de la ville : c'était une fille si joyeuse, si guillerette, et regarde-la maintenant ! »

L'apothicaire haussa les épaules. « C'est entendu, la sollicitude de ses parents n'est pas allée jusqu'à donner leur fille à un jeune apothicaire plein d'ambition, mais si tu compares la dot que le vieux Mertin leur a versée avec ce que j'ai été capable de payer aux tiens…

— Mon père n'était pas de haute naissance, non plus : c'était un simple tailleur de pierre, et autochtone par-dessus le marché, dit la femme d'un ton de reproche.

— C'est vrai, j'ai fait une bonne affaire, j'ai cherché la fille à la fois la plus agréable et au meilleur marché… »

Keterlyn éclata de rire. « Quel ladre !

— Mais je ne me plains pas, qu'est-ce que tu vas croire ! Pas un seul instant ! La somme n'était pas bien grande, mais quelle fille ! Je viens d'ailleurs de consulter les astres, afin de savoir ce qu'ils promettent pour aujourd'hui aux apothicaires astucieux, et ce que j'ai vu m'a beaucoup plu », ajouta Melchior en adressant à sa femme un clin d'œil malicieux.

Keterlyn sentit le regard de son mari se poser sur son corps, et elle déclara avec une brusquerie feinte :

« Je me demande bien quoi. »

Melchior cligna de l'œil encore une fois, puis il déploya sa carte du ciel. « Approche-toi, ma chère, et viens voir par toi-même.

— Toutes ces histoires d'étoiles, ce sont des affaires de charlatans, je n'y crois pas : pourquoi veux-tu que je regarde ? »

S'il y avait une chose à laquelle Keterlyn croyait fermement, c'était son instinct de femme, dans lequel se mêlaient la sagesse paysanne de ses ancêtres de Viru et la prudence d'une citadine d'aujourd'hui. Melchior se contenta de sourire en se penchant sur la carte. *La femme de l'apothicaire n'est pas apothicaire*, songea-t-il.

« Si je ne me trompe pas, Sagittarius nous indique clairement que ce matin, un bon et brave apothicaire, ici et à cet instant même, va recevoir de sa jeune et délicieuse épouse un doux baiser », déclara-t-il ensuite. Se retournant vivement, il enlaça sa femme, et si Keterlyn opposa une quelconque résistance, ce fut seulement par souci des convenances. Elle avait beau répéter que quelqu'un pouvait entrer à tout instant, Melchior n'en avait cure. Il la serrait tendrement contre le comptoir, pressait ses lèvres sur sa bouche et, glissant une main sous sa robe, caressait sa cuisse potelée.

« Tu vois, chuchota-t-il doucement à son oreille après quelques instants, tout s'est passé comme Sagittarius l'avait annoncé : un doux baiser pour commencer la journée. À quoi cela t'avance-t-il de ne pas croire aux étoiles ? »

Ce fut donc seulement après que Keterlyn eut accueilli sans déplaisir la prédiction de Sagittarius, que Melchior Wakenstede apprit qu'un important chevalier de l'Ordre avait été assassiné la veille à Toompea. Keterlyn était passée le matin au marché, et comme Melchior le remarquait souvent, c'était le seul endroit de la ville où l'on pouvait entendre les nouvelles plus tôt que dans sa propre boutique.

« Ce sont des chevaliers qui ont voulu se faire une saignée ? demanda-t-il avec curiosité – car la curiosité est dans la nature de l'apothicaire.

— Je n'en sais rien. C'est un dénommé Clingenstain, ou quelque chose comme ça. Il paraît qu'on lui a coupé la tête, dans son sommeil.

— Seigneur Jésus ! s'écria Melchior. Nos chevaliers ont vraiment des jeux épouvantables ! Et qui donc a fait cela ?

— On raconte toutes sortes de choses, mais personne n'en sait rien. Le commandeur ne sait pas non plus, il n'y a pas eu de témoins. La tête était coupée, c'est tout, il n'y avait pas trace du meurtrier. Ce matin déjà, on a vu quelques écuyers de l'Ordre du côté de l'hôtel de ville, la mine sombre, l'humeur mauvaise. Melchior, où va le monde, si les chevaliers se querellent entre eux et commettent des crimes aussi épouvantables ?

— Je n'en sais rien, reconnut Melchior en regardant par la fenêtre. Et je ne suis pas sûr d'avoir envie de le savoir. Mais je crois que nous allons en entendre tout de suite davantage, car je vois approcher notre cher bailli en personne. »

La ville était réveillée, et toutes sortes de gens sillonnaient déjà la rue du Puits, mais au milieu de ces visages familiers Melchior avait tout de suite reconnu le plus familier de tous, celui de son excellent ami Wentzel Dorn, bailli de la ville de Tallinn. À l'instant où celui-ci pénétra dans la boutique, Melchior savait déjà ce qu'il venait lui annoncer. Le bailli avait l'air sombre et renfrogné, il avait oublié la médaille distinctive de sa charge et il lui fallait de toute urgence une ou deux rasades de liqueur d'apothicaire et un bon conseil.

Ce n'est pas la première fois, songea Melchior. Le bailli avait beau connaître sur le bout des doigts le droit de Lübeck et avoir des serviteurs robustes, c'était quand même à lui qu'il s'adressait en premier lorsqu'il avait besoin d'assistance. À trois reprises, déjà, Melchior avait apporté son aide au Conseil pour démasquer un meurtrier, et la dernière fois, l'été passé, quand il avait deviné qui avait étranglé cet hérétique flamand, Dorn et lui avaient découvert qu'ils prenaient plaisir au temps passé ensemble à discuter des affaires du monde et à boire de la bière. C'était sans doute ce que l'on appelait l'amitié.

Wentzel Dorn, bailli de Tallinn, était plus âgé que l'apothicaire d'une dizaine d'années ; c'était un rouquin trapu et costaud, qui boitait légèrement de la jambe droite, à cause d'une vieille blessure reçue dans sa jeunesse, lors d'un combat livré par une troupe de soldats de la ville contre des Lituaniens. C'était déjà la sixième année que ce natif de Tallinn assumait la charge de bailli et faisait donc partie des quatorze conseillers. Il est vrai que l'on considérait sa position comme subalterne, car il n'avait pas voix au chapitre quand on délibérait sur les affaires de la ville. Son rôle était d'arrêter les malfaiteurs et de punir les délits mineurs selon la loi de Lübeck. Il avait également la tâche de contrôler les artisans, afin de s'assurer qu'ils respectaient les règles édictées par le Conseil et qu'ils ne trompaient pas les citadins. En cas de crime sérieux, c'était le Conseil réuni au complet, bourgmestres et conseillers, qui jugeait. De l'avis de Melchior, Dorn était un bailli sérieux et un juge compétent, car il avait le cœur à la bonne place. Comme le droit de Lübeck le rappelait, il importait qu'un juge ne se laisse guider ni par la haine ni par le favoritisme, qu'il ignore les cadeaux et ne craigne personne d'autre que le Seigneur Dieu – et Wentzel Dorn était ce genre d'homme. S'il était nécessaire de torturer quelqu'un, Dorn le faisait torturer. S'il s'agissait d'être équitable et de rendre un jugement, il n'était pas d'une sévérité ou d'une cruauté exagérées, mais prêtait l'oreille à toutes les parties et infligeait une amende que le coupable était en mesure de payer sans pour autant plonger sa famille dans une trop grande pauvreté. En revanche s'il y avait besoin d'astuce, s'il fallait remonter la trace d'un malfaiteur, ou si un voleur niait toutes les accusations et qu'il n'y avait pas de témoins pour le confondre, alors il arrivait que Dorn rencontre ses limites. Mais c'est bien pour cela qu'on a des amis.

Non, ce n'était pas la première fois que Melchior aurait à conseiller son ami Dorn, et c'est avec le sourcil froncé qu'il arborait toujours en pareille circonstance que ce dernier pénétra à cet instant dans la boutique.

Le bailli salua poliment Keterlyn avant de s'affaisser lourdement sur une chaise.

« Que la paix du Seigneur soit sur vous, messire Wentzel, dit Keterlyn.

— La paix ! On en est bien loin, hélas ! répondit le bailli d'un ton lugubre.

— Pas la peine alors de demander comment se porte ce matin le ventre de messire bailli : je te verse plutôt tout de suite une rasade de vin aux épices !

— Oh ! s'écria Keterlyn en feignant la surprise, le ventre de messire bailli fait encore des siennes ? Comme chaque matin ?

— Un petit reconstituant ne me ferait pas de mal, c'est vrai. J'ai l'impression que ça remue là-dedans, et la crampe est toute proche », grogna Dorn.

Melchior avait déjà préparé la bouteille de terre cuite. « Le mal de ventre semble être vraiment sérieux, ce matin : messire bailli en a même oublié sa médaille, remarqua-t-il en versant le breuvage. À ta santé !

— Merci, Melchior ! À ta santé ! » Le bailli renversa la timbale de liqueur aux herbes dans son gosier et soupira. Keterlyn le regardait en souriant sous cape. À son avis, ce mal de ventre affligeait un peu trop souvent le bailli, et la liqueur la plus forte de l'apothicaire semblait être la seule médecine efficace.

Dorn, cependant, grommelait : « On dirait que c'est le diable qui me tord les entrailles !... C'est vrai, ma chaîne de bailli... Oh, je ne l'ai sans doute plus pour longtemps ! Au cas où tu n'aurais pas encore entendu la nouvelle...

— Je l'ai entendue, je crois, car ma chère petite femme a trouvé le temps d'aller au marché ce matin, dit Melchior.

— Dans ce cas, tu en sais déjà plus que moi »,
rétorqua Dorn.

Melchior demeura un instant silencieux, puis il
déclara, l'air préoccupé : « Je ne sais pas grand-chose,
juste qu'hier soir l'ancien commandeur de l'Ordre sur
l'île de Gotland a été décapité à Toompea, et que le
meurtrier s'est enfui dans la ville basse.

— Dans la ville ! s'exclama Keterlyn. Personne
n'a parlé de cela au marché ? Comment le sais-tu ?

— Oh, il n'est pas bien compliqué de deviner que
si un meurtre a été commis sur Toompea et que personne n'a encore été mis aux fers, c'est que le meurtrier a réussi à prendre la fuite. Mais s'il a pris la fuite
et que l'on voit au petit matin des gens de l'Ordre
rôder du côté de l'hôtel de ville, et qu'ensuite le bailli
fait une tête d'enterrement, c'est que l'assassin a dû
se réfugier dans la ville. »

Dorn hocha la tête et avala encore une gorgée.

« L'assassin est dans la ville ? Seigneur Jésus !
Melchior, tu crois que l'assassin est dans la ville ?
Je n'oserai plus mettre un pied dehors, se lamenta
Keterlyn.

— Tant mieux, répliqua son mari. Tout à l'heure,
je t'ai seulement révélé ce que les astres promettaient
pour ce matin à notre brave apothicaire, mais maintenant que j'y repense, il était encore question d'une ou
deux choses vers l'heure du déjeuner : décidément, je
préfère que tu ne sortes pas en ville.

— Tu n'as pas honte ! s'exclama Keterlyn en rou-
gissant, tandis que Dorn demandait aussitôt ce que
les étoiles annonçaient pour aujourd'hui touchant
les baillis.

— Trois gobelets de vin épicé contre les maux
de ventre ! » répondit Melchior en hochant la tête

jovialement. Keterlyn, quant à elle, prit congé du bailli, car elle ne voulait pas entendre ces affreuses histoires d'assassinats.

L'affaire était sérieuse, si l'assassin d'un haut responsable de l'Ordre prenait la fuite et passait dans la juridiction de la ville. Bien entendu, l'Ordre réclamerait qu'il soit livré à Toompea, et bien entendu le Conseil le livrerait, mais pour imaginer la suite il fallait déjà savoir *qui* était le meurtrier, et *pourquoi* il avait agi ainsi. Les hommes de l'Ordre n'avaient pas le droit d'entrer dans la ville pour y appliquer leur droit coutumier. Melchior aimait Tallinn : c'était sa ville. Il la voulait saine, épargnée par les épidémies, une ville où l'on puisse vivre en confiance, qui offre à ses enfants un cadre de vie paisible. Tallinn était située sur les terres de l'Ordre, mais c'était le droit lübeckois qui y avait cours, et les chevaliers n'avaient pas voix au chapitre. Pourtant, si le meurtrier était un citadin, la vengeance de l'Ordre pouvait s'abattre sur la ville tout entière. Il n'était encore jamais arrivé qu'un habitant de Tallinn tranchât la tête d'un chevalier : c'était inouï, abominable…

« Est-ce qu'ils ont vu le meurtrier ? demanda soudain Melchior. Est-ce que les chevaliers ont vu qui avait fait cela ?

— Je ne sais pas ce qu'ils ont vu. Ils n'étaient sans doute plus capables de voir quoi que ce soit, cela faisait déjà plusieurs jours qu'ils se soûlaient avec ceux de Gotland, hasarda le bailli.

— Mais… maintenant que j'y pense, est-ce que ce Clingenstain – paix à son âme, bien sûr – n'est pas précisément Henning von Clingenstain, le fameux Clingenstain de Gotland, un des chefs militaires du grand maître Jungingen à l'époque où l'Ordre avait repris les choses en main sur l'île et délogé les Frères Vitaliens ? dit Melchior.

— Lui-même, confirma Dorn. Il a été indiqué au Conseil que les chevaliers revenant de Gotland passaient par Tallinn pour se rendre à Marienburg et comparaître devant le grand maître, maintenant que l'Ordre a cédé Gotland à la couronne danoise.

— Ce Clingenstain… on l'appelait "le boucher de Gotland", marmonna l'apothicaire. On raconte que ceux de l'Ordre brûlaient vifs les Vitaliens, ou alors qu'ils leur coupaient les mains et les laissaient mourir sur la côte. Quelques-uns ont même été écorchés vifs, et les gens de l'Ordre se sont fait des gants de leur peau. Le sang coulait à flots.

— Ce n'était que justice ! s'exclama le bailli. Est-ce que les Vitaliens ont jamais eu pitié de quelqu'un ? Est-ce qu'ils n'ont pas arraisonné tous les navires qu'ils ont croisés, qu'ils soient de la Hanse, du Danemark ou même de Suède ? La mer Baltique n'a jamais connu pire fléau que cette bande de pillards enragés et d'assassins abjects, de créatures odieuses au Seigneur ! Tous ces Störtebecker, Gödeke Michels et autres magister Wigbold… »

Melchior connaissait tous ces noms, comme devait les connaître chacun des habitants des ports de la Baltique. Cela remontait au temps de sa jeunesse, quand ils suscitaient l'effroi et l'horreur. Les Vitaliens n'avaient pitié de personne, et personne n'avait pitié d'eux. Les uns tuaient pour terroriser l'ennemi afin qu'il se rende plus facilement, les autres pour que les pillards, effrayés par le destin qui les attendait, disparaissent de la surface de la mer. Les Frères Vitaliens que l'on capturait étaient ramenés à terre et mis à mort dans les ports, sous les yeux de la populace. Il avait lui-même assisté à un tel spectacle, une dizaine d'années plus tôt : trois Vitaliens avaient été décapités dans le port de Tallinn, et leurs crânes cloués sur des pieux d'amarrage. Des centaines et des centaines de gens avaient trouvé la mort pendant ces combats, et leurs pillages avaient conduit les Vitaliens jusqu'en Livonie : ils avaient même pillé et incendié la ville de Haapsalu. L'Ordre semblait avoir mis fin à ces agissements. Melchior égrenait ses souvenirs tout en écoutant les imprécations du bailli et en jetant de temps à autre un coup d'œil par la fenêtre. Au milieu de la foule des gens ordinaires, il vit passer Clawes Freisinger, le chef des Têtes-Noires, qui conversait discrètement avec demoiselle Hedwig ; il vit passer le prêtre de l'église du Saint-Esprit, Rode, il vit l'apprenti du cordonnier et d'autres visages familiers : aucune de ces personnes n'avait l'air de se douter que le meurtrier de Toompea déambulait peut-être parmi elles.

« Ils enfermaient leurs prisonniers dans des caques à harengs et ils les jetaient à la mer, continuait le bailli avec exaltation ; ils ont capturé mon gendre, et quand nous avons envoyé l'argent de la rançon, nous n'avons reçu aucune réponse, c'est seulement bien plus tard que nous avons appris qu'il avait été poignardé depuis longtemps sur la côte de Stralsund. À cause de ces maudits Vitaliens, Tallinn était comme assiégée, pas un marin n'osait prendre la mer sans soldats, et il arrivait que même ceux-là prennent peur et vendent aux Vitaliens le navire tout entier. Crois-moi, Melchior, c'est la miséricorde divine qui a permis que l'Ordre les chasse de Gotland.

— La miséricorde divine, pour sûr, acquiesça Melchior. On respire en mer un air plus pur, même si la piraterie y perdurera sans doute aussi longtemps qu'on

transportera des marchandises. On dit bien que les pré-
vôts de Vyborg et de Turku laissent toujours les habitants de la côte faire leurs choux gras des navires de
Tallinn. C'est quand même surprenant que Clingenstain ait été tué juste au moment où il quittait Gotland.

— Qu'est-ce que tu veux dire par là, mon ami ?

— Que c'est curieux, rien d'autre. Aussi longtemps
qu'il a commandé Gotland, tout a bien été pour lui, et
aussitôt libéré de sa charge, le voilà qui disparaît. Et
à Tallinn, par-dessus le marché, où il n'avait encore
sans doute jamais mis les pieds et où personne n'a de
raison de lui en vouloir. »

Le bailli soupira. « À Tallinn, oui, tu verses du sel
sur la plaie !

— N'est-ce pas le rôle de l'apothicaire que d'éta-
ler ses remèdes sur les blessures de toutes sortes ? Je
ne cherche pas à me moquer de toi, bien entendu : je
t'assure que si je puis te venir en aide afin que tu ne te
retrouves pas broyé, pris comme te voilà entre l'Ordre
et le Conseil… »

Melchior fut interrompu par une exclamation qui
retentit dans la rue. Il se tourna et comprit que cela
devait être Hedwig Casendorpe qui avait poussé un
cri de joie à cause d'une chose que messire Freisinger
lui avait dite, et qui avait couru à la rencontre du père
Rode. Le Tête-Noire avait maintenant l'air de s'excuser auprès du curé, tandis que Hedwig repartait vers
le marché d'un pas joyeux.

« Qu'est-ce qui se passe ? demanda Dorn.

— Rien du tout, répondit Melchior. C'est juste
messire Tête-Noire qui se promène avec sa fiancée.
Qui se promenait, plus exactement. Ils ont maintenant
pris congé l'un de l'autre, très tendrement. C'est tout
de même étonnant qu'à quelques heures d'une soirée

si importante, il trouve le temps de s'occuper de ses affaires de cœur.

— Quelle soirée ? fit Dorn.

— Mais mon cher ami, c'est ce soir la première des dégustations de bière chez les Têtes-Noires – où le bailli comme l'apothicaire sont cordialement invités. J'ai vu hier déjà qu'on roulait jusque là-bas les tonneaux brassés ce printemps par les dominicains.

— Par le diable ! soupira Dorn. Pour un peu, j'allais oublier. Mais tu ne crois pas que cette fête va être annulée, maintenant que…

— Qu'un meurtrier court en liberté dans la ville ? Nous n'avons qu'à poser la question sur-le-champ à messire Freisinger. »

Melchior passa la tête par la fenêtre et héla le marchand, qui suivait d'un œil avide la demoiselle Hedwig. « Bien le bonjour, messire Tête-Noire ! Ne restez donc pas planté devant chez moi, entrez, puisque vos pas vous ont conduit jusqu'ici !

— Avec plaisir », répondit le commerçant depuis la rue. Il regarda Hedwig qui courait vers la place de l'Hôtel-de-Ville et cligna brièvement des yeux. Puis il poussa la porte de la boutique et entra, tandis que Melchior lui versait déjà une timbale de liqueur d'apothicaire.

« Messire bailli est ici, lui aussi ! Bonjour à vous », dit Freisinger en inclinant la tête.

Melchior ne pouvait pas dire que Clawes Freisinger soit précisément son ami, ils étaient pour cela trop différents l'un de l'autre, et les affaires dont ils s'occupaient avaient peu en commun. Cependant, il respectait cet homme à la taille haute et au teint mat, et pas seulement parce qu'en tant qu'apothicaire il était toujours invité aux festins et aux beuveries qu'on organisait chez les Têtes-Noires. Clawes Freisinger était, de l'avis de Melchior, un homme droit : il y avait en lui quelque chose d'aristocratique et de chevaleresque, qui le mettait d'une certaine façon au-dessus des autres marchands de la ville. Freisinger avait une dignité mystérieuse, comme s'il s'agissait d'un noble, ou d'un chevalier-marchand. On sentait aussi, chez le supérieur des Têtes-Noires, comme une force secrète et inexplicable, que Melchior n'avait jamais vraiment percée à jour. Pendant que ce dernier versait la liqueur, le bailli demanda à Freisinger qui venait de crier dans la rue.

« Pour un peu, la demoiselle Hedwig Casendorpe aurait renversé le père Rode en courant à sa rencontre, répondit Freisinger d'un ton neutre. Non pas que cela eût chagriné qui que ce soit.

— Ah ! C'était demoiselle Hedwig ? Alors il est facile de deviner pourquoi elle s'est précipitée sur le curé, s'exclama Dorn en riant.

— Je ne vois pas, dit Freisinger en se raidissant.

— Enfin, toute la ville sait bien que demoiselle Hedwig et vous-même allez bientôt avoir besoin du curé, pour passer devant l'autel dans les règles… marmonna le bailli sur un ton bon enfant et en clignant de l'œil. Dites-nous plutôt, messire Tête-Noire, quand le vieux Casendorpe compte organiser une fête de fiançailles dans toute la ville ! »

Freisinger n'appréciait visiblement pas cette conversation. « Il faudra que vous le demandiez à messire Casendorpe », répondit-il sèchement.

Melchior posa la main sur l'épaule du bailli et sourit. « Notre ville est si petite que rien ne passe inaperçu, n'est-ce pas, et les femmes sont incapables de tenir leur langue dès qu'il semble y avoir un mariage dans l'air. Moi aussi, j'ai bien entendu dire que messire Freisinger devra bientôt renoncer à la joyeuse vie des Têtes-Noires pour embrasser une existence d'homme marié et de citoyen de la ville : mais on raconte beaucoup de choses, et dès qu'une rumeur se forme, elle fait son chemin jusqu'ici. Aussi je vous en prie, messire Tête-Noire, ne prenez pas notre curiosité en mauvaise part.

— Je ne vous en veux nullement, Melchior, répondit le marchand. En tant qu'homme marié, vous devez bien savoir que la personne à qui on dit une chose en comprend une autre, que des tiers comprennent cette chose d'une troisième façon et s'en vont la colporter d'une autre manière encore.

— Vous avez raison, messire Tête-Noire. Mais que diriez-vous d'une douce liqueur d'apothicaire, contre ce mal de gorge qui vous affligeait la semaine dernière ? Il m'en reste, et votre mine me dit que la douleur n'est pas complètement partie.

— Ce serait un péché de ne pas en profiter, maintenant que je suis là. Grand merci à vous, et j'espère avoir le plaisir de vous rendre la politesse ce soir.

— Oh, c'est vrai, cette dégustation de bière ! marmonna Dorn. Mais dites-moi, elle a bien lieu ?

— A-t-on déjà vu les Têtes-Noires pris en défaut quand il s'agit d'organiser une fête ? La ville aurait beau être cernée par des centaines d'ennemis, cela n'empêcherait pas la fête d'avoir lieu, du moment qu'elle a été annoncée et que la bière est brassée.

— Si vous le dites, messire Tête-Noire, si vous le dites… Je ne crois pas me rappeler que la confrérie ait organisé dans notre ville des fêtes aussi grandioses, par le passé. On n'entendait pas beaucoup parler de vous, quand j'étais jeune », dit Melchior en hochant la tête. Les Têtes-Noires étaient crédités de plusieurs siècles de présence à Tallinn, où ils s'étaient apparemment implantés avant les autres guildes, mais c'étaient eux-mêmes qui l'assuraient, et réellement, Melchior ne se rappelait pas qu'on eût beaucoup parlé d'eux avant l'arrivée de messire Freisinger. C'est avec ce dernier que la confrérie avait soudain acquis de la notoriété. Le jeune commerçant avait invité les fils des marchands de la Grande Guilde et les autres négociants étrangers à le rejoindre. Depuis lors – cela faisait maintenant trois ans –, bons viveurs et pleins d'entrain, les Têtes-Noires étaient connus en ville pour leurs fêtes et leurs beuveries, leurs jeux guerriers et leurs tournois. Avant Freisinger, il n'y avait en tout et pour tout à Tallinn que trois vieux marchands célibataires qui s'appelaient eux-mêmes Têtes-Noires, mais ils étaient si vieux et si décrépits que la confrérie aurait aussi bien pu disparaître avec eux.

Freisinger avala la liqueur et déclara d'un air satisfait qu'elle lui faisait vraiment du bien à la gorge. « Les Têtes-Noires ont dans chaque ville une façon différente de s'organiser, ajouta-t-il pour répondre à la question de Melchior. Non pas que nos chapitres soient si nombreux que cela, d'ailleurs. Mais vous demandiez si la fête avait bien lieu. Quelle raison aurait-elle d'être annulée ? Il est arrivé quelque chose ?

— Messire Tête-Noire n'a donc rien entendu au sujet de Toompea ? demanda Dorn.

— Je viens de passer au marché, et il m'a semblé qu'on y parlait de Toompea, en effet, mais je n'ai pas posé de question. Que se passe-t-il donc ? C'est la guerre ? Parlez, Melchior, ces histoires se sont sans doute déjà frayé un chemin jusqu'à chez vous ! s'enquit Freisinger d'un ton enjoué.

— Pour autant que je le sache, répondit Melchior, il semblerait que l'ancien commandeur de l'Ordre sur l'île de Gotland, Clingenstain, ait été décapité hier soir sur Toompea.

— Seigneur Dieu ! Le fameux Clingenstain ? s'écria messire Tête-Noire. C'est donc vrai ! Miséricorde ! Et qui a fait le coup ?

— Le meurtrier se serait enfui dans la ville basse, à ce qu'on dit, grommela le bailli. Mais qui cela peut être, je n'en sais rien. »

Ils entrechoquèrent leurs timbales et burent, comme on avait coutume de le faire dans la ville lorsqu'on entendait de mauvaises nouvelles à propos de Toompea.

« Est-ce que le commandeur a déjà annoncé une récompense ? demanda ensuite Freisinger.

— Je ne sais pas ce que le commandeur a fait ou n'a pas fait, mais je ne vais pas tarder à le savoir, car je me rends de ce pas à Toompea, dès que mon mal de ventre m'aura lâché un petit peu, répondit Dorn. Les gens de l'Ordre n'ont pas parlé de récompense. Ah oui, le seul argent qu'ils ont mentionné, c'est une pièce de monnaie qu'on avait fourrée dans la bouche de Clingenstain, avant de lui clouer le crâne contre le mur.

— Une pièce de monnaie dans la bouche ! s'exclama Melchior, saisi d'effroi.

— C'est ce qu'ils ont dit. La pièce lui est tombée de la bouche quand ils ont trouvé la tête. Je ne veux même pas imaginer une horreur pareille.

— Voilà une sombre affaire, dit Freisinger, songeur. Plus vite l'assassin sera capturé, mieux cela vaudra ; sans cela la colère du commandeur risque de retomber sur la ville… et cela ne ferait pas l'affaire des marchands. Mais je vous prie de lui rappeler qu'il est attendu ce soir et après-demain chez les Têtes-Noires, comme hôte d'honneur. Et sinon, que dit de toute cette histoire le vénérable Conseil ? Va-t-il promettre une récompense ?

— Le vénérable Conseil n'a pas encore délibéré, déclara Dorn. Le vénérable Conseil dort encore, ou vaque à ses affaires commerciales, et le bailli doit se rendre à Toompea malgré un mal de dos épouvantable. Tout ceci est une sale affaire. De quelque côté qu'on la regarde, c'est une sale affaire. »

Melchior sourit : l'instant d'avant, le bailli avait semblé se plaindre d'avoir mal au ventre. Sur ces entre-faites, Freisinger prit congé et redit une fois encore qu'à moins d'une interdiction venant du Conseil, un événement aussi important que le *smeckeldach* ne serait certainement pas annulé. Et que selon la cou-tume, le commandeur était attendu, en tant que sei-gneur du lieu. Puis il souleva son chapeau et sortit, juste après que Melchior eut cru apercevoir de façon fugitive, dans la rue, le visage de l'orfèvre Casendorpe. Cela lui rappela qu'il serait vraiment dommage pour la ville de devoir perdre le plus actif et le plus valeu-reux Tête-Noire qu'elle ait connu.

Mais comme il était inscrit en toutes lettres dans leurs statuts, les Têtes-Noires ne pouvaient accep-ter en leur sein ni bourgeois ni hommes mariés. S'il se mariait – et tout indiquait que c'était bien vers le havre de la vie conjugale que naviguait messire Freisinger –, le chef des Têtes-Noires devrait aban-donner ses fonctions. Devenu bourgeois et homme marié, il intégrerait la Grande Guilde, et les Têtes-Noires devraient se chercher un nouveau supérieur. C'était là une règle étrange, mais la confrérie elle-même avait une histoire étrange. Ses membres étaient présents à Tallinn depuis des temps immémoriaux, mais ils n'attiraient guère l'attention. Deux ou trois vieux garçons endurcis, occupés à chercher parmi les nouveaux marchands qui pourrait leur succéder. Ce qu'ils faisaient entre eux, personne n'en savait rien. Toutefois, maintenant qu'ils s'étaient associés aux fils des membres de la Grande Guilde et aux compagnons des marchands étrangers, il était devenu difficile de trouver dans la ville plus joyeuse compagnie. *Qui sait, moi aussi je serais peut-être devenu Tête-Noire*, songea Melchior.

« Allez, dit-il alors au bailli, si je comprends bien, nous avons maintenant une visite importante à faire à Toompea. Je pèse vite quelques remèdes, pour que Keterlyn puisse se débrouiller en mon absence… »

Le bailli se gratta l'occiput et reconnut qu'il était en effet porteur d'une prière en ce sens, de la part du Conseil.

« Si tu n'as rien contre, bredouilla-t-il, le Conseil pourrait te rémunérer en tant que bailli adjoint, comme l'autre fois, tu te rappelles, quand nous recherchions cet étrangleur. Et bon, c'est vrai, cette histoire de mal de dos n'était qu'un prétexte…

— Il était question de mal de ventre, non ? corrigea Melchior en souriant. Mais je suis d'accord, avec plaisir ! D'ailleurs, ça me revient, il m'est déjà arrivé de faire porter au commandeur un breuvage très spécial, que je prépare à partir d'hydromel et d'herbes médicinales et qui remet en forme après qu'on a festoyé plusieurs jours. Comme par magie ! Cette ville est ma ville, j'en suis l'apothicaire, je veux savoir ce qui s'y passe. Passons derrière, je vais laisser mes instructions à ma femme, chercher mon chapeau et le dépoussiérer.

— En avant, mon ami, laissons des instructions au chapeau, dépoussiérons ta femme, et en route pour Toompea ! » s'écria Dorn en bondissant sur ses pieds.

Aux abords de l'église Saint-Nicolas
16 mai, avant midi

Kilian Rechpergerin aimait traîner dans les jardins de Tallinn et essayer ses chants à l'ombre des buissons. Il avait plusieurs endroits favoris, un en particulier dans un verger situé entre la rue des Forges et la rue Sous-la-Colline ; c'était un quartier un peu plus pauvre, et Ludke ne risquait pas de venir le chercher là. Par moments, Kilian s'irritait d'être ainsi épié par le serviteur de son hôte, quand le vieux Mertin ne lui avait pas confié d'autre tâche à accomplir. Mais il était obligé de cacher son irritation : un invité se devait d'être soumis et reconnaissant. Lorsque Ludke avait découvert le jardin de Kilian, ce dernier s'était mis à fréquenter un lieu un peu plus proche de la maison, frais et ombragé: le cimetière de l'église Saint-Nicolas, au pied de la colline. En contrebas se trouvaient les arrière-cours des maisons de la rue des Forges, juste au-dessus l'église elle-même, et le cimetière était environné d'arbres. C'était un endroit abrité et sûr, et Ludke ne l'avait pas encore trouvé. Sur le côté nord du cimetière, juste en face de l'atelier de la Monnaie situé de l'autre côté de la rue, il y avait un bosquet avec une pierre qui faisait un siège confortable, d'où l'on pouvait voir distinctement les gens qui passaient dans la rue.

C'était là, sous les pommiers et les tilleuls en fleurs, qu'il avait composé à Tallinn ses plus belles mélodies, et il lui revenait à la mémoire les paroles de son ami Giuseppe, qui aimait à dire que la meilleure musique naissait précisément dans les jardins, là où il y avait de la verdure et où la vie fleurissait. Pour ce qui était des jardins, Tallinn était une ville bien misérable, comparée à Milan… Son cœur se serrait douloureusement à chaque fois qu'il repensait aux jours passés là-bas. Oh ! se demandait-il souvent, pourquoi n'y avait-il pas à Tallinn les mêmes jardins qu'à Milan, le même soleil, la même chaleur, cette joie de vivre, ces cours superbes et aristocratiques ? Pourtant, à Tallinn aussi on pouvait trouver de quoi charmer le cœur et les yeux. Mais il y faisait froid, les étés y étaient fugaces et les printemps interminables. La neige avait beau fondre, l'air ne se réchauffait toujours pas, l'herbe ne pointait pas hors du sol et les arbres ne produisaient pas de feuilles. Il semblait qu'au sortir du long hiver la nature ne savait plus très bien si elle était morte ou vive. C'était le printemps que Kilian haïssait le plus à Tallinn, si différent de ce qu'il avait pu connaître chez lui à Nuremberg, ou à Milan, là où il avait vécu les plus belles années de sa vie. À Tallinn, la saison de la mort n'était pas l'hiver, mais bien le printemps. Dans la froideur étincelante de la glace, l'hiver avait même une certaine beauté, avec la chaleur des poêles et les douces soirées. Le printemps, lui, blessait par son absence, par le froid, la saleté, la boue. C'était alors qu'il était le plus pénible d'habiter cette ville. Les Pâques à Tallinn étaient empreintes de raideur, de deuil, de tristesse : rien à voir avec Milan ! Mais maintenant, au cœur du mois de mai, les arbres et les buissons semblaient venir lui rappeler que la saison de la mort était achevée.

Aujourd'hui, les pommiers du cimetière de Saint-Nicolas s'étaient mis à fleurir.

Kilian Rechpergerin, assis sur une pierre que le soleil printanier venait seulement de réchauffer, jouait de son instrument ; deux filles l'écoutaient, assises à ses pieds. Katrine et Birgitta étaient l'une comme l'autre de jolies demoiselles, filles de fiers bourgeois par-dessus le marché, mais si jeunes que pour elles l'amour n'était même pas encore un jeu. Leur cœur était certes impétueux, elles n'étaient plus guère éloignées de l'âge où il leur faudrait se marier ; cependant l'amour n'était toujours pour elles qu'une chose étrange, un peu bizarre, matière à plaisanteries. Elles ne savaient pas que l'amour blessait, que le véritable amour rimait avec douleur.

Kilian chantait :

> *« Regarde, la taverne est là-bas*
> *À la croisée des chemins,*
> *Près du chêne mort,*
> *Et c'est Satan le tavernier… »*

C'était une vieille chanson qu'il avait entendue quelques années auparavant dans une auberge, sur la route qui le menait de Nuremberg à Milan, en automne. Elle parlait d'une taverne où Satan attirait les voyageurs, les défiait aux dés et les forçait à lui vendre leur âme pour payer leur dette. Voilà longtemps, vendre son âme avait semblé à Kilian une chose vide de sens, et de peu d'importance. C'était une histoire que racontaient les évêques ou les moines errants dans leurs sermons, quelque chose qu'on ne pouvait pas faire réellement, juste une allégorie.

Aujourd'hui il savait mieux, il comprenait cette chanson.

On pouvait vendre son âme. On pouvait se laisser entraîner sur le chemin du péché. Le péché était dans la pensée, dans le regard... dans le désir – le péché mortel. Ce n'était pas sans raison que Kilian avait choisi ce cimetière pour passer l'heure du repas. Tous les jours à midi, Gertrud le longeait pour se rendre au moulin derrière la porte de Harju.

« Dites donc, maître chanteur de Nuremberg, vous ne connaissez pas de chansons plus gaies ? » demanda Katrine en riant. Les taches de rousseur frémissaient sur son visage ; c'était une jolie fille, aux cheveux roux et aux yeux verts et malicieux.

« Oui, renchérit gaiement Birgitta, quelque chose de convenable pour des jeunes filles vertueuses, pas ces histoires de diable et de dés !

— Toutes les chansons ne doivent-elles donc parler que des hommes et de ce qui les amuse ?

— Le maître chanteur Kilian Rechpergerin de Nuremberg a-t-il perdu la parole en cultivant l'art du chant ? »

Les questions pleuvaient sur Kilian ; tandis que les filles riaient, il aperçut au loin Gertrud qui approchait déjà. La jeune femme portait son cabas à l'épaule, et elle avait remarqué Kilian. Elle avait vu aussi les deux filles qui écoutaient la musique. Si Kilian avait été seul, Gertrud se serait peut-être approchée et l'aurait sermonné pour perdre ainsi sa journée à chanter, mais du coup elle s'abstint. Elle ne lui fit même pas un signe de tête mais détourna le regard, comme si elle ne l'avait pas vu, comme s'il n'avait pas été là.

Cela lui fit mal, mais c'était une douleur exquise. Le cœur de Kilian s'emplit d'une joie mélancolique.

« Pas le moins du monde, chères demoiselles, dit-il en glissant les doigts sur les cordes de son instrument. Mais je ne suis pas encore un maître chanteur, je suis seulement un *Schulfreund*, un compagnon errant. Malgré tout, je vais vous chanter quelque chose. Jeune ou vieux, gros ou mince, beau ou laid, homme ou femme, brigand ou saint, chacun a dans le monde une chanson à lui.

— Et nous, nous sommes quoi, d'après vous ? Jeunes ou vieilles ? Grosses ou minces ? s'enquit Birgitta.

— Belles ou laides ? Brigandes ou saintes ?

— Femmes ou hommes ? demanda Katrine en pouffant de rire.

— Qui vous êtes, chères demoiselles, c'est à vous de le décider : à vous de choisir et de trouver votre voie. J'ai déjà choisi la mienne, et je la suis en chantant. Dans notre guilde, voyez-vous, celui-là devient maître, qui est capable d'inventer une chanson à l'improviste, à partir de rien, une chanson à lui, une chanson nouvelle, que personne n'a jamais entendue », expliqua Kilian, d'un ton ardent. Gertrud était maintenant toute proche, mais elle ne regardait pas vers lui.

« Est-ce que vous possédez cet art, Kilian Rechpergerin ? demanda Katrine.

— Je vous l'ai dit, je ne suis qu'un compagnon, encore loin d'atteindre à l'art des maîtres chanteurs.

— Ne soyez pas aussi modeste, Kilian ! Nous avons entendu comme vous chantiez, tout à l'heure.

— Dites-nous, est-ce que maintenant, par exemple, vous sauriez inventer une chanson nouvelle, bien à vous, à partir de rien ?

— Ou sur quelque chose que vous voyez et qui vous plairait ?

— Vous croyez que je ne chante pas tout le temps sur ce qui me plaît et est cher à mon cœur ? Serait-il possible de chanter sur autre chose ? » demanda tristement Kilian.

Les filles continuèrent à l'asticoter. Kilian avait cessé de protester sérieusement, il se contentait d'attendre.

« Alors chantez, Kilian ! C'est votre devoir de voyager et de chanter pour tout le monde, commanda Birgitta.

— Entendu, je vais chanter, promit le garçon. Mais sur quoi ?

— Sur n'importe quoi ! Non ! Chantez plutôt sur rien ! Exactement ! Chantez-nous une chanson nouvelle et bien à vous, à propos de rien ! s'écrièrent les jeunes filles tout excitées.

— Sur rien ? Soit, allons-y ! » dit Kilian. Gertrud était maintenant toute proche, elle était forcée de l'entendre. Kilian n'avait pas vu l'apothicaire Melchior et Dorn, le bailli de Tallinn, qui s'étaient arrêtés tous deux pour un instant en contrebas. Dorn était en train de donner des instructions à ses acolytes. Melchior, lui, gravit le talus, fit un petit signe à Kilian et l'écouta chanter.

« Je chante de rien :
Ni de moi, ni de quiconque,
Ni d'amour, ni de jeunesse,
Ni d'autre chose. De rien !
Cela m'a visité tandis que je dormais,
Galopant seul sur sa monture.
Je ne sais quand je naquis,
Je ne suis ni heureux ni irrité ;
Je ne suis point étranger,
Mais ne suis point ici chez moi.

Je n'y puis rien,
Une fée m'a jeté un sort.
Suis-je endormi ou éveillé ? Je ne sais !
Mon cœur est accablé de tristesse,
Mais je n'en ai cure.
J'aime, sans savoir qui elle est,
Car je ne l'ai jamais vue,
Elle ne m'a jamais causé ni joie ni tristesse,
Et je n'en ai cure.
Je ne l'ai jamais vue, mais je l'aime tant !
Elle ne m'a pas fait ce qu'elle aurait dû, ni ce qui
*   est défendu.*
Quand je ne la vois pas, je suis heureux,
Et je ne me soucie pas d'elle le moins du monde,
Car j'en connais une plus gente, plus belle et plus
*   riche aussi.*
Je ne sais pas où elle vit,
Dans les montagnes ou parmi les prairies.
Il serait trop douloureux de vous expliquer comment
*   elle me tourmente,*
Trop douloureux aussi de rester ici plus longtemps.
Aussi je prends congé :
Voici ma chanson,
Je ne sais de quoi elle parle,
Je l'envoie à quelqu'un,
Qui par le truchement de quelque autre l'enverra à
*   quelqu'un à Nuremberg,*
Qui m'enverra peut-être la clé du petit coffret, grâce
*   à quoi je pourrai résoudre cette énigme. »*

Gertrud dépassa Kilian comme si le garçon n'existait pas. Melchior, lui, écouta la chanson jusqu'au bout avec intérêt, puis il courut pour rattraper le bailli.

8

Toompea
La petite forteresse de l'Ordre
16 mai, midi

Melchior attendit un moment aux abords de l'hôtel de ville, le temps pour Dorn de chercher ses aides, son secrétaire et son légiste, de les insulter copieusement et de leur faire prendre la direction de Toompea. Deux routes permettaient de gravir l'escarpement depuis la ville basse. La plus large et la plus imposante, celle aussi qu'empruntaient les chevaux de trait et par laquelle on menait les troupeaux, s'appelait la Côte longue. Elle partait de l'extrémité de la rue du Puits située du côté de l'hôtel de ville, là où se trouvait la nouvelle tour poterne que l'on avait édifiée quand Melchior était jeune. Il y avait encore un autre chemin pour aller de la ville basse à Toompea, la Côte courte, à l'entrée de laquelle se dressait une barrière de bois laissant libre un étroit passage. Chaque soir, les gardes de la ville fermaient les deux portes et déposaient les clés à l'hôtel de ville. Toutefois, on avait peu de chances de réussir à gravir la Côte courte au printemps, car elle était trop raide, glissante et boueuse. Beaucoup s'y étaient rompu les os, et un serviteur de l'Ordre, dernièrement, s'était brisé la nuque en chutant.

Mais au mois de mai, la Côte longue n'était pas beaucoup plus praticable : pleine de boue et d'excréments d'animaux, elle était parsemée de gros trous, et si étroite par endroits que les charrettes pouvaient à peine passer. De la falaise, au sommet de laquelle serpentait le mur d'enceinte de la grande forteresse, des pierres et toutes sortes de débris se détachaient régulièrement.

Il fallait passer deux portes avant de parvenir sur Toompea : Melchior connaissait bien ce chemin, car enfant il était allé tout un hiver à l'école de la cathédrale. Après être passé sous la tour de pierre de la Côte longue, on se lançait immédiatement à l'assaut de la colline. À main droite se dressait une falaise, comme un mur d'enceinte édifié par la nature. Un précipice béant s'ouvrait sur la gauche, et celui qui aurait glissé là se serait frayé un chemin rapide pour descendre vers la ville. Même la maison et l'arrière-cour de Melchior semblaient à portée de main. Le Conseil avait fait poser une barrière, mais celle-ci, pourrie, s'était effondrée deux hivers auparavant, et elle n'offrait plus guère de protection au passant. Plus haut, à quelque deux cents pas, on apercevait la petite tour poterne en bois de la Côte courte, qui marquait l'extrême limite de la ville. Arrivé là, celui qui gravissait la colline devait renoncer à la liberté dont il avait joui jusqu'alors et, troquant le droit de Lübeck pour le droit coutumier de Toompea, passer sous l'autorité du commandeur et des lois de l'Ordre. Sur la façade de la tour de planches se trouvait un lourd portail de chêne à deux vantaux, que le garde du Conseil fermait à clé au coucher du soleil. La nuit venue, personne ne pouvait passer du territoire de la ville à celui de l'Ordre, ni l'inverse.

Ils marchèrent, ou plutôt titubèrent, à l'assaut de la colline, jusqu'à ce qu'ils atteignent enfin la porte de la

Côte courte. Cette distance qui séparait les deux portes, pensa Melchior en jetant un coup d'œil par-dessus son épaule, était là comme pour permettre la réflexion, pour donner au citadin le temps de se demander s'il voulait vraiment franchir ces murailles et se soumettre à la loi de l'Ordre, renoncer à la sécurité de la loi de la ville et à la protection du Conseil et pénétrer dans la place forte du seigneur du lieu.

Ils se trouvaient maintenant devant les défenses avancées de Toompea : dans une zone cernée d'un mur bas, une cour entourée d'un fossé menait, au nord, vers la forteresse de l'évêque par la tour de la Cloche, ou vers l'orgueilleux palais du commandeur, dont l'entrée principale se trouvait à quelques centaines de pas. Ils étaient sur Toompea, siège du vent, de la pierre, du pouvoir.

Venant de la ville, on était dès l'abord impressionné par la masse imposante des murailles et des tours. Même si, en bas, on était constamment en train de rehausser et de renforcer les remparts, ou d'édifier de nouvelles tours, le spectacle n'avait rien de commun avec celui qu'offraient les tours de Toompea. Melchior avait fait ce trajet à de nombreuses reprises – il n'y avait pas d'apothicaire sur Toompea –, mais il ressentait toujours au fond de lui, face à la froideur de ces murs et de ces tours, recul et crainte. L'Ordre était un monde en soi, et plus les années passaient, plus l'on menait une vie différente dans les forteresses de l'Ordre et dans les villes. La manière de penser n'était pas la même dans les chapitres de chevaliers et à l'abri des remparts des cités. Il convenait toutefois de reconnaître que le commandeur de Tallinn, Ruprecht von Spanheim, était un homme plus simple et plus chaleureux que certains de ses prédécesseurs :

plus d'une fois, il était allé jusqu'à appeler l'apothicaire de la ville son ami.

Il y avait beaucoup de boue sur Toompea, même
ici, sur le glacis en avant de la forteresse, car les rues
n'étaient pas pavées comme en bas. Ils progressèrent
difficilement dans la gadoue, en direction de l'entrée
du palais. Sur leur droite se trouvait un fossé – en avant
de la muraille qui partageait Toompea en deux –, et la
tour de la Cloche, encore appelée porte de la Cathédrale. En prenant de ce côté-là, ils seraient arrivés
directement, par la rue de l'Évêque, à la cathédrale,
dont la tour octogonale était visible au-dessus du mur.

Droit devant eux, en revanche, c'était la petite forteresse de Toompea, la résidence du commandeur, et
naturellement le Grand Hermann, la tour qui rappelait
aux bourgeois le pouvoir et la puissance de l'Ordre.
On disait que cette forteresse avait été construite par
les hommes du roi de Danemark, et l'Ordre avait eu
à cœur de la rendre toujours plus imprenable. Les
murailles en avaient été rehaussées, de hautes tours
avaient été édifiées aux quatre coins, que l'on voyait
de la mer, comme le clocher de Saint-Olav.

Toompea n'avait pas d'apothicaire. Le commandeur avait certes un médecin, qui préparait parfois des
remèdes pour son maître, mais ces dernières années
sa vue avait baissé – et Melchior soupçonnait qu'il en
allait de même pour son entendement, c'est pourquoi il
ne mélangeait pas les herbes destinées au commandeur
selon l'ordonnance de son médecin, mais comme le
lui dictaient son bon sens ou les prescriptions du docteur de la ville. Bien entendu, il n'était pas allé raconter au Conseil qu'il arrivait à l'apothicaire de la ville
de préparer des remèdes pour le seigneur demeurant
sur Toompea, car l'un ou l'autre des conseillers aurait

pu mal l'interpréter. Melchior Wakenstede, après tout, exerçait son métier avec une licence de la ville et sur son territoire, et il devait préparer les remèdes prescrits par le médecin de la ville. La cité de Tallinn n'avait pas à se mêler de soigner les seigneurs de Toompea. Cependant, Ruprecht von Spanheim différait quelque peu des précédents commandeurs. On le disait issu d'une famille très pauvre de la noblesse allemande, pauvre au point de ne plus pouvoir, depuis longtemps, tenir son rang. Ruprecht von Spanheim était le quatrième fils d'un chevalier, et sa famille n'avait même pas pu réunir l'argent nécessaire pour le faire admettre dans un couvent. C'est ainsi que, petit garçon encore, Ruprecht était entré au service de l'Ordre, pour faire sa vie comme simple moine-guerrier. Aujourd'hui, cet homme était devenu commandeur de la place la plus importante de l'Ordre en Livonie, et cela grâce à sa seule bravoure au combat. Au fil des guerres livrées contre les Polonais, les Lituaniens, les Russes, les évêques et les Suédois, Rupert von Spanheim s'était comporté si vaillamment qu'il s'était fait de nombreux partisans au sein de l'Ordre. Même une fois nommé commandeur, l'homme était resté simple et gardait vis-à-vis des affaires de la ville une approche bienveillante et compréhensive. Une part de responsabilité revenait sans doute à la bière que Toompea faisait monter de la ville basse et au sujet de laquelle le commandeur ne montrait aucune réserve. C'était plutôt le contraire, d'après ce que Melchior croyait savoir : le commandeur avait bien souvent envoyé son serviteur chercher à la boutique un remède bien précis, que Melchior préparait à base d'herbes médicinales, de jus de pomme et d'hydromel, auxquels il mélangeait encore un œuf cru : c'était précisément à cause de ce breuvage que le commandeur l'avait à plusieurs reprises appelé son ami.

Ils atteignaient la porte principale du *castrum minus*, qu'ils franchirent timidement, sans rencontrer à cette heure-ci, bien sûr, le moindre garde. Ils se trouvaient maintenant dans la cour de la forteresse, au cœur même du pouvoir de l'Ordre – un cœur qui exhalait une puissante odeur de purin, car c'était là que se trouvaient les écuries, les greniers, les étables et les granges. Des poules caquetaient dans la cour, et l'on entendait deux ou trois porcelets grogner sous un abri.

Dorn promena le regard autour de lui, à la recherche d'un serviteur qui pourrait avertir le commandeur de leur arrivée. Mais cela n'était pas nécessaire : dans un coin de la cour, près du puits, se tenait le commandeur lui-même, et…

Ruprecht von Spanheim poussa un rugissement.

Le cri fut tel que les acolytes du bailli rentrèrent craintivement les épaules, et que Dorn eut un sursaut d'effroi.

En réalité, ce rugissement n'avait rien à voir avec l'apparition des envoyés du Conseil. Le noble commandeur venait seulement de se faire verser un seau d'eau froide sur le corps. Lorsqu'il aperçut les arrivants, il grogna, renversa le deuxième seau d'un coup de pied et fit un geste en direction de la porte de la forteresse. L'ambassade fut ensuite escortée à travers la cour jusqu'à l'aile sud du palais, où étaient situés les appartements du commandeur. Là, il leur fallut attendre un moment, pendant que Spanheim se séchait et changeait de vêtements. Les acolytes observaient un silence prudent et le légiste se mordait soucieusement les lèvres, tandis que Dorn, qui s'était approché d'une meurtrière, observait avec intérêt la vue sur l'enclos de Toompea et la colline Saint-Antoine.

Le commandeur arriva enfin et les invita à passer dans la salle de réception. En apercevant la tête de Melchior derrière les autres, il eut même une exclamation joviale.

« Melchior, vieux sorcier ! Qui t'a envoyé à Toompea ? »

Melchior s'inclina respectueusement et tendit sans mot dire une fiole de terre cuite.

« Par la Sainte Vierge, ton remède miracle ! » s'écria Spanheim en riant. Il attrapa la bouteille et la renversa dans sa bouche, puis il ordonna aux acolytes et au légiste de disparaître, car Toompea n'était pas un champ de foire. Un instant plus tard, lorsqu'ils furent entrés dans la salle de réception aux voûtes basses et à l'ameublement spartiate, le commandeur poussa un soupir et déclara :

« Messire Melchior, reste avec nous : je t'assure que ton remède est miraculeux…

— Ce n'est qu'une préparation toute simple, rien de plus, répondit Melchior avec modestie.

— Enfer et damnation, ne discute pas avec le commandeur, Melchior ! » éructa Spanheim. Son humeur irritée semblait avoir disparu, comme cela avait été le cas chaque fois qu'après plusieurs journées de beuverie, il avait avalé la potion sucrée de l'apothicaire. La salle où ils se trouvaient était vide, à l'exception d'un poêle à charbon, d'un pupitre de scribe et d'un bouclier terni portant le blason de l'Ordre.

« Pas d'arguties ! répéta le commandeur. Sur le champ de bataille, Dieu merci, je n'ai besoin de personne, dans ma jeunesse j'ai taillé en pièces des compagnies entières de Polonais ! Dans les banquets, je peux faire rouler sous la table tous les plaisantins de la forteresse de Fellin, et ils y restent jusqu'à ce que les chiens viennent lécher dans leurs barbes les reliefs du repas. Même les blanchisseuses de Tallinn tiennent mieux la bière que ce commandeur de Fellin : jusqu'aux chats, qui se mettent à rire en entendant son nom, et qui ne s'arrêtent que quand on leur marche sur la queue ! »

Dorn se força à rire, et Melchior assura que le Conseil et l'apothicaire étaient d'un avis unanime. Sans aucun doute, personne à Fellin ne pouvait rivaliser avec le commandeur de Toompea quand il s'agissait de boire de la bière.

« Précisément ! s'exclama le commandeur. Et quand ils roulent sous la table, je continue à boire, et après cela je marche la tête droite jusqu'à mon lit et j'ai encore la force d'enfiler dix putes jusqu'au matin, pour peu que j'en aie envie… et j'en ai souvent envie, laissez-moi vous le dire !

— J'ai toujours dit que personne ne saurait en remontrer à notre commandeur pour ce qui est des putes et de la bière : tout le Conseil sait bien que… » L'explication dans laquelle Dorn se lançait fut coupée net par Melchior, qui lui marcha promptement sur le pied et se mit à tousser. Dorn se tut, interloqué.

Spanheim n'avait rien remarqué. « C'est comme ça », conclut-il. Il poussa un soupir en s'approchant de l'écritoire.

« Bailli, approchez ! commanda-t-il. Je veux vous montrer quelque chose. »

Ce que le commandeur avait à montrer fit sursauter Dorn et Melchior. Ouvrant le coffre de l'écritoire, il en tira une tête humaine et la brandit devant eux.

« Voici la tête du chevalier von Clingenstain ; son corps repose dans la chapelle, en attendant d'être conduit à la cathédrale pour le repos éternel, annonça-t-il.

— Sainte Marie, Dieu du Ciel ! » bredouilla Dorn, effaré. La tête était celle d'un homme d'une quarantaine d'années ; les traces de sang avaient été lavées. *Une tête devient beaucoup plus petite lorsque le sang s'en échappe*, remarqua Melchior. *C'est comme si elle s'effondrait sur elle-même, et la peau jaunit légèrement...*

« Venons-en aux faits, dit le commandeur d'un ton subitement plus préoccupé. Hier soir, quelqu'un a tranché la tête du chevalier von Clingenstain et s'est enfui dans la ville basse. Ce matin, bailli, avant d'envoyer mon serviteur à l'hôtel de ville, j'ai fait partir un messager pour porter la triste nouvelle au grand maître. Ce crime rejaillit sur la cité de Tallinn tout entière : le lâche assassinat d'un haut responsable de l'Ordre est un acte sans précédent dans cette ville. »

Sur Toompea, pensa Melchior. *C'est sur Toompea qu'il a été tué.*

« Il en va maintenant de l'honneur de Tallinn que le meurtrier soit enchaîné et conduit jusqu'ici, afin que le tribunal des chevaliers puisse le condamner à mort. Il sera enfermé au Grand Hermann et torturé dans les règles, continua Spanheim. Un ordre en ce sens sera signifié à la ville, mais d'ici là vous voici informés. »

Dorn s'inclina et voulut parler, mais le commandeur poursuivit :

« Lorsque j'enverrai le prochain messager au grand maître, je veux pouvoir lui dire que le meurtrier est déjà enfermé au Grand Hermann et que le Conseil de Tallinn a fait preuve, à l'égard de l'Ordre, du respect et de l'empressement qui conviennent. Est-ce bien clair, bailli ? Je ne veux pas que mon prochain courrier révèle que le meurtrier court toujours et que le Conseil de Tallinn n'a pas encore mis la main dessus. Je ne veux pas que les choses se passent comme la dernière fois, quand le Conseil avait discuté pendant deux mois avec Toompea pour livrer un voleur, et que celui-ci en avait profité pour s'enfuir sur un bateau. Même si le droit de Lübeck a cours dans la ville basse avec le consentement du grand maître, cela ne me donne pas le droit d'aller enchaîner moi-même ce misérable et de le traîner jusqu'à Toompea. »

Rassemblant son courage, Dorn demanda : « Mais le noble commandeur pourrait-il nous dire qui est l'assassin, afin que je puisse transmettre son nom au vénérable Conseil et que le Conseil donne l'ordre de le…

— De le torturer dans les règles, et ainsi de suite. Bien entendu, je vous le dirais, par le diable, si seulement je savais qui c'est ! J'ai déjà interrogé tous les valets, les artisans, les servantes de Toompea, mais eux non plus n'ont rien vu ni entendu. Même ce Jochen, le serviteur de feu notre frère Henning, était occupé à se payer du bon temps avec une lavandière, il n'a rien vu, rien entendu !

— Mais alors qui dois-je arrêter ? demanda Dorn, complètement perdu.

— Par tout l'Enfer et les reliques de saint Jacques ! s'exclama le commandeur. Vous êtes le bailli, oui ou non ? Est-ce que dans la ville basse toutes les victimes de meurtre portent autour du cou un écriteau avec le nom de celui qui les a envoyées de l'autre côté ? Est-ce que tous les voleurs peignent leur nom sur le mur de l'église, pour que vous puissiez les arrêter ?

— D'après la loi, Toompea doit réclamer le meurtrier à la ville par son nom, et après… après… le tribunal du Conseil… Qui le tribunal du Conseil doit-il mettre aux fers et traîner ici ?

— Mon cher bailli, c'est à vous de trouver qui est l'assassin de Clingenstain, et après cela vous me direz son nom et je le réclamerai au Conseil. C'est on ne peut plus simple.

— Noble commandeur, déclara Melchior en s'interposant, le bailli voulait juste dire qu'il lui serait de la plus grande utilité que Toompea lui apporte des informations pour orienter son enquête. Par exemple, il serait très important de savoir à quelle heure ce meurtre épouvantable a été découvert, par qui, s'il y avait dans le voisinage des objets qui pourraient nous apprendre quelque chose sur l'assassin, et aussi de savoir ce qui permet de croire que celui-ci s'est enfui dans la ville basse. »

Spanheim jeta un bref coup d'œil à l'apothicaire. « Écoute, Melchior, qu'est-ce qui te prend de fourrer ton nez là-dedans ? Tu ne manques pas de malades et d'infirmes dans ta ville : va donc t'occuper de tes remèdes, et laisse le bailli se débrouiller au nom du Conseil. Au besoin, qu'il prenne le bourreau avec lui, qu'il lui fasse tordre quelques os, quelqu'un finira bien par avouer. Je t'ai laissé entrer uniquement à cause de ce breuvage magique que tu m'apportais. »

Dorn s'éclaircit la gorge et déclara : « Le bourreau de la ville serait certes d'une grande utilité, mais Melchior apporte lui aussi une aide précieuse au Conseil. Où les bavardages vont-ils meilleur train que chez l'apothicaire ? Chacun, marchand ou conseiller, maçon ou cordonnier, porteur de bière ou matelot, a de temps à autre besoin de quelque chose à sa boutique. Et là, n'est-ce pas, le brave Melchior lui verse de quoi lui délier la langue, et chacun parle de ce qu'il a vu ou entendu.

— Bien plus volontiers que chez le bourreau, ajouta Melchior, et de façon plus volubile. Un excellent ami, d'ailleurs, le bourreau, qui passe lui aussi de temps à autre me demander un remède pour les os douloureux.

— Ce ne serait pas la première fois que Melchior, depuis sa boutique, viendrait en aide au tribunal du Conseil, poursuivit le bailli. Pas plus tard que l'année dernière…

— Entendu, l'interrompit Spanheim. Au fond, peu m'importe de quelle façon le Conseil capture le meurtrier, et si toi et ton apothicairerie pouvez vraiment y contribuer… » Il avala encore une gorgée et commença à expliquer.

Henning von Clingenstain avait passé cinq jours sur Toompea, dans l'enceinte de la forteresse de l'évêque, chez un vassal qui demeurait lui-même dans son manoir de Viru, comme la plupart des vassaux au printemps. Clingenstain faisait route de Gotland à Marienburg, mais les affaires avaient nécessité qu'il passe par Tallinn. Il y avait avec lui huit hommes en provenance de Gotland, tous des subalternes que le commandeur avait installés dans le dortoir de la forteresse. Clingenstain lui-même avait passé le plus clair de son temps dans la salle à manger, située dans l'aile est de la forteresse, car, comme le disait le commandeur, « il fallait bien faire quelque chose des quatre barriques de bière, du tonneau de harengs et de la montagne de porc salé que le Conseil avait envoyés pour la réception de cet hôte de marque ». En dehors de Clingenstain, il y avait encore dans la demeure du vassal son écuyer, Jochen, qui à cette heure était aux fers, après avoir été roué de coups. Clingenstain ne restait dans cette maison que pour dormir. La veille au soir, vers huit heures, il était rentré tout seul ; quelques serviteurs l'avaient vu tituber du côté des écuries, cherchant son chemin, et ils l'avaient entendu peu après appeler son serviteur. Il était sorti par la porte latérale de l'aile nord, avait passé la poterne, après laquelle le chemin franchissait les fossés et conduisait à la forteresse de l'Évêque, sans avoir à repasser par les défenses extérieures ni à faire le grand tour par la porte de la Cathédrale. Jochen avait découvert son corps décapité une heure plus tard et avait couru jusqu'à la forteresse en hurlant. Le commandeur avait immédiatement fait sonner l'alarme, mais pour chercher qui, ou quoi ? Il était resté la moitié de la nuit à interroger tous les chevaliers, les serviteurs et les écuyers, mais personne n'en savait davantage.

« Huit heures… marmonna Melchior quand le commandeur eut fini. C'est pour cela que nous savons que le meurtrier s'est enfui vers la ville basse.

— Qu'est-ce que tu racontes ? s'enquit Spanheim. Tu ne peux rien en savoir, ce n'est qu'à l'aube que nous avons trouvé l'épée et les traces de sang.

— L'épée ? demanda Melchior avec curiosité.

— Oui, l'arme du meurtre, l'épée qui a servi à tuer Clingenstain. C'était celle d'un des subalternes, l'assassin l'a volée à la forge de la citadelle. Le forgeron était soûl, bien entendu, je l'ai déjà fait mettre aux fers. Mais nous n'avons trouvé l'épée qu'à l'aube, à proximité de la tour de la Côte courte, sur le talus. Ensuite nous avons vu des traces de sang sur le mur de la porte de la Cathédrale, et sur les pavés du chemin, depuis la maison du vassal jusqu'à cette porte. Le meurtrier avait jeté l'épée, mais le soleil du matin se reflétait dessus, c'est comme ça que nous l'avons repérée. Maintenant, j'aimerais savoir comment tu as deviné ce que nous n'avons découvert qu'après coup.

— Au coucher du soleil, on ferme les portes, et plus personne ne peut passer de Toompea à la ville, répondit respectueusement Melchior.

— Et alors ?

— Le meurtrier s'est dépêché d'accomplir son forfait avant la fermeture des portes. S'il avait habité Toompea, il aurait été plus facile pour lui et plus intelligent d'attendre la nuit, quand les rues étaient désertes, pendant le sommeil de Clingenstain et de Jochen. Mais non, il a commis son crime quand le soir commençait à tomber, afin d'avoir encore le temps de franchir la porte de la ville, expliqua Melchior.

— C'est exactement ce que je me suis dit, déclara le commandeur. Il a dû passer la porte un tout petit peu avant que les gardes viennent la verrouiller. »

Melchior poursuivit en s'animant : « Il a sans doute caché l'épée sous son manteau, afin d'avoir de quoi se défendre si le meurtre était découvert tout de suite. On peut en conclure qu'il a été soldat, ou au moins qu'il a une expérience du combat. Il a ensuite passé la porte de la Cathédrale et, arrivé à la porte de la Côte courte, il a jeté l'épée, puisqu'il était déjà sur le territoire de la ville. Il se sentait plus en sûreté, sachant que les gens de l'Ordre ne pouvaient plus le poursuivre. Il a donc certainement gagné la ville. »

Le commandeur dévisagea Melchior avec étonnement. Dorn se taisait et se mordait les lèvres.

« Il est tout aussi certainement *venu* de la ville, cela ne fait pas le moindre doute, reprit Spanheim. Personne n'a pu suivre Clingenstain depuis la forteresse en passant par la poterne latérale, il y a un garde. La maison du vassal est contre le fossé et la muraille, près de la porte de la Cathédrale. C'est un étranger qui a fait le coup, un vil et misérable étranger, qui s'est infiltré en venant de la ville et qui a guetté le moment opportun. Par tous les diables, je connais tout le monde à Toompea, et je peux jurer que pas un vassal, ni aucun de ceux qui voudraient le devenir, ne pouvait éprouver une telle haine envers Clingenstain – paix à son âme ! Personne ne l'avait jamais vu ! Sans compter qu'aucun des vassaux n'est présent, ces temps-ci, il n'y a dans la grande forteresse que les gens de l'évêque, les boulangers et les serviteurs. J'ai fait compter tout le monde cette nuit : il n'en manquait pas un. »

Dorn, qui avait gardé le silence, s'enhardit à parler : « Mais dans la ville basse non plus, personne ne haïssait ce noble chevalier. Ce serait plutôt le contraire, en ville nous lui sommes tous reconnaissants, ainsi qu'à l'Ordre, de nous avoir débarrassés du fléau des Vitaliens. »

Le commandeur fronça les sourcils. « Pourtant, bailli, un des habitants de cette ville reconnaissante lui a coupé la tête.

— Ce qui est en soi étonnant, intervint Melchior. Est-il donc possible de se faufiler dans Toompea, d'y voler une épée et d'attendre jusqu'au soir qu'un moment favorable se présente pour commettre un crime ? Comme le noble commandeur l'a dit lui-même, personne n'a entendu ni vu quoi que ce soit de suspect. C'est pourquoi je suppose que celui qui a perpétré ce forfait épouvantable devait bien connaître Toompea, s'il a réussi à s'y cacher et à voler une épée, et que son visage devait être familier. Un capitaine ou un matelot étrangers, dont le navire mouille dans le port, ne peuvent pas se retrouver si facilement ici.

— On ne laisse pas les gueux traîner par ici », trancha Spanheim.

Exactement, pensa Melchior. *Les gens de la ville basse n'ont guère de chances de se retrouver à traîner sur Toompea, qu'ils soient gueux ou mendiants. Un visage étranger éveille la méfiance.*

« Pourtant si, il en est passé un hier, se rappela le commandeur. Ce chanteur – doué, d'ailleurs, plaisant à entendre… ce garçon de Nuremberg. »

Melchior fut surpris. *Kilian à Toompea ?*

« Le commandeur veut-il parler de Kilian Rechpergerin, l'hôte du sieur Tweffell ? demanda-t-il.

— Lui-même. Il accompagnait Tweffell. Il voulait un certificat.

— Ainsi, le sieur Tweffell est venu lui aussi à Toompea ? Le doyen de la Grande Guilde ?

— Le doyen, oui, confirma le commandeur. Il est venu hier, en effet. Il avait, paraît-il, une affaire à régler avec Clingenstain. Si je me rappelle bien, il voulait lui parler d'un navire, et il est reparti d'ici de fort méchante humeur. Mais c'était déjà vers midi, après la visite de l'orfèvre que Clingenstain avait convoqué… »

L'orfèvre, apprit Melchior, n'était autre que Burckhart Casendorpe lui-même, le doyen de la guilde des Kanuts. Clingenstain avait eu la veille de nombreux visiteurs sur Toompea. Le chevalier désirait acheter à Casendorpe un présent pour le grand maître de l'Ordre, à Marienburg. Les orfèvres de Gotland étaient, paraît-il, médiocres et pingres, tandis que le travail des maîtres artisans de Tallinn était meilleur, et vanté sur tout le pourtour de la Baltique. Clingenstain avait échangé des lettres avec Casendorpe, il avait même acheté à l'orfèvre une chaîne plaquée d'or, et rien que cela lui avait déjà coûté un bon prix. Il avait été obligé d'envoyer Jochen chercher de l'argent sur son navire, parce que sa bourse était vide.

« Il est donc monté hier de la ville basse trois visiteurs pour Clingenstain », dit Melchior, pensif. *Cinq jours sans aucune visite, puis plusieurs personnes à la suite, juste le jour où on l'assassine.*

« Et si Tweffell est venu, il y avait certainement son serviteur Ludke : le vieillard ne peut se déplacer nulle part sans lui, pas même à l'église ou à l'hôtel de ville. Parfois, Ludke le porte même dans les escaliers, indiqua Dorn.

— C'est exact, son serviteur était avec lui. Un costaud, celui-là ! Il se pourrait bien qu'il soit plus grand que le grand maître de l'Ordre, qui est pourtant sans rival. On lui donnerait une hallebarde et on l'enverrait au combat, il ferait le travail de trois hommes ! Je me demande bien pourquoi il se retrouve domestique. »

Melchior dut admettre qu'il n'en savait rien. Le doyen Tweffell et Ludke semblaient inséparables, mais il n'avait eu que rarement l'occasion de parler avec le valet. Celui-ci n'était pas de souche allemande et n'était pas non plus, loin s'en faut, le plus bavard parmi les domestiques qu'on pouvait trouver à Tallinn ; il paraissait un peu naïf, mais pour la force c'était un Goliath. L'apothicaire essaya de se rappeler s'il avait jamais entendu Tweffell faire une allusion au représentant de l'Ordre sur Gotland. Il l'avait peut-être bien entendu parler d'une dispute avec Gotland, en effet, et d'un navire ; mais rien de précis ne lui revenait en tête. Puis il entendit soudain le commandeur, qui avait continué à parler, mentionner le prieur Eckell.

« Baltazar Eckell, le prieur des dominicains ? demanda-t-il, étonné.

— C'est ce que je viens de dire ! répliqua le commandeur, irrité. Il est venu présenter ses respects, et Clingenstain, en homme pieux qu'il était, vivant dans la crainte de Dieu, lui a demandé de l'entendre en confession. Il a obtenu le pardon de ses fautes ici, à la cathédrale, le jour même où il est mort. Mais cela n'a pas le moindre rapport avec son assassinat !

— Par saint André, je l'espère bien, murmura Melchior.

— Qu'est-ce que tu marmonnes ? demanda Spanheim.

— Rien, rien. Juste qu'il est étonnant qu'il se soit confessé au prieur des dominicains, et pas au curé de la cathédrale, non ?

— Cela n'a rien d'étonnant. L'Ordre a toujours favorisé les pieux dominicains, et lorsqu'il était à Gotland, Clingenstain allait les écouter prêcher dans l'église Saint-Nicolas, à Visby. Je crois d'ailleurs me rappeler que le prieur Eckell avait séjourné lui aussi dans un couvent à Visby. Et de toute façon, Melchior, ce sont les dominicains qui ont édifié cette cathédrale. »

C'était en effet ce qui se disait, songea Melchior. Jadis, à l'époque où l'ordre des dominicains était arrivé à Tallinn, les frères s'étaient installés sur Toompea, et ils avaient construit leur première église à l'emplacement de la cathédrale actuelle. C'est là que s'étaient affrontés les soldats danois et ceux de l'Ordre, dans un vrai bain de sang. Les chevaliers avaient mis les Danois en pièces jusque dans l'église, et ils avaient amoncelé leurs cadavres sur l'autel. Est-ce que ce n'était pas à ce moment-là que l'Ordre avait chassé les dominicains de Toompea ? Mais tout cela s'était passé plus de deux cents ans auparavant et n'aiderait pas à retrouver l'assassin de Clingenstain.

« Cinq habitants de Tallinn, dit Melchior. Nous avons donc cinq hommes qui ont été hier en contact avec Clingenstain. J'imagine qu'il n'y en a pas eu d'autres ?

— Il a bien pu y avoir encore un ouvrier meunier ou un apprenti cordonnier, répondit le commandeur, excédé. Mais je ne me rappelle pas qu'ils aient eu affaire à Clingenstain. Ah si, bien sûr ! Avant l'arrivée

du prieur, il y avait eu déjà ce convers des dominicains qui est venu demander la charité, mais il vient
ici souvent.

— Oh ! Le frère Wunbaldus ?

— Je crois que c'est son nom, oui. Un convers, bossu.

— C'est lui : frère Wunbaldus, dit Melchior en opi-
nant du chef. Bossu, pauvre, pieux, qui passe parfois à
la boutique et me promet toujours de dire des prières
pour payer ses remèdes. On dit qu'il n'a pas son pareil
pour brasser la bière. Depuis son arrivée, la bière des
dominicains a pris une tout autre saveur. Le commandeur a peut-être remarqué si le frère Wunbaldus et Clingenstain se sont rencontrés ?

— Il tend sa corbeille à tous ceux qui se présentent
sur son chemin. C'est bien possible que Clingenstain
lui ait donné quelque chose. Oui, j'en suis sûr, il lui a
fait une offrande. »

Au moment de leur donner congé, le commandeur
se rappela encore une chose. Il demanda à Dorn quels
étaient les émoluments du bourreau de Tallinn pour
une pendaison.

« Dans le temps c'était quatre schillings et un tonneau de bière, répondit le bailli. Mais ça fait longtemps
qu'on n'a pendu personne.

— Quatre schillings ! Mais c'est du vol au grand
jour ! »

Le commandeur avait autorisé le bourreau de Toompea à prendre une semaine pour se rendre à Wesenberg :
son père, un paysan demeurant dans un hameau proche
de la forteresse, était tombé gravement malade, et le
fils souhaitait le voir une dernière fois. Triste histoire,
mais du coup Toompea se retrouvait sans bourreau.
Spanheim se disait qu'il faudrait peut-être emprunter
celui de Tallinn, pour torturer le meurtrier puis pour le

pendre ou le découper en morceaux, suivant ce qu'aurait décidé le tribunal.

« Découper en morceaux, ça coûte plus cher. » Dorn était obligé de le reconnaître. « Pour découper un homme en morceaux notre bourreau réclame six schillings, et deux tonneaux de bière.

— Qu'est-ce que c'est que ce bourreau ? Un usurier juif ? s'écria le commandeur. Si je recevais six schillings pour chaque tête que je fais tomber sur le champ de bataille, j'aurais de quoi m'acheter tout Toompea !

— Ce n'est pas donné à tout le monde de savoir trancher une tête, un berger n'en serait sans doute pas capable, dit Melchior.

— Un berger… grommela Spanheim. Vous savez quoi, bailli, le grand maître préférerait sûrement que l'assassin de Clingenstain ne soit pas… disons, ne soit pas un homme qui aurait un lien étroit avec la ville, un homme riche et respecté. Vous voyez ce que je veux dire ? Nous n'avons pas besoin de ce genre de problèmes entre la ville et l'Ordre, ni moi ici ni les conseillers en bas. C'est sûrement un gueux quelconque qui a fait le coup, un voleur comme on en rencontre dans tous les ports. Un étranger. Mettez rapidement la main dessus, prêtez-nous votre bourreau et réglons cette affaire sans traîner, comme toutes les affaires ont été réglées jusqu'à présent entre Toompea et la ville.

— Puisse-t-il en être ainsi, et que saint Victor nous vienne en aide ! » renchérit Dorn avec empressement.

Ils sortaient déjà de la salle lorsque Melchior se rappela encore une chose. Il s'inclina et demanda :

« Avec votre permission, il me semble me rappeler avoir entendu qu'on avait placé une pièce de monnaie dans la bouche de Clingenstain… »

Spanheim fronça les sourcils.

« Où est-ce que tu as déjà pu entendre ça ?

— C'est ce qu'a dit l'homme qui est descendu me chercher ce matin, déclara Dorn. Je l'ai ensuite mentionné à Melchior.

— Maudits bavasseurs ! Il ne manquerait plus qu'ils aillent se promener sur le marché et qu'ils l'annoncent à tout le monde. Jochen a trouvé cette pièce dans la bouche de son maître, lorsqu'il a décroché la tête du clou… Ce meurtrier est un profanateur de cadavres, un blasphémateur, un misérable scélérat ! Il a cloué la tête de Clingenstain au mur et il lui a fourré cette pièce dans la bouche. Quand Jochen a trouvé la tête, la pièce est tombée. J'ai dit aux serviteurs de ne pas aller raconter ça à tout le monde. Toute la ville n'a pas besoin de savoir quels outrages a subi le cadavre d'un valeureux guerrier.

— Peut-être le commandeur a-t-il conservé la pièce, par hasard ? » demanda Melchior.

Spanheim se dirigea vers l'écritoire et prit une pièce dans le coffre.

« C'est une pièce de Gotland, un vieil ørtug, dit Melchior, étonné. On n'a pas souvent l'occasion d'en rencontrer à Tallinn. » Il réfléchit un instant et ajouta : « Si le commandeur m'y autorise, je dirai encore une fois que tuer un homme et déposer de l'argent auprès du cadavre, ce n'est pas le comportement d'un voleur habituel. Les voleurs et autres malfaiteurs mettent d'ordinaire grand soin à dépouiller leurs victimes de toutes leurs richesses. Notre meurtrier, au contraire, a enrichi la sienne. Est-ce qu'en revanche d'autres objets de valeur ont été dérobés à Clingenstain ? Qu'est devenue, par exemple, cette chaîne d'or que le chevalier avait achetée à Casendorpe ?

— Je ne suis pas le gardien de ses affaires ! répondit sèchement le commandeur. Il s'est pavané avec la chaîne quand Casendorpe la lui a remise, il l'a portée une demi-journée, et il a dit qu'il l'avait ensuite déposée dans sa chambre avant d'aller se confesser. Elle doit encore y être, sans doute dans un coffre fermé à clé. Ou non, attends… Je me souviens maintenant qu'il voulait la faire porter sur le navire.

— Ainsi, le présent pour le grand maître est en sécurité sur le navire, sous clé ?

— Par tous les diables, Melchior, ça suffit ! Tu n'imagines quand même pas que l'assassin… »

Spanheim se tut subitement.

« Non, comment pouvait-il savoir que Clingenstain avait cette chaîne ? Non ! Il l'a certainement fait porter sur le navire, bredouilla-t-il ensuite.

— C'est un soulagement pour nous tous de savoir que le présent destiné au grand maître est en lieu sûr, et d'entendre le commandeur nous en donner l'assurance, déclara Melchior.

— J'interrogerai Jochen. Oui, je l'interrogerai sans faute, promit le commandeur. Maintenant, bailli, le temps presse, les chanoines de la cathédrale m'attendent. Je le répète, je souhaite que la ville capture le meurtrier dès que possible, et il vaudrait mieux que ce soit un gueux inutile, pour que les bonnes relations entre la ville et l'Ordre n'en souffrent pas. »

9

Rue du Puits
16 mai, après-midi

Melchior et Dorn s'étaient séparés devant l'hôtel de ville ; le bailli devait se hâter d'annoncer les nouvelles au Conseil, puis d'avertir les gardes de la ville et du port qu'on recherchait un meurtrier. Il fut très étonné quand Melchior lui demanda de le retrouver l'après-midi même chez les dominicains.

« Il faut bien commencer par quelque chose, dit Melchior. Nous allons tout d'abord parler avec tous les gens de la ville qui ont vu hier le responsable de l'Ordre.

— Tu n'imagines tout de même pas que l'orfèvre, le prieur, messire Tweffell ou ce maître chanteur ont assassiné le chevalier ! protesta Dorn.

— Pour le moment, je n'imagine rien. Je *sais* seulement que chacun de ces hommes pourrait avoir vu ou entendu quelque chose. Ou savoir quelque chose que nous ignorons encore.

— Tu penses qu'ils ont pu apercevoir un vagabond ?

— Les vagabonds n'ont pas accès à Toompea, on les chasse aussitôt. Non, bailli, ce meurtrier ne peut pas être un gueux quelconque, ni un voleur ordinaire : nous savons l'un comme l'autre qu'il n'en traîne pas si souvent à Tallinn.

— Mais cela ne peut pas être un citoyen respectable, s'obstina Dorn.

— En réalité ce peut bien être n'importe qui, même un habitant de Toompea, un serviteur de l'Ordre qui en voulait à Clingenstain pour une raison inconnue de nous et qui aurait été assez audacieux et effronté pour rejeter la culpabilité sur la ville. »

Dorn s'énerva et fit de la main un geste d'exaspération. Pour l'asticoter davantage, Melchior fit remarquer qu'ils ne savaient en réalité rien du tout. Ils ne pouvaient même pas jurer que cette tête appartenait à Clingenstain, puisqu'ils ne l'avaient jamais vu.

— Tu es devenu complètement fou ? grommela Dorn.

— Ne t'inquiète pas, j'ai l'esprit plus clair que jamais, répondit gaiement Melchior. Réfléchis, nous savons réellement fort peu de choses : seulement ce qu'a dit le commandeur, et il a dit entre autres que le mieux serait que l'assassin soit quelque voleur arrivé ici par hasard. Je suis entièrement d'accord avec lui, ce serait vraiment le mieux, tant pour l'Ordre que pour la ville. Nous ne savons *même pas* si la tuerie n'a pas eu lieu de nuit, pendant cette beuverie sur Toompea, et si ce n'est pas quelque honorable chevalier qui a débarrassé Clingenstain de sa tête embrumée par la bière…

— Non, décidément, tu dois être réellement devenu fou, si tu ne crois même pas ce que dit le respectable commandeur, décida Dorn.

— Je n'ai pas dit que je ne le croyais pas. Simplement, nous ne pouvons pas exclure que les choses se soient passées ainsi ; et si c'est le cas, alors il vaudrait vraiment mieux que la ville livre à Toompea un voleur quelconque, qui avouerait sous la torture avoir tué Clingenstain, le pape et même le Saint Empereur romain. Je veux juste souligner que rien n'assure que ce ne soit pas un vassal ou un chevalier de l'Ordre, qui aurait voulu donner l'impression trompeuse que le meurtrier avait fui vers la ville basse. N'importe qui pouvait abandonner l'épée auprès de la porte de la Côte courte – s'il est vrai qu'elle s'y trouvait –, et laisser de fausses traces de sang ne présente pas davantage de difficultés. Je reconnais toutefois que l'idée du commandeur est la plus plausible. L'assassin a jeté son épée lorsqu'il est passé dans la juridiction de la ville, parce qu'il n'en avait plus besoin et qu'il n'avait nulle part où l'emporter. »

À ces mots Dorn s'apaisa quelque peu. Il se détourna pour partir. « Nous n'avons pas le droit de mettre en doute la parole du noble commandeur, déclara-t-il.

— Oh ! non, bien sûr que non, marmonna Melchior, pensif. C'est pourquoi nous devons chercher l'assassin dans la ville… Nous devons trouver un vagabond étranger, dont le trépas ne mettrait pas en péril les relations entre l'Ordre et la ville et satisferait le grand maître. Ou alors nous devons – et toi tout spécialement, bailli –, protéger les vagabonds étrangers innocents, qui n'ont pas tué Clingenstain mais dont quelque grand seigneur souhaiterait vivement qu'ils l'aient fait. »

Melchior se tenait toujours en face de l'hôtel de ville ; il réfléchit un moment et décida de ne pas se rendre à la brasserie – où il avait pourtant à faire aujourd'hui, puisqu'il devait acheter une demi-douzaine de chopes de bière – mais de se mettre à la recherche de Kilian. À vrai dire, il pensait le trouver là où il se tenait habituellement à cette heure, devant la maison, assis sur la margelle du puits, occupé à faire sonner son instrument pour tenter de capter l'attention de la maîtresse de maison. À cette pensée, Melchior fronça le sourcil, puis il fit demi-tour et prit la direction de sa rue.

La pause de midi des artisans venait de prendre fin et beaucoup de gens s'affairaient dans la ville ; Melchior connaissait de vue la plupart d'entre eux. *Tallinn croît*, pensa-t-il, *elle devient plus grande et plus importante, plus riche et plus belle, mais ses habitants sont tout de même peu nombreux. Et l'un d'eux, un visage que je connais probablement, l'un d'eux a tué hier le responsable de l'Ordre.* La place du marché et le nouvel hôtel de ville superbe qui la bordait étaient le cœur de la ville. Toutes les rues importantes convergeaient vers cette place, le lieu le mieux protégé de toute la ville basse. Même si l'ennemi arrivait à franchir les douves et les remparts de Tallinn, il serait encore possible d'entasser des pierres dans toutes ces rues et de fortifier la place de l'hôtel de ville. Quant à Toompea, elle était imprenable. La place qui s'étendait devant l'hôtel de ville était un endroit important, on y tenait le marché tous les jours, on y organisait des tournois les jours de fête, afin que les marchands puissent se sentir, fût-ce pour un instant, les égaux des nobles ; c'était là qu'étaient annoncés les décrets du Conseil, là aussi que l'on organisait des fêtes lorsqu'un personnage important était en visite. De temps à autre, le tribunal s'y réunissait et l'on pendait quelque malfaiteur – ou, plus souvent, quelqu'un était mis au pilori.

Toutefois, avant de s'éloigner, Melchior jeta un regard au-delà du marché, en direction du coin nord-ouest de la place. Là, derrière le pilori, plusieurs petites maisons étaient adossées au cimetière du Saint-Esprit. L'une d'elles était le bâtiment de la pesée, la deuxième appartenait à l'église du Saint-Esprit, et la troisième, une confortable maison à deux niveaux, d'aspect modeste, était à présent inhabitée. Un marchand danois l'avait fait construire une dizaine d'années plus tôt, un certain Lovenkrands, mais il était mort avant d'avoir pu venir s'installer à Tallinn. Maintenant, ses héritiers voulaient vendre la maison ou la louer, elle était vide. *Ça vaut bien ça, Melchior,* pensa l'apothicaire. *Tout ce que tu fais vaut bien cela. Aide le Conseil à capturer ce meurtrier, et tu te rapprocheras de ton rêve. C'est une chose que d'être l'apothicaire de Tallinn, avec licence du Conseil mais à son propre compte. C'en serait une autre que d'avoir sa boutique face à cet hôtel de ville flambant neuf et à la tour fièrement dressée, en bordure de la place du marché, une boutique dont le nom serait « Apothicairerie du Conseil ». Tout le monde a le droit de rêver.* Le père de Melchior avait acheté une petite maison à Tallinn, quand il était venu s'installer ici parce qu'il savait que la ville n'avait pas encore d'apothicaire. Il avait enseigné à son fils que rien n'était aussi avantageux, pour un apothicaire, que d'être apothicaire *du Conseil*, d'être certifié par le Conseil et d'avoir un contrat avec lui. *Tu dois te rendre suffisamment utile, et briller assez par tes qualités, pour que le Conseil achète une maison où établir sa boutique et te la loue.* C'était le cas dans de nombreuses villes d'Allemagne, et son père voulait qu'il en soit ainsi à Tallinn.

Après avoir passé un moment à contempler la maison de ses rêves, il fit demi-tour et prit la direction de son domicile. La rue du Puits, que dans l'enfance de Melchior on appelait encore la rue Sous-la-Colline, tenait son nouveau nom du puits, pourvu d'un toit, d'une croix de bois et d'une poulie, que l'on avait construit à peu près à l'époque où son père avait quitté Lübeck avec sa famille pour venir s'installer dans cette contrée encore neuve. En ce temps-là, la rue Sous-la-Colline était beaucoup plus petite, et les maisons étaient moins nombreuses, mais au fur et à mesure que la ville croissait et s'enrichissait, la rue du Puits avait acquis elle aussi de l'importance, et de plus en plus de gens s'y étaient établis. De nombreux marchands y vivaient, quelques conseillers et bourgmestres, ainsi que le curé de Saint-Nicolas ; il y avait même une demeure qu'on disait hantée. La petite maison qu'avait achetée le père de Melchior devenait malheureusement trop exiguë pour la boutique, qui disparaissait au milieu des fières demeures des marchands. Dans une ville comme Tallinn, l'emplacement adéquat pour un établissement aussi important qu'un apothicaire était la place de l'Hôtel-de-Ville.

Melchior marchait dans sa rue, longeant la conduite d'eau faite de tonneaux de chêne aboutés les uns aux autres, et au bout d'un moment il commença à entendre le son de l'instrument de Kilian. Celui-ci sonnait plus tristement qu'à l'ordinaire, plus tristement encore que ce matin, quand Melchior avait entendu le garçon jouer dans le cimetière de Saint-Nicolas.

Cela ferait bientôt plus d'un an que Kilian vivait dans la maison voisine de celle de Melchior, mais ce dernier devait reconnaître que le garçon demeurait pour lui une énigme. Ce musicien aux longs cheveux n'était sans doute pas qu'un simple ménestrel errant, l'apothicaire en était certain. Aux yeux des gens de la ville, Kilian pouvait apparaître comme un vagabond insouciant, mais à certains moments Melchior avait l'impression qu'une fois arrivé à Tallinn, ce garçon s'était forgé quelque dessein secret, d'une diabolique habileté. Derrière le bavard affable semblait se dissimuler un démon d'une avidité sans bornes. Il espérait cependant que ce n'était là qu'une pensée qui lui venait lorsqu'il était lui-même assailli par la mélancolie et le pessimisme, par son propre démon, qui le hantait de temps à autre.

Pour l'heure, cependant, il trouva Kilian installé sur la margelle du puits et jouant mélancoliquement de la mandoline ; il lui demanda pourquoi un joyeux compagnon chanteur devait être aussi triste en ce beau matin de printemps, et pourquoi il n'employait jamais le son de sa voix à faire tourner la tête des jeunes filles.

« Il semble que vous ayez de moi une opinion trop légère, messire Melchior, déclara le garçon. Je ne chante jamais pour faire tourner la tête à quiconque.

— Bien sûr : tu es un maître chanteur, après tout !

— Un simple compagnon errant, pour le moment. Mais je ne chante qu'à la gloire de l'art du chant lui-même, et pour réjouir mes semblables. Je viens juste d'inventer un nouvel air, et j'étais occupé à lui chercher des paroles convenables.

— Tu sais quoi ? dit Melchior en prenant une décision soudaine. Je crois que ce chant te pèse lourdement sur le cœur. Viens avec moi, Kilian ; je vais t'offrir un remontant de ma fabrication, et Keterlyn écoutera elle aussi ce nouvel air. Viens, je t'en prie ! Sinon tu vas rester ici tout seul à chanter pour les oiseaux et les animaux, comme saint François ! »

Quelques instants plus tard, ayant déjà versé à Kilian une rasade de sa douce liqueur d'apothicaire, il lui proposa un biscuit, et l'humeur sombre de Kilian sembla se dissiper. *Le garçon a de l'éducation*, remarqua l'apothicaire lorsque la conversation se porta sur les saints, l'un des thèmes favoris de Melchior. Kilian lui expliqua que le patron de la guilde des Chanteurs de Nuremberg était saint André.

« Saint André, tiens donc ! s'exclama joyeusement Melchior. Et toi-même, tu portes le nom d'un saint ! Mais André est un grand saint, et votre guilde a de la chance d'avoir un seul patron. L'an dernier, j'ai voulu suspendre une belle enseigne en façade, avec l'inscription « Apothicairerie de saint Côme », mais figure-toi qu'il n'y a dans aucune église de Tallinn une statue de saint Côme, devant qui j'aurais pu faire brûler un cierge en implorant sa bénédiction sur mon commerce. Et quand je suis allé demander conseil au prieur Eckell, chez les dominicains, nous nous sommes lancés dans une discussion sans fin. D'après ce que savait le révérend père – et qui suis-je pour mettre sa parole en doute, n'est-ce pas –, les apothicaires avaient encore comme patrons saint Nicolas, saint Damien, les deux saints Jacques, et l'archange Raphaël et sainte Marie Mère de Dieu par-dessus le marché. Et moi, pauvre naïf qui croyais qu'il n'y avait que saint Côme !

— Je ne crois pas avoir jamais entendu parler de lui, dit Kilian d'un ton dubitatif.

— Il n'y a pas grand monde qui le connaisse, répondit Melchior. Mais mon père, qui était déjà apothicaire à Lübeck, m'a appris que saint Côme est le protecteur et le gardien de tous ceux qui préparent les remèdes. Voici toujours le tien, Kilian, avale ça ! Il ne guérit peut-être pas tous les maux de l'âme, mais il devrait te mettre de bonne humeur et t'aider à faire passer ta mélancolie. On appelle cela du vin brûlé, et j'y ajoute du gingembre et du poivre pour le rendre plus amer. Bois, bois, ça va te faire du bien ! »

Kilian but et se mit aussitôt à tousser d'une façon effroyable, les larmes lui jaillirent des yeux et il faillit lâcher sa précieuse mandoline. Melchior lui donna des claques vigoureuses dans le dos, jusqu'à ce que le garçon ait retrouvé sa respiration.

« Par la crinière de Satan ! jura Kilian en toussant encore. Et comment se finit votre histoire de saint patron ? Vous n'avez toujours pas d'enseigne à l'effigie de saint Côme ?

— Comme saint Nicolas est lui aussi protecteur des apothicaires, je continue à aller à l'église Saint-Nicolas, comme je le faisais déjà auparavant ; je rends grâces au saint et je suis heureux qu'il ait favorisé le succès de mes affaires. Le jour de sa fête, le six décembre, je distribue gratuitement des remèdes à tous les miséreux, et je fais naturellement des dons à son église, afin qu'ils annoncent à tous sa charité et sa bienveillance sans bornes, répondit Melchior avec affabilité.

— Je ne peux que me réjouir pour vous, déclara Kilian.

— Un autre verre ?

— Grâces soient rendues à saint André : allez-y, messire apothicaire !

— Voilà. Et comme saint André est aussi le protecteur des pêcheurs, sans lesquels la ville de Tallinn serait gravement affamée, je me verse à moi aussi un verre de vin au gingembre. Buvons à ta santé, Kilian, et à tes dons de chanteur ! »

Ils choquèrent leurs timbales, burent, toussèrent tous deux, burent encore, et bientôt la mélancolie de Kilian se trouva comme volatilisée. Jusqu'au moment où Melchior lui confia qu'il revenait de l'hôtel de ville, et que s'il ne se trompait pas, les auxiliaires du tribunal devaient à cet instant même être en train d'annoncer dans toute la ville que l'on recherchait un meurtrier qui s'était enfui la veille de Toompea vers la ville basse après avoir tranché la tête du chevalier Clingenstain.

La main dans laquelle Kilian tenait la timbale s'immobilisa subitement. Le garçon blêmit. Sa frayeur était sincère, Melchior n'avait aucun doute là-dessus.

« Seigneur Jésus ! s'écria-t-il. Il s'est enfui dans la ville ? Il faut que j'annonce cela sans attendre au vieux Tweffell ! Et qui est cet assassin, on le sait déjà ?

— Pas encore, mais le bailli le trouvera, répondit Melchior. Le Conseil va certainement promettre une récompense.

— Seigneur, mais j'étais justement à Toompea hier ! dit Kilian en tremblant.

— Je sais, répondit Melchior. Le bailli viendra certainement te demander ce que tu y as vu et entendu. Et comme j'ai prêté serment auprès de lui et que je suis donc son adjoint assermenté, le mieux serait que tu me racontes ce que tu as vu hier. Si cela nous met sur la trace de l'assassin, alors…

— Nous aurons mérité la récompense ? demanda Kilian.

— Je n'en sais rien, dit Melchior d'un ton rusé. Tu as donc vu quelqu'un, ou entendu quelque chose ?

— Personne, non. Ou si, tout de même ! J'ai vu le prieur dominicain, qui est arrivé juste au moment où le chevalier Clingenstain voulait m'établir un certificat pour prouver que j'avais chanté dans la forteresse de l'Ordre. Mais je n'ai vu personne rôder avec une hache pleine de sang, ça non.

— Tu ne pouvais pas le voir, Clingenstain a été tué bien après ton passage sur Toompea. Tu étais là-bas avec le sieur Tweffell et Ludke, n'est-ce pas ? »

Le garçon hocha la tête.

« Parle-moi plutôt de ce certificat. De quoi s'agis-sait-il, et pourquoi avais-tu besoin de cela ?

— C'était pour notre guilde à Nuremberg, la guilde des Maîtres Chanteurs.

— Et Clingenstain était d'accord pour te l'écrire ?

— Oh ! oui. Il a beaucoup aimé m'entendre chanter. Je lui ai demandé un certificat et il était d'accord, mais ensuite le prieur est arrivé et le chevalier m'a aussitôt oublié », expliqua Kilian à regret.

Après cela, il but à nouveau, puis il se mit à parler de sa guilde. Les meilleurs chanteurs à avoir jamais vécu, raconta Kilian, étaient douze poètes allemands bénis de Dieu, au nombre desquels figuraient Wolfram von Eschenbach, Heinrich Frauenloeb et Konrad von Würtzburg. Ils avaient réuni autour d'eux de jeunes chanteurs à qui ils avaient enseigné leur art, leur apprenant à louer la beauté de la femme et la force de l'amour céleste de telle façon que leur chant soit puissant et heureux. Ces hommes avaient ensuite créé des écoles dans de nombreuses villes le long du Rhin, jusqu'à ce que l'art des maîtres chanteurs atteigne Nuremberg. Le père de Kilian était l'un de ceux qui possédaient cet art et qui avaient fondé à Nuremberg, à côté de toutes les autres guildes, celle des Maîtres Chanteurs. Comme dans chaque guilde, on y trouvait les grades d'apprenti, de compagnon et de maître. Kilian était compagnon, et selon la charte de la guilde il devait voyager quatre années durant, recueillant l'enseignement d'autres maîtres de par le monde, apprenant de nouveaux airs dans des contrées lointaines et chantant, comme le faisaient jadis les *minnesänger*, dans les cours, sur les foires, à l'occasion des tournois et des fêtes, dans les châteaux, les louanges de leur dame de cœur. Il devait apprendre à composer lui-même des chants nouveaux et à chanter tous ceux des maîtres des différents pays où il voyageait. Au bout de ces quatre années, il devait se présenter devant la guilde et prouver par son art qu'il était réellement devenu un maître. On lui demanderait alors des certificats prouvant qu'il avait chanté devant de nobles seigneurs et qu'il avait su leur plaire.

Melchior l'écouta et finit par dire, sur un ton rêveur : « Quelle vie de plaisirs ! Qu'est-ce que je fais encore dans ma boutique ? Si les apothicaires avaient une guilde, et avec de telles règles, je serais parti depuis longtemps au bout du monde, chercher la connaissance et chanter les louanges de ma dame de cœur. Enfin... ma dame de cœur, il est vrai que, par chance, je l'ai épousée. »

Maintenant que Kilian était lancé, il continua à parler. Son père était marchand, et il avait des amis dans toutes les parties de l'Empire. Lorsque Kilian avait atteint l'âge de quinze ans, son père lui avait remis des lettres de recommandation et l'avait envoyé à Milan, où il avait passé sa première année de compagnonnage. La Lombardie était une terre de merveilles, expliqua Kilian avec admiration, un véritable paradis terrestre. Les filles, les vins, la musique... la soif que chacun ressentait pour la beauté ! Mais il lui avait fallu quitter la Lombardie – il avait fait son temps là-bas, et aucun paradis n'est éternel. Les yeux du garçon se remplissaient de larmes tandis qu'il parlait, tant il avait de peine. Melchior comprit que le compagnon chanteur ne souhaitait pas entrer dans les détails de son départ d'Italie. Mais ensuite, son père l'avait envoyé aux confins les plus reculés de la Chrétienté, dans ces contrées lointaines où se trouvait vivre son parent Mertin Tweffell, dont les marchandises, transitant par Lübeck, parvenaient jusqu'à Nuremberg. Le sieur Tweffell avait généreusement accepté d'accueillir

Kilian jusqu'à ce qu'il ait parfait son art… et voilà où il en était à présent.

— Tu n'as donc pas encore bouclé ta deuxième année de compagnonnage ? demanda Melchior.

— Je fais des projets pour la suite, j'ai pensé à Bruges, ou à la Bourgogne, où mon père a aussi des amis, mais…

— Mais tu as encore beaucoup à apprendre à Tallinn ? »

Le garçon sembla pris au dépourvu. « Je me plais ici, dit-il pour finir. Ce n'est pas Milan, certes, mais les gens sont ouverts et les prix avantageux. Je pourrais envoyer à mon père de la cire et des fourrures, en les faisant passer par Lübeck, et j'apprendrais le métier de marchand, car les maîtres chanteurs chantent pour la gloire et pour l'amour du chant, mais nous avons tous un métier, que ce soit cordonnier ou négociant en houblon. Le chant seul ne permet pas de nourrir une famille.

— Et chez le sieur Tweffell, c'est un bon endroit pour apprendre le métier ? s'enquit l'apothicaire.

— Oh oui, il est très bon et il m'a beaucoup aidé. Il m'aiderait à sélectionner les fourrures, et mon père lui enverrait du papier et du verre à bon prix. Je pense que ce serait un grand honneur d'être l'élève du chef de la Grande Guilde. Et on me laisserait en même temps chanter chez les Têtes-Noires et continuer à apprendre le métier. »

Surtout si Tweffell n'a pas d'enfants et ne peut pas en avoir. En même temps, il a chez lui cette avenante jeunette, songea Melchior. Puis il demanda : « Ton père t'a sûrement déjà choisi une fiancée, à Nuremberg ?

— Je lui ai demandé de ne pas trop se hâter avec cela », répondit aussitôt Kilian, et Melchior n'osa pas l'interroger plus avant sur ce sujet. Il dirigea plutôt la conversation sur Clingenstain.

« Les choses se sont passées ainsi : le sieur Mertin avait fait annoncer sa venue et avait envoyé une lettre, mais il n'avait pas reçu de réponse. C'est pourquoi il avait décidé de se déplacer lui-même, et j'ai réussi à l'accompagner, expliqua Kilian. Ce chevalier était déjà bien soûl, le banquet allait bon train. Ils ont parlé de… – c'est-à-dire… je n'ai pas entendu, mais je savais de quoi il s'agissait. Messire Tweffell voulait une compensation pour une cargaison que l'Ordre lui avait confisquée au printemps dernier, sur Gotland. Je me tenais éloigné, près de la porte, mais j'ai tout vu. Clingenstain était déjà tellement soûl qu'il ne comprenait plus grand-chose, il a versé de la bière à messire Tweffell et n'a sans doute même pas saisi de quoi il était question. Ils n'ont pas parlé longtemps. »

Ensuite, Kilian avait réussi à demander au commandeur s'il pouvait chanter pour eux, et Spanheim avait volontiers accepté. Kilian avait chanté environ une heure, mais quand il avait voulu demander un certificat – naturellement, Clingenstain était trop soûl pour être capable d'écrire quoi que ce soit –, on avait annoncé l'arrivée du prieur et le compagnon chanteur avait dû déguerpir.

« Du coup, tu es rentré seul ? demanda Melchior.

— Oui, mais pas tout de suite, répondit le garçon. En sortant de la forteresse, j'ai rencontré quelques subalternes de l'Ordre qui n'avaient pas pris part au banquet, ils m'ont payé un artig pour que je leur chante quelque chose, et ils m'ont donné de la bière. Nous sommes passés par la porte de la Cathédrale et nous sommes allés au frais, sous les arbres, et là j'ai chanté un moment pour eux.

— Dans le jardin de la cathédrale, là où il y a des tilleuls ? demanda aussitôt Melchior. Est-ce que tu as aperçu là-bas quelqu'un de la ville basse ?

— Personne d'autre que le prieur Eckell, qui venait de la forteresse et est entré dans la cathédrale. Ah ! et le frère Wunbaldus est venu nous trouver, il nous a dit que c'était un péché que de boire avec excès, et il m'a blâmé parce que je chantais des chansons trop dévergondées. Les gens de l'Ordre lui ont donné deux sous et une chope de bière. Ensuite, il est parti. Je n'ai vu personne d'autre.

— Et après tu es redescendu dans la ville ?

— C'est-à-dire… ceux de l'Ordre sont retournés dans la forteresse et j'ai continué à boire un petit peu de bière, puis ils sont revenus et j'ai chanté encore une chanson, parce qu'ils pensaient que maintenant, Wunbaldus était parti… Je leur ai chanté jusqu'au bout l'histoire de cette pucelle, qui au début de la chanson est encore pieuse et pucelle, mais qui à la fin ne l'est plus du tout. »

Wunbaldus, bien entendu, se rappela Melchior. Il avait déjà presque oublié le frère convers bossu. Lui aussi traînait hier à Toompea, c'est vrai, comme il devait le faire souvent, pour mendier. *Un moine, certes, mais costaud, et qui connaît bien Toompea.*

« Et tu n'as vu personne d'autre de la ville, là-haut ? Messire Casendorpe, par exemple ? demanda-t-il ensuite. Lui aussi était hier à Toompea. Il a vendu à Clingenstain une chaîne d'or, qu'il devait porter quand il était attablé et que tu as chanté pour eux. »

Kilian se tut un instant. Une fois encore, une lueur insaisissable brilla dans ses yeux.

« Non, je n'ai pas vu messire Casendorpe, dit Kilian avec hésitation. Mais plus tard, Clingenstain portait toujours cette chaîne.

— La chaîne ? demanda Melchior étonné. La chaîne d'or ? Attends un peu. Quand est-ce que tu as revu le chevalier ? »

Kilian sembla se troubler. Il avala une gorgée de liqueur d'apothicaire et saisit maladroitement sa mandoline. « Je l'ai vu au moment où je redescendais en ville. Plus tard, vers le soir. Lorsque j'ai quitté les gardes. Il venait à ma rencontre.

— D'où venait-il ? De la forteresse ou de la cathédrale ?

— C'est cela, il venait de plus loin, n'est-ce pas, donc sans doute de l'église, sûrement. » Le garçon ne semblait pas très sûr de ce qu'il avançait.

Melchior réfléchit un moment. « Attends, ne me dis quand même pas que tu n'as pas osé aller le trouver et lui demander ce certificat !

— Non, en fait je l'ai seulement salué et je lui ai souhaité le bonsoir, mais il n'a pas dû me remarquer. C'est vrai, je n'ai pas osé lui parler du certificat. Si j'avais su qu'il se ferait tuer le même soir, je le lui aurais sûrement demandé.

— Mais tu ne pouvais pas le savoir.

— Bien sûr que non. Je l'ai juste salué.

— Ça devait être quand il revenait de la cathédrale après s'être confessé. Et il avait toujours cette grande chaîne d'or autour du cou ?

— Clingenstain la portait quand je l'ai vu. J'en suis sûr », dit le garçon en regardant Melchior droit dans les yeux. Melchior aurait voulu l'interroger encore sur cette chaîne, mais à ce moment la porte arrière s'ouvrit et Keterlyn pénétra dans la pièce.

« D'en haut, j'ai entendu des voix, et j'ai pensé que quelqu'un était venu acheter un remède », dit-elle. Puis, remarquant le compagnon chanteur : « Oh ! bonjour, Kilian. »

Melchior avait sursauté à l'entrée de sa femme. Il se retourna vivement, et si maladroitement qu'il bouscula ce faisant un mortier, deux pots et quelques cuillères d'argent. Il jura, mais se hâta d'aller saluer sa femme.

« Regarde-moi ça ! À chaque fois que je te vois, mes mains se mettent à trembler comme de la viande en gelée, et je lâche tout ce que je tiens ! » s'écria-t-il tout en enlaçant Keterlyn et en posant un baiser sur sa joue. Sa femme résista mollement. Du coin de l'œil, l'apothicaire remarqua que Kilian s'était baissé pour ramasser la cuillère et les pots.

« Melchior ! On dirait que tu ne m'as pas vue depuis des semaines. Si la vue des femmes produit sur toi un tel effet, tu devrais peut-être choisir un autre métier ? s'écria Keterlyn en faisant semblant de se dégager de l'étreinte de son mari.

— Avec l'aide de saint Nicolas, et en m'astreignant à la piété, j'ai éloigné de moi la pensée du couvent, dit Melchior. Mais je te remercie, Kilian, merci à toi ! Je ne suis vraiment qu'un maladroit.

— Il n'y a vraiment pas de quoi », répondit le garçon en reposant à leur place mortiers et cuillères. Puis il s'inclina galamment devant Keterlyn.

« Sais-tu, ma femme, dit Melchior, maintenant en riant, que notre voisin Kilian a inventé un nouvel air et qu'il voulait me le chanter ? Je lui ai répondu qu'il fallait à tout prix que tu l'entendes. S'il s'en tire bien et que le chant plaît à l'épouse de l'apothicaire, nous ne demanderons pas de paiement pour notre remède. Alors, Kilian, à toi !

— Pour le remède ? Kilian est donc malade ? Ce matin il chantait comme une alouette, il allait parfaitement bien ! s'étonna Keterlyn.

— Son corps va bien, mais il semble parfois être assailli par la mélancolie. Et contre cela, rien ne vaut un verre, ou mieux encore, deux verres de vin au gingembre.

— La mélancolie ? demanda Keterlyn, surprise. Est-ce vraiment possible ? Je n'en crois pas un mot.

— Oh ! non, renchérit Kilian avec empressement. C'est juste que j'ai inventé cet air, et que…

— Kilian se désespère en voyant toutes les jeunes filles de Tallinn s'enfuir en courant devant lui, sans qu'aucune ne veuille l'écouter chanter, dit Melchior en riant.

— Non, cela ne peut pas être vrai, protesta Keterlyn. Va-t'en sur la place chanter un moment, et tu verras les plus jolies filles de la ville accourir tout de suite, comme si tu les avais attirées avec une orange confite dans du sucre.

— Vous voulez rire, dame Keterlyn, dit Kilian en bredouillant.

— Pas du tout, pas du tout ! s'exclama la femme. Je dois quand même bien le savoir, Kilian : si tu fais un peu attention, tu peux te rendre compte que je ne suis pas trop vieille pour avoir des amies parmi les jeunes filles de la ville, et je sais bien de qui elles parlent, et en quels termes, dès qu'il n'y a pas d'oreilles indiscrètes dans les parages.

— C'est bien vrai. Maintenant, chante ta chanson, nous t'écoutons », déclara Melchior. Et Kilian chanta. Mais sa chanson était vraiment triste :

« Il n'est en ce monde âme qui vive
Qui devine ma peine et qui comprenne
Le tourment violent qui ronge mon esprit.
Je ne sais pas comment je le supporte ;
Je n'ai ni joie, ni consolation, ni espoir.
Le chevalier esseulé est vaincu, foulé aux pieds… »

10

Rue aux Moines
16 mai, après vêpres

L'après-midi, Melchior emprunta la rue Longue, où
la construction de la maison principale de la Grande
Guilde était en cours, puis il descendit par-derrière
l'église du Saint-Esprit jusqu'à la rue aux Moines,
qui le conduisit jusqu'au couvent des dominicains et
à leur nouvelle église, Sainte-Catherine. Les dominicains s'étaient installés dans un coin calme de la
ville, contre les remparts, un peu à l'écart de la cohue
quotidienne et des affaires des laïcs, mais assez près
tout de même pour aller sans peine prêcher aux gens
de la ville.

D'ici quelques années, on ne reconnaîtra pas Tal-
linn, pensa Melchior. *Messire Dorn a mille fois rai-*
son, quand il dit que par toute la ville on ne voit que
mortier que l'on mélange et murs qu'on élève ; il
n'y a plus un endroit pour s'asseoir ou pour poser le
pied, on construit de toutes parts. Ceux de la Grande
Guilde, par exemple, se font bâtir une maison presque
aussi superbe que l'hôtel de ville ; on agrandit et on
rehausse l'église Saint-Olav ; les dominicains ont
achevé leur église Sainte-Catherine il y a quelques
années seulement, et déjà ils construisent de nouveaux

bâtiments sur leur terrain. On construit partout, et
le bailli devrait en vérité se réjouir. Une ville qui ne
construit pas est condamnée à mourir, et le fait qu'on
bâtisse sans relâche à Tallinn montre simplement qu'il
y a ici de plus en plus d'argent. Chaque été, il vient
des gens d'Allemagne et des régions les plus reculées
de l'Empire ; il y a même un marchand bourguignon
qui s'est acheté une demeure derrière la maison des
pesées, on a aussi des gens de Bruges, et d'ailleurs.

Aujourd'hui, les citadins étaient tout excités, car les
officiers du tribunal parcouraient la ville en proclamant
à tous les coins de rue, d'une voix forte et impérieuse,
que le Conseil recherchait un meurtrier. Au coin de
la rue aux Moines, un des hérauts s'avança à la rencontre de Melchior et proclama :

« Tous les honnêtes citoyens de la ville de Tallinn
qui ont connaissance du lieu où se cache ce meurtrier, ou de son nom, doivent donc se présenter sans
tarder devant le Conseil et déclarer ce qu'ils savent,
et prouver par la foi du serment qu'ils ne profèrent
pas de mensonge. Écoutez tous, citoyens de Tallinn
et autres habitants… »

C'était bien là la façon dont messire Dorn conce-
vait sa tâche. Tous les chefs de tours, gardes de la
ville et gens en uniforme avaient reçu l'ordre d'avoir
à l'œil les individus suspects. Les serviteurs du Conseil
trompetaient à travers la ville, mais si l'assassin était
habile et si personne ne l'avait vu faire, tout cela ne
servait pas à grand-chose. Le printemps précédent, ils
avaient fait les mêmes annonces dans toute la ville,
quand quelqu'un avait poignardé un capitaine de
Stralsund, dans une auberge en dehors des remparts,
mais le meurtrier n'avait pas été retrouvé. Même le
sieur Rinus Götzer n'avait pu donner à Melchior la

moindre indication… *D'ailleurs,* songea celui-ci, *ce ne serait pas une mauvaise chose d'aller trouver cette fois encore le vieux Götzer.* Cet ancien capitaine, aujourd'hui pensionnaire de l'hospice, en savait généralement plus long sur les affaires de la ville et du port que tous les conseillers réunis.

Chez les dominicains, les vêpres venaient de prendre fin, et par le portail sortaient de nombreux habitants de la ville. Beaucoup de métiers finissaient le travail à l'heure précise où les cloches sonnaient la prière du soir, et on en était déjà au point où les éloquents dominicains attiraient davantage d'assistance à leurs prêches que les curés de la ville. Melchior avait entendu parler de plaintes portées jusque devant le Conseil. Les dominicains parlaient trop (et trop bien, de l'avis de Melchior), ils privaient le Saint-Esprit et Saint-Nicolas de leur subsistance. Mais déjà, les dominicains étaient des voyageurs, qui se déplaçaient d'un couvent à un autre, ils avaient connu toutes sortes de pays lointains et entendu des histoires intéressantes, et dans ces couvents ils étaient bien formés, tant en ce qui concernait les saintes Écritures que la vie courante, de sorte qu'ils savaient parler aux fidèles de choses à la fois utiles pour leur âme et intéressantes pour leur intelligence. Sans oublier que l'activité des dominicains était parfois d'une grande utilité aux citadins. Un couvent de plus de cinquante frères était comme une grande guilde, qui produisait elle-même des biens à vendre et qui en achetait d'autres, tant pour sa consommation que pour les revendre avec un bénéfice. La bière des dominicains était célèbre au moins dans les provinces de Harju et de Viru – et, depuis que le convers Wunbaldus s'occupait de la brasser, sans doute au-delà. *À n'en pas douter*, songea Melchior, *les dominicains ont apporté à Tallinn honneur et renommée. Ainsi que la bénédiction divine et la paix des âmes. Même les Têtes-Noires, qui sont devenus si actifs à Tallinn sous l'impulsion de messire Freisinger, viennent de faire bénir leur autel chez les dominicains, et...*

Les pensées de Melchior furent interrompues par l'apparition de Dorn. Celui-ci tentait de se frayer un chemin au milieu des gens qui sortaient de l'église, tout en criant de loin que même si le tintamarre que faisaient tous ces maçons empêchait d'entendre les cloches de l'église, il pensait tout de même que le prêche du soir devait être terminé.

Melchior lui confirma qu'il en était bien ainsi. Ils décidèrent d'attendre un moment que la foule se soit éparpillée avant de se faire annoncer au prieur. Les gens franchissaient présentement le portail du mur d'enceinte, où se tenait le frère Hinricus avec sa corbeille pour les offrandes ; comme d'habitude, il y avait aussi bon nombre de miséreux et de mendiants qui demandaient l'aumône.

« Excusez-moi, vénérable bailli... vous êtes bien le bailli, n'est-ce pas ? » demanda soudain une voix aux sonorités quelque peu étrangères, dans le dos de l'apothicaire. Melchior se retourna pour regarder. Un homme s'était approché d'eux, que son vêtement semblait désigner comme maçon, et que Melchior croyait même avoir déjà croisé.

« C'est moi-même, et personne d'autre, grommela Dorn en dévisageant l'individu. Et vous êtes...

— Caspar Gallenreutter, de Westphalie, déclara l'étranger. Votre humble serviteur, bâtisseur de mon état.

— C'est juste, c'est juste, vous construisez cette chapelle auprès de l'église Saint-Olav. Nous nous sommes certainement déjà rencontrés, mais ma vieille tête n'a plus tous ses moyens », répondit Dorn.

L'homme sourit, mais de manière forcée et craintive. « C'est chez les Têtes-Noires, à une beuverie où on m'avait invité le mois dernier, que nous nous sommes vus : mais la fête était très joyeuse, et il n'y a rien d'étonnant à ce que vous ne me remettiez pas. » Il se tourna ensuite vers Melchior. « Et vous êtes l'apothicaire de notre ville, n'est-ce pas ? »

Melchior s'inclina légèrement. « Par la grâce de saint Nicolas, tel est en effet mon état. Si votre ventre vous tourmente, ou quelque autre souci de santé, venez me voir sans hésiter, nous trouverons certainement un remède. »

Mais maître Gallenreutter n'était de toute évidence pas là pour parler avec eux de ses soucis de santé. Il hésita, comme à la recherche du mot juste, puis il s'enhardit enfin à parler :

« Voilà, messieurs : je voulais vous demander s'il est vrai, comme on l'a dit à l'église, que le commandeur Clingenstain a trouvé hier une fin effroyable à Toompea ?

— Rien n'est plus vrai, hélas, marmonna Dorn sur un ton sombre. On lui a tranché la tête d'un seul coup, et… »

Melchior donna promptement à Dorn un coup léger. Le bailli aimait se laisser aller à parler, au lieu d'écouter.

« C'est exact, maître bâtisseur, déclara Melchior. La tête tranchée.

— Comment pareille chose est-elle possible ? Est-ce que les chevaliers se sont entretués ? demanda Gallenreutter, visiblement intéressé.

— Personne ne peut encore le dire, répondit Melchior. Mais on prendra certainement le meurtrier.

— Et vers quelle heure est-ce arrivé ?

— Si vous me permettez de vous le demander, en quoi cela peut-il intéresser un bâtisseur venu de loin ? s'enquit Melchior.

— En quoi cela m'intéresse ? » Gallenreutter jeta à la ronde un coup d'œil fébrile. « Lorsque j'ai entendu parler de cet horrible massacre, je me suis mis à me demander si par hasard je ne m'étais pas trouvé à Toompea au même moment, et si…

— Vous étiez hier sur Toompea ? » demanda Melchior avec intérêt. Il regarda de plus près son interlocuteur. Celui-ci devait avoir passé la quarantaine ; c'était un homme robuste, aux traits mous et aux cheveux plutôt clairs, mais large d'épaules et comme tanné par les vents. Il avait un regard intelligent, pourtant son embarras et son excitation ne semblaient pas feints. Il sembla à Melchior qu'il avait en effet déjà aperçu cet homme chez les Têtes-Noires, mais ils ne s'étaient pas adressé la parole.

« Oui, je suis allé hier à Toompea, confirma Gallenreutter. Vers quelle heure, donc, s'est produite cette tuerie ?

— Cela s'est passé un petit moment avant la fermeture de la porte de la Côte longue, vers huit heures et demie du soir, répondit Melchior, lentement et en scrutant attentivement son vis-à-vis.

— Et qu'est-ce que *vous* faisiez sur Toompea ? demanda Dorn, avec peut-être un peu trop de brutalité, ce qui fit se ramasser encore davantage l'artisan.

— Je voulais parler à Clingenstain, mais on ne m'a pas laissé passer. Et quand j'ai entendu, il y a un instant, qu'il s'était fait tuer hier, je me suis demandé si par hasard… si je n'étais pas là-haut précisément au moment où on le tuait. Quelle histoire terrible ! Mais si c'était vers huit heures et demie, alors cela ne pouvait pas être en même temps.

— Attendez, à quelle heure étiez-vous là-haut ? C'est la première fois que j'entends parler de votre entretien avec Clingenstain ! demanda Dorn en fronçant le sourcil.

— Je n'ai pas eu d'entretien avec lui, puisqu'on ne m'a pas laissé entrer ! expliqua l'artisan.

— Messire bâtisseur, c'est très important ! Je vous le demande – et le bailli vous le demande aussi : racontez-nous plus précisément comment tout cela s'est passé. Voyez-vous, personne jusqu'à présent n'avait ne serait-ce que mentionné le fait que vous étiez hier sur Toompea. À quel moment avez-vous demandé à rencontrer Clingenstain ? »

Gallenreutter prit une inspiration profonde, se tordit maladroitement les mains et déclara ensuite : « C'était dans l'après-midi, peu après avoir cassé la croûte à Saint-Olav. On ne m'a pas laissé franchir la porte de la forteresse. On m'a dit que le chevalier n'était pas là et on m'a chassé.

— Et qu'est-ce que vous vouliez au commandeur de Gotland ? demanda Dorn. Vous le connaissiez déjà ?

— Non, mais voyez-vous, il est originaire des environs de la ville de Warendorf, où vit aussi ma famille, et je voulais aller le trouver pour lui présenter mes respects, pour lui expliquer que c'était mon père qui avait construit la maison de son oncle, et que si le maître entendait parler d'une muraille à édifier quelque part, ou d'une église à construire, mes compétences et mes bras étaient toujours à son service. Nous sommes tous deux originaires de Westphalie, et aujourd'hui, alors que les bâtisseurs sont toujours plus nombreux, les relations de ce genre ont de plus en plus d'importance.

— Et on ne vous a pas laissé parler à Clingenstain ? demanda Melchior.

— Diable, non ! On m'a refoulé à la porte de la forteresse. C'était d'ailleurs assez bizarre : il n'y avait personne, j'entendais juste qu'on chantait et qu'on braillait en buvant de la bière, sous les arbres, du côté du cimetière de la cathédrale. Il y avait juste un garde à la porte, qui dormait en ronflant. Pour finir je l'ai réveillé, et il est allé se renseigner auprès de ceux qui étaient en train de chanter. Ensuite, deux subalternes de l'Ordre sont venus, ils m'ont demandé qui j'étais et ce que je voulais. J'ai attendu le temps qu'ils aillent à la forteresse, et après ils m'ont dit que Clingenstain n'était pas là et que je devais partir. C'est ce que j'ai fait.

— Très intéressant, murmura Melchior. Et vous avez vu qui chantait ?

— Non, je n'ai rien vu. Mais c'était une chanson très embrouillée, à propos de rien, d'un cheval, d'une énigme, et je n'ai pas essayé d'en comprendre davantage. En tout cas on m'a renvoyé, on ne m'a même pas permis de laisser un message au commandeur.

— Et vous, maître bâtisseur : vous êtes parti ? Vous n'avez vu personne d'autre ?

— Je suis retourné à Saint-Olav, en effet : il y a du travail sur cette chapelle. Et ce n'est qu'aujourd'hui, quand j'ai entendu dire que le commandeur avait été tué, que je me suis dit… Seigneur ! Est-ce que ça ne pouvait pas être au moment où j'étais là-bas ?

— Non, c'est arrivé bien plus tard, dit Melchior. C'est du moins ce que nous pensons.

— Plus tard alors… répéta le constructeur, en reprenant de l'assurance. Et si vous recherchez ce meurtrier dans la ville, est-ce que cela signifie que c'est quelqu'un de la ville qui a fait le coup ? Vous savez déjà précisément qui c'est ? »

Dorn allait répondre lorsqu'ils furent interrompus par une autre apostrophe, cette fois-ci lancée d'une voix nettement plus forte et plus stridente. Melchior aperçut le doyen de la Grande Guilde, Mertin Tweffell, qui s'approchait d'eux. Il donnait le bras à la jeune Gertrud, et le fidèle Ludke marchait derrière son maître.

« Attendez, bailli ! cria le marchand. Arrêtez-vous tout de suite, par tous les saints ! »

Gallenreutter prit congé d'eux. Il s'inclina rapidement, leur souhaita le bonjour et ajouta qu'ils se verraient peut-être le soir même chez les Têtes-Noires, à la grâce de Dieu. Le vieux Tweffell s'avança directement vers le bailli, mais Melchior suivit le bâtisseur de Westphalie et lui demanda d'attendre un instant.

« Vous avez entendu chanter du côté du cimetière, dit-il. Dites-moi, vous n'avez pas aperçu un convers dominicain se diriger de ce côté-là, ou le prieur Eckell lui-même ? »

Gallenreutter remua la tête en hâte. Il n'avait vu là-haut personne d'autre que les gardes soûls. Il s'éloigna, et Melchior rejoignit le bailli, à qui le doyen Tweffell était juste en train de demander des nouvelles.

« Quelqu'un de la ville, oui, disait Dorn. Mais s'agissait-il d'un vagabond ou d'un citadin, je ne le sais pas encore. Quand nous mettrons la main dessus, nous le livrerons à Toompea, où le tribunal des chevaliers le condamnera au moins à la pendaison, cela ne fait aucun doute. »

Gertrud se tenait pleine de réserve au bras de son époux, et si l'on observait attentivement, on voyait que, non contente de se tenir à son côté, elle le *soutenait*. Mais elle s'y prenait si habilement qu'un passant quelconque ne risquait pas de le remarquer. Ludke restait deux pas en arrière, taillé comme Goliath, un Estonien aux cheveux de lin, dont les avant-bras étaient comme des bûches de chêne. Gertrud rougissait un petit peu, et Melchior ne pouvait pas le lui reprocher. La jeune femme semblait toujours empruntée lorsqu'elle accompagnait son époux dans la ville. *Les ragots*, pensa l'apothicaire, *les ragots cruels et répugnants, Gertrud les a certainement entendus*. Les compagnons des marchands, les apprentis, les charretiers et toutes ces sortes de gens… il était même arrivé à Melchior, tandis qu'il buvait une bière à l'atelier du menuisier, d'entendre des fragments de conversation raillant la vie conjugale du doyen. Cela les amusait d'imaginer la jeune femme baignant la vieille saucisse desséchée et la massant avec des huiles, pour lui faire retrouver un souffle de vie. Mais c'était Tweffell lui-même qui était coupable de livrer ainsi une fille innocente aux railleries des citadins : cela, Melchior en était convaincu. À ce moment de ses réflexions, il tendit l'oreille, car messire Tweffell était juste en train de parler de Clingenstain.

« … oui, je l'ai bien connu, disait Tweffell, rageur. Assez bien pour pouvoir dire que c'était un scélérat avare, un coquin, le roi des voleurs, et qu'il ne portait la robe monacale que pour mieux cacher son avidité insatiable et sa morgue.

— Voilà des paroles bien sévères, dit Melchior à voix basse, tout en saluant le doyen d'un signe de tête.

— Ah ! Melchior ! s'écria celui-ci en découvrant l'apothicaire. Mon voisin et mon sauveur ! Le Conseil t'a de nouveau engagé comme espion, à ce que je vois ? Je ne sais pas si ce sont des paroles sévères, continua-t-il, mais je peux jurer que c'est la vérité vraie. Si vous cherchez qui, à Tallinn, pouvait lui en vouloir, eh bien ! vous avez un tel homme devant vous. »

Dorn s'émut et tenta de le calmer de la main : « Messire marchand, messire marchand ! Un peu de charité ! »

Mais Tweffell n'était pas d'humeur charitable. « Il n'y a ici rien à cacher, tous les marchands de la Grande Guilde le savent : si l'on fait affaire avec le commandeur de Gotland, on se fera rouler si on est né chanceux, et bien heureux déjà celui qui ne se retrouve pas en chemise. Ce commandeur était un fieffé scélérat, grommela-t-il.

— Peut-être dans ce cas connaîtriez-vous quelqu'un qui lui en voulait assez pour le tuer ? demanda Melchior.

— Laissez-moi vous expliquer quelque chose, répondit l'autre. L'Ordre est notre suzerain, n'est-ce pas ? Et les évêques aussi, que la miséricorde divine a placés là où ils sont pour faire régner l'ordre et le droit au moyen de la parole de Dieu ou par la force de l'épée, et pour obtenir notre bonheur et notre salut par leurs prières. Mais aucune citadelle de l'Ordre, aucune forteresse épiscopale ne peuvent tenir si l'on n'y trouve pas de quoi manger et de quoi se vêtir, des couverts d'argent et des vins fins venus de contrées lointaines, des outils et tout ce que nos paysans ne savent pas fabriquer eux-mêmes. Aucune ! De leurs terres ils ne reçoivent que le grain et la viande – et du grain, ils en reçoivent bien plus que ce qu'eux-mêmes et leurs fermiers sont capables d'ingurgiter. Ils ont du grain, donc, mais ni vêtements ni couverts, et leurs champs ne donnent pas de sel non plus. C'est pourquoi ils ont besoin des marchands, pour convertir leur grain en argent sur les marchés étrangers, et pour leur apporter leurs précieuses toiles anglaises, leurs vins de Bourgogne et leurs couverts d'argent. Mais pour qu'un marchand fasse cela, il faut qu'il y trouve son bénéfice, afin de pouvoir nourrir sa famille et sa maisonnée, mettre quelque chose de côté pour ses vieux jours et faire dire des messes par les moines pour le salut de son âme. Car le salut de son âme, il le perd de toute façon dès qu'il se met à faire du commerce, on n'y échappe pas, ou alors on n'est pas marchand ! C'est pour cela qu'il faut faire de temps à autre des dons à l'Église, qui prie pour nos âmes et pour notre salut. C'est comme cela que les choses doivent être. L'Ordre nous donne la terre, nous donne le droit de Lübeck et la permission de faire prévaloir ce droit, au besoin par la force, lorsque quelqu'un y contrevient. La ville de Tallinn est un port de l'Ordre, et l'Ordre ne peut rien sans les marchands, et les marchands ne peuvent rien sans l'Ordre. Il en a été ainsi par le passé, et de même aujourd'hui. Nous devons croire en l'Ordre et lui faire confiance, et l'Ordre pareillement vis-à-vis de nous, car l'un ne va pas sans l'autre. »

Dorn écoutait et hochait la tête. « C'est la vérité vraie, messire, la vérité vraie.

— Je le sais bien, jeta Tweffell. Je le sais bien ! Mais que se passe-t-il quand un chevalier de l'Ordre est un menteur, un voleur, un brigand ? Que se passe-t-il ? Il se passe que le marchand ne veut plus rien acheter à l'Ordre, ni rien lui vendre. Il achète des fourrures à Novgorod, il achète des céréales aux vassaux de l'Ordre, il les vend à Lübeck et avec ses gains il achète sur place, pour lui-même, des couverts d'argent, du drap anglais et quelques tonneaux de moelleux vin du Rhin. Et il ne vend plus rien à l'Ordre ! Le marchand est un bourgeois, il a ses droits, et la ville a ses droits. Et ce que devient l'Ordre dans tout cela, à vous de me le dire !

— L'Ordre entier ne peut tout de même pas être si menteur et voleur, que les marchands ne lui achètent plus rien, dit Melchior.

— L'Ordre entier, pas encore, mais une goutte de bitume peut gâter un tonneau de miel. Si vous me demandez si je suis satisfait que Clingenstain soit mort, je vous répondrai que non, car maintenant je ne récupérerai jamais ni mon navire, ni mon argent. Mais si vous me demandez s'il a mérité cette mort, alors je vous répondrai que oui : il l'a bien méritée ! »

Une exclamation étouffée franchit les lèvres de Gertrud :

« Mon cher époux, est-ce qu'on a le droit de dire de pareilles choses devant la maison de Dieu ?

— La vérité est la même partout, devant la maison de Dieu ou au fond d'une taverne, répliqua Tweffell. Rentre chez nous, ma femme, si tu ne veux pas entendre dire la vérité.

— C'est pour cette raison que vous êtes allé hier trouver le commandeur, pour lui dire tout cela ? demanda Melchior.

— Oui et non. Au printemps dernier, un de mes navires n'est pas revenu de Gotland, parce que le commandeur de l'île, Clingenstain, s'en était emparé, cargaison comprise, sous prétexte que les marchandises qu'il contenait avaient été achetées à Erengisle, le commandeur de Viborg, qui avait une dette envers Gotland. Il avait peut-être une dette, mais à partir du moment où j'avais acheté les marchandises à cette face de renard d'Erengisle, elles étaient devenues miennes, et je n'avais, moi, aucune dette envers Gotland. Gotland n'avait qu'à déclarer la guerre à

Viborg pour recouvrer sa dette, ou au roi de Suède, ça m'est bien égal, mais pas à ses loyaux vassaux les marchands de Tallinn. Mais j'avais déjà expliqué tout cela à Clingenstain dans une dizaine de lettres, et il le savait bien, de toute façon. Ce que je suis allé lui dire, c'était que la Grande Guilde ne se laisserait pas rouler et manipuler comme une fille de ferme, et que nous avions à Lübeck beaucoup d'amis. Que si Clingenstain ne payait pas sa dette, la Grande Guilde écrirait à Lübeck, et directement au grand maître de l'Ordre, à Marienburg, tonna le doyen.

— Et qu'est-ce que Clingenstain a pensé de tout cela ?

— Ha ! s'exclama Tweffell. Il en a pensé ce qu'il en pensait depuis le printemps dernier, c'est-à-dire rien du tout ! Il était déjà tellement soûl qu'il ne comprenait plus rien à rien, il se pavanait avec cette chaîne d'or achetée à Casendorpe avec mon argent, et il m'a offert de la bière que le Conseil lui avait fait porter à titre de présent. Et je vous dirai encore une chose, bailli : il se peut bien qu'il y ait dans la ville de Tallinn de nombreux marchands que le commandeur de Gotland a volés. Il y en a peut-être dans tous les ports, mais aussi sûr que je suis sûr d'être le doyen de la Grande Guilde, je vous déclare que si vous cherchez votre meurtrier parmi les marchands, alors vous faites fausse route.

— Je ne crois certainement pas qu'un marchand ait pu faire le coup, certainement pas, se hâta de répondre Dorn.

— Je l'espère bien, gronda Tweffell. Les marchands de Tallinn ne sont pas du genre à rôder la nuit comme des voleurs pour aller couper des têtes, ça non ! Ils se conduisent comme des chrétiens, conformément au droit et de façon réfléchie. Ils ne permettent pas à l'Ordre de leur faire du tort, ni à eux ni à leur ville ; ils écrivent au Conseil de Lübeck, au besoin ils écrivent au grand maître de l'Ordre, et ils demandent justice contre tous les voleurs. Il serait temps que l'Ordre comprenne que les marchands sont une force, et qu'avec chaque jour qui passe ils demandent plus vigoureusement, au nom de Dieu, la justice, ainsi que la place, le respect et la considération auxquels ils ont droit. Sur ce, bailli, je vous souhaite bien le bonjour ; messire apothicaire, à vous revoir, et merci pour votre baume. Ma femme, Ludke, allons-y ! »

Le doyen et sa suite commencèrent à remonter la rue aux Moines en direction de la ville, Gertrud au bras de son seigneur et maître, qu'elle soutenait discrètement, et le fidèle Ludke derrière eux.

11

Couvent des dominicains
16 mai, avant l'office du soir

Melchior et Dorn furent accueillis devant la porte par le frère Hinricus, qui les laissa attendre un instant et revint peu après. Oui, le prieur allait les recevoir. Il ne se sentait pas bien, à dire vrai, mais il allait tout de même déjà mieux que le matin, et il allait les recevoir. Le prieur était dans le dortoir, et Hinricus dit qu'il allait les conduire.

D'après ce que savait Melchior, Hinricus était le cellérier des frères prêcheurs, un homme encore jeune, sans doute de souche estonienne, de grande taille, maigre et élancé, aux jambes un peu cagneuses mais aux avant-bras solides et puissants. Il avait le visage plutôt brut, comme taillé à la serpe, ou comprimé, avec les yeux trop rapprochés de la naissance du nez. *Ce n'est pas ce que l'on peut appeler un bel homme,* pensa Melchior. *Mais c'est certainement un dominicain consciencieux, sans doute tout récemment promu à la charge de cellérier à cause de cette qualité.*

Ils franchirent un portail en ogive, décoré de plusieurs symboles dominicains : on y reconnaissait, peints, un chien, un lys, une rosace, une vigne et une couronne de chêne. Le père de Melchior lui en avait un jour expliqué la signification, car il avait été éduqué dans un couvent de dominicains. Le chien représentait le moine, le lys la Vierge Marie et saint Dominique, la rosace sainte Catherine, le cep de vigne le Sauveur et la couronne de chêne la Vierge Marie. On avait encore représenté des lions, des serpents et des dragons. À Lübeck aussi, il y avait sur la porte du couvent des serpents et des lions. Melchior se rappelait sa première visite au couvent, en compagnie de son père – il était alors âgé de quatre ans. L'apothicaire avait cherché de l'aide auprès des moines de Lübeck pour la maladie de son fils. Était-ce vraiment une maladie ? Le vieil apothicaire l'ignorait. N'était-ce pas plutôt un mauvais esprit, un démon ? Depuis plusieurs siècles, la famille Wakenstede souffrait de cette malédiction… L'infirmier, un vieillard à demi aveugle, avait tâté Melchior de toutes parts de ses mains ridées, et comme seul remède il avait conseillé dix *Pater*. Mais le père de Melchior savait déjà que cela ne servirait à rien.

Melchior s'arracha à ces sombres réminiscences. Depuis le début de cette année, la malédiction des Wakenstede le laissait en paix. Peut-être ses saints patrons y étaient-ils pour quelque chose ?

Lorsqu'il pénétrait entre les murs du couvent, Melchior sentait toujours un *changement*. Quelque chose était différent, il respirait un autre air : pas l'air de l'église, quelque chose de plus… saint ? Les épaisses murailles lui donnaient l'impression de s'être rapproché de Dieu, de se trouver en un lieu où une cinquantaine d'hommes, du matin au soir, servaient le Seigneur et priaient pour cette ville, pour le bonheur et le salut de l'âme de ses habitants. Chaque monastère était entouré de murailles, entre lesquelles on menait une vie d'une autre sorte, on respirait un air différent.

Hinricus les fit passer par différentes portes ; ils se retrouvèrent devant la nouvelle église Sainte-Catherine, qui était certes achevée depuis quelques années, mais chez les dominicains les travaux de construction semblaient ne jamais finir. Juste devant eux, résultant de la transformation de l'ancienne église, se trouvait le dortoir – mais sur les flancs de celui-ci on voyait déjà des échafaudages de planches et des murs élevés jusqu'à mi-hauteur. Dans la partie nord du couvent, on construisait un nouveau réfectoire, plus grand, et par-derrière encore un dortoir. Sur le côté sud de l'ancienne église, devenue trop petite, se trouvait un cloître déjà terminé, attenant à la nouvelle église et vers lequel Hinricus les dirigeait maintenant. Ils suivaient sans rien dire le jeune cellérier et respiraient l'air du couvent, qui pour l'heure était à vrai dire chargé d'un arôme, bien de ce monde, de poisson cuisiné. Les frères prenaient leur collation d'après-vêpres. À travers les fenêtres du cloître, Melchior observa la cour du couvent : il y vit plusieurs plates-bandes, et un petit puits au bord duquel un frère convers âgé, en habit blanc, lavait du linge. Mais on construisait aussi à l'intérieur du couvent. D'après ce qu'il pouvait voir, les bâtisseurs venaient de démolir le flanc nord de l'ancienne église, qui était seul resté debout, et ils élevaient le mur ouest du cloître. *Un couvent pauvre ne construit pas*, songea Melchior. Et un couvent pauvre n'était utile à personne.

Hinricus les mit en garde pour qu'ils ne trébuchent pas contre les tas de pierres. Le nouveau cloître était inachevé, et il traînait en effet des pierres de tous les côtés ; par endroits, le sol était encore de terre battue, et on y voyait de grands trous. Hinricus les conduisit du côté du dortoir des convers. C'était une bâtisse allongée, entre le bas-côté nord de la nouvelle église et le nouveau dortoir encore en construction, contre le cloître occidental. Il manquait encore la moitié du mur. Melchior vit les paillasses étendues côte à côte, avec auprès de chacune une table surmontée d'une cruche d'eau. Les convers vivaient chichement. Mais ils étaient entrés au couvent sans argent, pour y travailler, ils ne connaissaient pas les saintes Écritures et ne deviendraient jamais des frères consacrés. C'étaient des gens simples, qui avaient trouvé entre les murs du couvent ce que la vie à l'extérieur ne leur avait pas offert.

Hinricus leur fit traverser le dortoir des convers et s'arrêta pour finir devant la porte d'une petite cellule.

« Le prieur est chez le frère Wunbaldus, dit-il à voix basse. Il se sentait mal, et Wunbaldus lui a préparé une potion. »

Puis il s'inclina, ouvrit la porte et s'éloigna en silence.

Melchior et Dorn pénétrèrent dans la cellule exiguë en faisant pieusement le signe de la croix. Il n'y avait pas de fenêtre dans la pièce, mais le jour y pénétrait par la brèche dans le mur inachevé du cloître. La cellule contenait un lit, une chaise et une table de travail, surmontée d'une étagère portant quatre petits reliquaires d'argent. Le frère Wunbaldus était assis à la table, visiblement occupé à nettoyer les reliquaires à l'aide d'un pinceau et de vinaigre : une odeur puissante d'acide rendait l'air de la pièce irrespirable. Le prieur Eckell était assis sur le lit et il tenait une coupe à la main, mais entre lui et le frère convers se trouvait encore un banc, sur lequel était posé le plateau noir et blanc d'un jeu d'échecs. Ils avaient de toute évidence fait une partie, car des pièces noires et blanches étaient

disposées sur les cases – peu nombreuses à vrai dire :
la plupart d'entre elles étaient posées sur le plancher.
Quelques-unes seulement demeuraient sur l'échiquier. Le prieur Eckell se leva aussitôt pour accueillir le bailli et l'apothicaire. Ceux-ci s'agenouillèrent devant le révérend père.

Eckell était malade, Melchior s'en rendit compte tout de suite. Même l'odeur du vinaigre ne parvenait pas à masquer les relents de maladie qui montaient de son habit trempé de sueur. Le vieux prieur tremblait légèrement, il était d'une pâleur cadavérique et le blanc de ses yeux était semé de taches rouges. Les deux hommes portaient l'habit blanc des dominicains, qui devait symboliser la pureté de l'âme, comme l'avait appris Melchior. Mais tandis que le prieur était entièrement en blanc, y compris le scapulaire qu'il portait au-dessus de la tunique, Wunbaldus portait le scapulaire noir des convers. Il faisait chaud dans la pièce, de sorte que ni l'un ni l'autre n'avait revêtu la cape noire à capuche des dominicains.

Wunbaldus devait avoir une vingtaine d'années de moins que le prieur, mais les duretés de la vie et le travail avaient rendu pâle et froid son visage, qui avait dû être jadis fier et noble. Melchior ne se rappelait pas d'où le convers était originaire, mais il n'en savait pas davantage sur la plupart des autres moines. À sa manière de parler, que l'apothicaire avait rarement rencontrée, on pouvait le croire natif des environs de Lübeck. Une bosse sur l'épaule le forçait à marcher voûté : dans son habit de convers, la haute silhouette de Wunbaldus était toujours facilement reconnaissable.

Dorn baisa la main du révérend père et déclara qu'ils venaient, au nom du Conseil, lui demander de bénir leur difficile entreprise : retrouver dans Tallinn l'assassin de Toompea. Le prieur hocha la tête en respirant péniblement et dit une courte prière. Puis il déclara :

« Si vous souhaitiez la bénédiction de Dieu, bailli, pour votre juste tâche, vous l'avez obtenue par mon intermédiaire et celui du couvent. Mais croyez-moi, en pareil cas, une bénédiction est peu de chose. S'il suffisait de cela, un seul malfaiteur pourrait-il encore marcher librement de par le monde ? »

Le bailli allait répondre quelque chose, mais Melchior le devança.

« C'est pour cette raison, dit-il, que nous osons demander si le révérend père n'a rien remarqué de particulier à Toompea, qui pourrait nous mettre sur la trace du meurtrier. Se trouvant lui-même sur place, le révérend père y a peut-être vu ou entendu quelque chose ? »

Le prieur les dévisagea, puis il leur fit signe de se relever.

« Si j'ai vu quelque chose ? » Sa voix rauque tremblait. « Vous voulez dire quelque chose de plus que cette ripaille et cette débauche, auxquelles les chevaliers se livrent dès qu'ils n'ont pas une guerre en cours ? Non, je n'ai rien vu. Mais j'ai assez vécu et je connais assez le monde pour savoir que lorsqu'ils ont bu, les soldats oublient facilement qui est leur véritable ennemi, et où il se trouve.

— Le prieur ne veut tout de même pas laisser entendre que l'un des chevaliers... demanda Dorn effrayé.

— Le prieur ne veut rien laisser entendre qu'il n'ait vu de ses propres yeux, bailli, répondit Eckell. Je suis allé à Toompea pour m'acquitter de mon devoir – en tant que plus ancien représentant du couvent, il me revenait de saluer notre défenseur et seigneur, et de le remercier pour tout le bien qu'il a fait à la Livonie. C'est ce que j'ai fait. Ce que j'ai vu là-haut était une ripaille et une beuverie, une débauche et une orgie dont leurs serments monastiques devraient garder les chevaliers – mais ce n'est pas le cas.

— Nous avons pourtant entendu que Clingenstain avait demandé à se confesser, dit Melchior.

— J'aurais dû refuser, déclara le prieur sur un ton rigoureux. Seul un homme jouissant de son plein et entier entendement peut être admis à se confesser, pas celui dont la bouche n'exhale que les relents de la bière et qui est incapable de prononcer une seule parole distincte.

— Mais vous n'avez pas refusé », dit le frère Wunbaldus, toujours assis à sa table. Melchior perçut quelque chose dans la voix du convers, quelque chose qu'il n'aurait pas su identifier. Ce n'était pas un reproche, mais peut-être un regret ?

Le prieur poussa un soupir. « Guidé par sainte Catherine, j'ai pris dans ma faiblesse le juste parti, puisque le chevalier Clingenstain est mort ses péchés pardonnés. »

Avant que Melchior ait pu lui poser la moindre question, le prieur poursuivit : « Oui, je sais ce que vous voulez me demander, messire apothicaire. Vous saviez que j'ai entendu sa confession, et vous êtes venu ici pour demander si quelque chose dans cette confession pourrait mettre le tribunal du Conseil sur la trace du meurtrier.

— Oh, pareille idée ne m'était pas venue à l'esprit, se hâta de répondre Melchior.

— Pourtant, est-ce que le grand maître de notre ordre, l'éminent juriste Raimund von Peñafort, chapelain du pape, n'a pas écrit que le secret de la confession ne s'applique pas nécessairement lorsqu'il s'agit de réparer un tort causé à celui qui s'est confessé, dans le cas où il n'est plus en mesure de défendre lui-même sa réputation ? demanda soudain Wunbaldus d'une voix grave.

— C'est bien ce qu'il a écrit, répondit le prieur Eckell. Et feu le chevalier souhaiterait sans aucun doute que l'on capture et que l'on exécute son assassin. » Il poussa un profond soupir, jeta un coup d'œil du côté de Wunbaldus et hocha la tête. « C'est vrai. Mais je crains de ne pas pouvoir vous aider… même si c'était le souhait de Clingenstain. L'énumération de ses péchés ne vous rapprocherait pas de la découverte du meurtrier. »

Le prieur but sa coupe et la posa. Melchior vit qu'il avait du mal à parler.

« Distinguer et reconnaître ses péchés n'est pas donné à tout le monde, reprit-il. Plus un chrétien se confesse fréquemment, mieux il comprend où se cachent ses fautes. Certains hommes avouent avoir trompé leur épouse en pensée, mais ils oublient de confesser qu'ils ont volé aux pauvres le peu qu'ils avaient à manger. D'autres s'accusent d'avoir trop mollement châtié leurs ennemis, mais ils ne se reprochent pas d'avoir tué des dizaines d'innocents. Mais laissons cela. Clingenstain était trop soûl pour prononcer la moindre parole distincte. Il a obtenu aussi le pardon pour les péchés qu'il m'a semblé vouloir confesser.

— Pour tout le bien qu'il a fait aux dominicains », ajouta Wunbaldus. *De nouveau ce ton*, se dit Melchior. Il observa un instant la disposition des pièces restées sur l'échiquier. Son père lui avait jadis montré ce jeu, et même peut-être enseigné, et il avait entendu mentionner les échecs de temps à autre, même si on les pratiquait assez peu à Tallinn. Quoi qu'il en soit, Melchior ne se rappelait plus comment on plaçait les pièces sur l'échiquier, ni ce qu'elles représentaient. Mais il savait que chacune avait sa signification, que beaucoup tenaient pour un miroir de la vie terrestre.

— Bien entendu, Wunbaldus, je n'ai pas oublié que Clingenstain ne s'est pas seulement mesuré aux barriques de bière ou de vin, mais aussi aux ennemis de l'Église et des honnêtes gens, dit le prieur, puis il se tut.

— C'est vrai, renchérit Dorn. Le commandeur Spanheim a mentionné que vous aviez déjà connu Clingenstain sur Gotland.

— Cela fait très longtemps, répondit le prieur. Il y a une bonne dizaine d'années, quand j'étais cellérier du couvent de Visby. Voyez-vous, messire apothicaire, nous autres dominicains, nous sommes toujours en mouvement, et non pas attachés à un monastère précis jusqu'à la fin de notre vie. Nous allons d'un lieu à l'autre : j'en suis déjà à mon septième couvent. Nous voyageons et proclamons la parole de Dieu en tout lieu et pour chacun. Nous allons et nous venons, mais le verbe reste, comme il en va ici-bas pour les hommes, qui naissent et qui meurent, tandis que la parole de Dieu demeure… »

Le prieur s'interrompit brusquement, serra les bras contre sa poitrine, inspira et se mit à tousser violemment.

« Vous avez mal, Père ? s'écria aussitôt Wunbaldus. Vite, donnez-lui à boire ! » Wunbaldus se leva promptement et, soutenant le prieur, l'aida à s'asseoir. Ce faisant, il bouscula l'échiquier, et les pièces tombèrent sur le sol. Dorn ramassa la coupe posée à terre et la plaça entre les mains tremblantes du prieur. Le vieillard frissonnait et respirait avec difficulté. Petit à petit, son état sembla s'améliorer ; il s'appuya contre le mur et rassura les autres d'un signe de tête.

« Cela fait longtemps que la santé du révérend père laisse à désirer, dit Wunbaldus sur un ton de reproche.

— Et qu'en dit l'infirmier du couvent ? demanda Melchior.

— Notre infirmier est déjà vieux, il ne sait rien faire d'autre que conseiller des saignées.

— Très sage recommandation, fit Melchior.

— Mais la santé du révérend père ne s'améliore pas pour autant. Depuis plusieurs mois déjà, il ne fait que s'affaiblir et son état empire, répondit Wunbaldus.

— On dit que si ce n'est pas la peste, une saignée est toujours bénéfique », déclara le bailli.

Wunbaldus lui jeta un regard appuyé. « Nous prions pour la santé du prieur, et nous espérons que les reliques aident elles aussi, dit-il lentement. J'ai tout de même ici quelques baumes, et des remèdes que j'ai préparés suivant les anciennes recettes de notre ordre, j'espère qu'ils feront de l'effet. Ce qui ne veut pas dire que nous doutions de l'efficacité des reliques.

— Ah oui, vos fameux crânes ! » marmonna Melchior en regardant les reliquaires disposés sur l'étagère. Les reliques du couvent, que l'on disait être des crânes de saints, étaient ce qui attirait les pèlerins au couvent, ce grâce à quoi la réputation des dominicains de Tallinn s'étendait au-delà des mers. En plus de la bière, bien entendu. Melchior fut quelque peu étonné de voir que l'entretien des reliquaires était confié au convers Wunbaldus. Habituellement, les convers n'effectuaient que des tâches plus simples, beaucoup plus simples. L'argenterie était du ressort des orfèvres.

Pendant ce temps, Wunbaldus arrangeait de quoi soutenir le dos du prieur, il lui tendait un remède, lui essuyait le front. Quoi que cette cruche pût contenir, cela semblait réellement atténuer les souffrances du vieillard. À moins que ce ne soit l'influence des reliques. *La façon dont le convers, avec sa grande taille et son dos voûté, prend soin du prieur a... quelque chose d'émouvant*, songea Melchior. À côté de Wunbaldus, le vieil homme semblait presque nain, et il était sans doute moitié plus âgé. Malgré cela, il devait y avoir entre eux une certaine proximité, puisqu'il était après tout étonnant qu'ils aient trouvé le prieur du couvent, que la maladie semblait accabler, dans l'atelier exigu du frère convers.

« Le révérend père devrait se reposer beaucoup plus, dit Wunbaldus, aussitôt approuvé par Melchior.

— Je me sens déjà mieux, murmura Eckell. Le Très-Haut veut me rappeler que je ne suis plus aussi jeune. Je vais déjà mieux, Wunbaldus ; merci !

— Vous devriez réellement vous ménager davantage, révérend père, dit Melchior. Et bien entendu, si je puis me permettre, je vous conseillerais des baumes, des pommades ou des remèdes préparés suivant les prescriptions du médecin du Conseil, Grawertz, si je savais plus précisément quels maux vous affligent.

— La vieillesse, voilà le nom de ces maux, soupira Eckell. Les baumes et les remèdes de Wunbaldus ne procurent qu'une amélioration passagère. Le Très-Haut me fait comprendre que le temps est proche où il me rappellera auprès de lui.

— Ne dites pas cela, vous n'êtes tout de même pas si vieux. Comme l'a dit messire Dorn, tant que ce n'est pas la peste, les bons vieux remèdes font toujours leur effet, comme une saignée ou, par exemple, la liqueur de Melchior, dit l'apothicaire en souriant.

— Jusqu'à présent, la potion que me prépare Wunbaldus m'a apporté davantage de soulagement que toute la science des médecins de Lübeck ou de Rostock », répondit Eckell. Il sourit, mais reprit aussitôt sa mine sérieuse. « Pour ce qui est de la peste… Vous ne l'avez sans doute jamais vue ? demanda-t-il.

— Grâce au Ciel, Tallinn n'a pas encore connu de grande peste, déclara Dorn. Mais j'ai entendu parler – oh oui ! bien souvent – des ravages qu'elle a causés dans les villes d'Allemagne. C'est une maladie effroyable. Effroyable ! Un châtiment, la punition de nos fautes.

— Contre la peste, il est sûr que je ne connais aucun remède, dit Melchior. Et vous, révérend père, l'avez-vous déjà rencontrée ? »

Le vieillard poussa un lourd soupir. Il lui était difficile de parler, mais il en sentait la nécessité. « J'ai vu deux fois la peste au cours de ma vie. Celle que l'on a appelée la Grande Mort, quand j'étais petit garçon, à Fleckenburg, et plus tard en Flandre. Dieu m'a épargné, bien que je ne m'en sois pas moi-même jugé digne. J'ai perdu mes parents et mes maîtres, et j'ai vu une détresse, une misère, un malheur pires que ce qu'on peut imaginer. C'est à cette occasion que j'ai décidé de vouer ma vie au service de Dieu. » Il se tourna soudain vers Dorn. « Et si vous, bailli, dites avec cette assurance que la peste est le châtiment de Dieu pour nos péchés, alors je vous demande quel était le péché de ces hommes et de ces femmes emplis de sainteté, de crainte de Dieu et de piété, que ce fléau a fauchés par milliers dans toute la chrétienté ? »

Dorn se troubla. Les disputes théologiques n'étaient pas sa spécialité. Il bredouilla quelque chose, demandant si tout ici-bas n'arrivait pas par la Providence divine, puis il tourna vers Melchior un regard qui appelait à l'aide.

« Tout ici-bas ? demanda le prieur vivement. Est-ce que les hérétiques existent aussi par la Providence divine ? »

Dorn sursauta. « Les hérétiques ? Mais ce sont les adeptes d'enseignements frelatés, des gens qui lisent la parole de Dieu de travers…

— Non, tout n'arrive pas ici-bas par la Providence, et certainement pas la peste, dit le prieur avec assurance. La Providence nous a donné l'esprit, l'intelligence et la faculté de distinguer le bien et le mal, le vrai et le faux. Elle nous a donné le libre arbitre et le discernement, et si nous utilisons notre discernement de façon juste, nous pouvons constater que la peste sévit tout d'abord là où se trouvent la saleté et les ordures, là où les gens ne prennent pas soin de leur santé. Si nous avons de l'intelligence, nous mangeons des produits frais et nous buvons de l'eau pure ; et même, si nous avons davantage d'intelligence, nous trouvons encore d'autres moyens de nous protéger contre la peste.

— Est-ce que vous connaissez donc encore d'autres remèdes contre elle, révérend père, demanda Melchior avec intérêt. J'ai lu certains livres, et…

— Oh oui, Melchior est un homme instruit, il n'a pas moins de quatre livres chez lui ! indiqua Dorn avec empressement.

— Trois, en réalité, corrigea Melchior. Mais existe-t-il des remèdes contre la peste ?

— Certainement ! déclara Eckell. Certainement. L'homme peut sans aucun doute se protéger de ce fléau, même s'il n'existe pas encore de remède définitif en ce monde. Mais puisque vous êtes un homme instruit, Melchior, dites-moi si vous croyez vous aussi que la peste est envoyée par Dieu pour punir les hommes de leurs péchés.

— Si j'étais *vraiment* un homme instruit, répondit Melchior, je penserais que si Dieu avait envoyé sur terre la peste, qui fauche sans discernement tous les hommes, aussi bien les scélérats que les saints, cela aurait aussi peu de sens que d'empoisonner le puits de la ville. La peste ne diffère pas des autres maladies, et les maladies sont causées par les miasmes qui nous entourent : si le corps d'un homme devient plus fragile, par exemple à cause de la vieillesse, alors il tombe plus facilement malade. Je crois que le révérend père a raison : l'homme reçoit de Dieu le salut de son âme, mais les causes des maladies sont à chercher ailleurs. Là où se trouvent les maladies, là aussi se trouvent les remèdes. »

Le prieur toussa violemment et approuva. « J'ai vu des scélérats et des meurtriers endurcis que la peste n'emportait pas, et des mères aimantes ou de saints hommes emplis de la crainte de Dieu dont on empilait les cadavres sur des charrettes pour les mener au bûcher. Alors, comme par une révélation, j'ai compris que tant que le monde sera plein de détresse et de misère, nous aurons besoin de consolation, de foi et de charité pour tenir bon. C'est en ces jours de peste, jeune garçon encore, que je suis entré dans notre ordre.

— Loué soit le Seigneur ! s'exclama Wunbaldus d'une voix forte.

— Oh oui, louons-Le ! renchérit le prieur. Et apprenons à connaître le monde à travers Sa parole, car c'est en elle que résident la vérité et le discernement. Sachons voir de tous côtés la vérité et la justice, la charité et la pitié. Et le pardon – car ce n'est pas ici, ni sur cette terre, que nous subirons le Jugement dernier. »

Melchior n'était pas certain d'avoir compris les paroles du prieur, mais le mot « jugement » lui rappela la raison de leur visite au couvent.

« Le Seigneur nous a cependant confié la charge du jugement terrestre. Et c'est justement pour cela que le bailli et moi étions venus demander si le prieur ne saurait nous aider à nous approcher de la vérité.

— Vous voyez bien que le révérend père est malade », dit Wunbaldus sur un ton de reproche.

Mais Eckell secoua la tête. « Non, je vais mieux, bien mieux, déjà. Ici, en présence de saint Roch, je me sens toujours mieux, dit-il en désignant les reliquaires du regard.

— Saint Roch ? Ah, le révérend père veut parler des reliques ! dit Melchior en comprenant.

— Oui, elles sont là : j'ai demandé à Wunbaldus de nettoyer les reliquaires en argent. Il a jadis travaillé comme orfèvre… à côté de mille autres choses.

— Avant que le Seigneur me fasse accéder à la compréhension de ce à quoi je devais consacrer ma vie, jusqu'à son terme et sans partage, ajouta Wunbaldus.

— Est-ce à ces reliques que le révérend père faisait allusion tout à l'heure, en disant que contre la peste aussi, Dieu avait envoyé un remède sur terre ? » demanda Melchior.

Eckell posa sur lui un regard perçant. « Vous êtes un homme très curieux, Melchior, dit-il avec un léger sourire.

— Je confesse cette faute, que je partage avec tous les apothicaires. Notre métier consiste à chercher des remèdes aux maladies des hommes. Mais permettez, cela me revient maintenant en mémoire : s'agit-il de ces fameuses têtes, qui aident à guérir les maladies ?

J'en ai entendu parler, mais je ne crois pas les avoir encore vues de mes propres yeux.

— Bien peu de gens les ont vues, nous n'ouvrons jamais les reliquaires. Les voici, cependant – la tête de saint Roch, qui protège de la peste et que nous ont envoyée nos frères d'Arles, celle de saint Walburg, le protecteur de ceux que tourmentent des quintes de toux ; la tête du protecteur des malvoyants et des aveugles, Erhard de Ratisbonne. Voici encore la tête de saint Wolfgang, que l'on prie pour…

— Pour soulager les maux de ventre ! s'exclama Melchior. Je connais un bon remède, bien amer, que l'on appelle la médecine d'Erhard.

— Vous connaissez bien les saints, dit le prieur d'un air approbateur.

— Tous les Wakenstede étudient avec application les vies des saints. Mon père m'obligeait à rechercher tout ce qu'il était possible d'apprendre sur eux. Je tâche de suivre son enseignement », répondit modestement Melchior.

Le reliquaire que nettoyait Wunbaldus était ouvert. Melchior vit une tête ronde et de la peau noircie et fripée. Cela devait être celle de saint Roch, dont on avait extrait la cervelle avant de la faire bouillir. Il aurait voulu poser une question à ce propos, quand retentit soudain dans la pièce un chant magnifique, clair et sonore. C'étaient les frères qui chantaient avant l'office du soir, mais on aurait dit que le son provenait de la pièce voisine.

« *Ecce virgo concipiet*, récita Eckell. Mais excusez-moi, bailli, les frères ont commencé à chanter et l'office du soir ne va plus tarder, il nous faut aller. Wunbaldus, aide-moi, nous avons encore beaucoup à faire avant de nous rendre chez les Têtes-Noires.

— Le révérend père n'a tout de même pas l'intention… s'écria Melchior stupéfait, mais Eckell eut un sourire intrépide.

— Bien sûr que si ! Je suis peut-être vieux et malade, mais maintenant que les tonneaux ont été roulés jusque là-bas, il serait impensable que le prieur des dominicains ne soit pas présent. Ne croyez pas que la renommée de notre bière se borne à Tallinn ou à la Livonie. Tous les couvents proches, jusqu'à Augsburg, attendent l'annonce de notre victoire. D'ailleurs, j'ai envoyé deux barriques de bière brassée par Wunbaldus à nos frères de Magdeburg, et maintenant ils voudraient que je leur envoie notre convers !

— Seulement, j'ai promis de ne plus jamais quitter la ville de Tallinn ! déclara Wunbaldus d'une voix assurée.

— Ainsi, les frères de Magdeburg devront se débrouiller seuls. Je pourrais libérer Wunbaldus de son serment, mais je m'en garderai bien ! Je peux vous l'avouer, nous n'avons jamais produit une si bonne bière que depuis son arrivée dans notre couvent, il y a de cela cinq ans. »

Wunbaldus aida Eckell à se lever. La messe des Têtes-Noires attendait les pieux frères, puis l'office du soir. *Une tête noire dans un reliquaire, et les Têtes-Noires*, songea subitement Melchior. Il était curieux qu'il n'ait jamais fait ce rapprochement. En y pensant, il ne savait d'ailleurs pas pourquoi les Têtes-Noires portaient ce nom. Pourtant, il lui semblait maintenant qu'il comprenait la relation – la capuche noire des dominicains, le lien des Têtes-Noires avec les dominicains. Tout cela était intéressant, mais ne pouvait avoir aucun rapport avec le meurtre de Clingenstain. Melchior se tourna vers le convers :

« Wunbaldus, tu devrais passer plus souvent à la boutique. Peut-être pourrions-nous nous enseigner mutuellement quelque chose. Tu m'apprendrais le secret de ta bière, et je te montrerais comment préparer une liqueur d'apothicaire des plus goûteuses, qui soulagerait les douleurs du révérend père Eckell.

— Certainement, répondit le convers. Mais j'ai de nombreuses tâches au couvent, et je mendie trois jours par semaine. Mais je passerai sans faute.

— Et le bailli et moi avons un meurtrier à prendre ! répondit Melchior.

— Je suis désolé de ne pas pouvoir vous aider dans votre tâche autrement qu'en vous donnant ma bénédiction, dit le prieur. Tout ce que je savais, je vous l'ai déjà dit. Nous sommes arrivés sur Toompea avec Hinricus alors que Clingenstain était déjà soûl et qu'il était difficile d'en tirer une parole intelligible. Il a demandé à se confesser, davantage sous l'effet d'un ramollissement de l'âme causé par la boisson que mû par la piété et la crainte de Dieu. Je me suis rendu à la cathédrale, où il m'a rejoint au bout de quelques instants. Après la confession, nous sommes redescendus vers la ville…

— Si je puis me permettre, révérend père, Clingenstain portait-il sa nouvelle chaîne en or quand il est venu se confesser ?

— Vous voulez parler de celle qu'il avait achetée à l'orfèvre ? Oui, j'ai vu qu'il la portait à table, dans la grande salle de la forteresse, on m'a dit qu'il l'avait achetée le matin même. Mais lorsqu'il est venu se confesser, il ne l'avait plus. Il lui restait tout de même assez d'entendement pour ne pas se présenter devant Dieu chargé de bijoux. »

Dans l'église du couvent, le chant des frères touchait à sa fin. Il était temps pour Melchior et Dorn de prendre congé. L'apothicaire se tourna cependant encore une fois vers Wunbaldus. Il lui était revenu que celui-ci s'était querellé avec Kilian. Oui, répondit le convers, bien entendu, lui aussi était hier sur Toompea.

« C'est ma tâche d'aller sur Toompea recueillir des aumônes pour les frères, expliqua-t-il. Les chevaliers et les nobles ont habituellement la main large, surtout lorsqu'ils sont en pleine ripaille. Mais en vérité, ce jeune ménestrel chantait là-haut des strophes inconvenantes, pour la plus grande joie des gardes. J'ai trouvé cela déplacé et irrespectueux envers Dieu, d'autant plus que notre prieur se trouvait au même moment à Toompea…

— Mon pauvre Wunbaldus, intervint le prieur, laisse-moi te dire que déjà du temps de ma jeunesse, les musiciens errants régalaient les oreilles du bas peuple avec toutes sortes de chansons inconvenantes : il en a toujours été ainsi et ce n'est pas près de s'arrêter. Le Royaume de Dieu n'a rien à craindre pour autant.

— N'empêche, cela me fait mal d'entendre railler de la sorte la Sainte Mère de Dieu, répondit Wunbaldus, obstiné.

— Pourtant, une chope de bière et deux sous ont calmé ton juste courroux, à ce que j'ai entendu dire, fit remarquer Melchior.

— La bière ne valait pas grand-chose, mais les sous serviront au couvent et aux frères. Que dire, moi non plus je ne suis pas difficile à induire en tentation. J'aurai au moins réussi à faire cesser ces impiétés.

— Ne te chagrine pas, Wunbaldus, dit Melchior. Notre Kilian a vraiment une jolie voix, et il ne chante pas mal du tout. Il s'est engagé à devenir membre d'une guilde de Maîtres Chanteurs, et cela suppose qu'il voyage en donnant grâce à son art du plaisir aux gens, même de simples gardes de l'Ordre. Tout le monde ne sait pas apprécier le genre de chants que chantent vos frères en ce moment. »

Dorn, qui n'avait rien dit depuis un moment, intervint alors : « C'est vrai, on dirait qu'ils chantent à l'intérieur du mur, alors que l'église est là-bas, de l'autre côté de la cour.

— C'est peut-être parce que le nouveau cloître est encore en construction, supposa Melchior.

— Exactement, confirma le prieur. Il a fallu démolir le côté nord de l'église, depuis l'autel latéral des Têtes-Noires jusqu'au magasin, et comme on a construit le mur est du cloître en premier, tout le son provenant du bas-côté nord s'entend très bien dans le dortoir des convers.

— Et lorsque le pieux Wunbaldus est redescendu de Toompea, il n'a vu personne ? » demanda soudain Dorn.

Le frère convers secoua la tête. « Rien d'inhabituel. Je suis arrivé au couvent avant l'office du soir, au moment où les cloches sonnaient sept fois.

— C'est juste, comme notre règle le prévoit, ajouta le prieur. On pourrait dire l'heure d'après les entrées et les sorties de Wunbaldus.

— Si vous permettez, et afin que les choses soient bien claires pour le bailli, intervint rapidement Melchior, je comprends que le vénérable prieur est rentré de Toompea…

— Vers six heures, dit le prieur.

— Et Wunbaldus est rentré à sept heures…

— Un tout petit peu plus tôt. La messe des Têtes-Noires venait de se terminer. Le prieur Eckell disait la messe pour les Têtes-Noires à leur autel, j'ai regagné ma cellule et j'ai compté les aumônes de la journée, puis le vénérable prieur est passé me voir, à la suite de quoi je suis allé remettre les aumônes au cellérier, et je suis arrivé à l'église pour le prêche du soir.

— C'est bien cela, confirma Eckell. Je suis demeuré auprès de l'autel des Têtes-Noires et j'ai parlé un moment avec le sieur Freisinger, puis je l'ai quitté et j'ai rejoint Wunbaldus dans sa cellule pour l'aider à compter les aumônes. Allez maintenant en paix, et que notre Sauveur soit avec vous. »

Melchior et Dorn firent une génuflexion devant le prieur.

Pour sortir, le frère Hinricus leur fit traverser l'église Sainte-Catherine, où les frères étaient en train de se rassembler pour l'office du soir. Ils firent le signe de croix devant l'autel et aperçurent aussi l'autel des Têtes-Noires, dédié à la Vierge Marie, avec son nouveau retable.

Le soir était tombé, c'était tout juste l'heure pour Melchior et Dorn de prendre le chemin de la maison des Têtes-Noires.

12

La guilde des Têtes-Noires
Rue Longue
16 mai, le soir

On dit qu'à Tallinn la coutume des *smeckeldach* est aussi ancienne que la présence des guildes, qui mettaient un point d'honneur à ce que l'on vende la meilleure bière lors de leurs beuveries. Melchior ne se rappelait pas si c'était la Grande Guilde, la guilde de Saint-Olav ou celle des Kanuts qui avait inauguré ces dégustations de bière, mais il s'en tenait maintenant plusieurs dans la ville, aussi bien l'été que l'hiver. Toutefois, la plus importante était celle qui avait lieu chez les Têtes-Noires. Les participants étaient triés sur le volet, on n'y invitait que ceux dont le jugement était considéré comme important, et cela ne dépendait pas seulement du métier des intéressés. Quoi qu'il en soit, lorsque le commandeur de l'Ordre avait entendu parler de ces concours tenus dans toute la ville, il y avait de cela quelques années, il avait fait savoir que les responsables des guildes avaient oublié d'inviter le seigneur du lieu. Étant lui-même d'extraction modeste, Spanheim n'était pas aussi dédaigneux que certains de ses prédécesseurs, et il s'asseyait volontiers à la même table que les gens de la ville. D'autant plus volontiers lorsque les Têtes-Noires organisaient un fastueux banquet. Aux yeux de messire Freisinger, la table de banquet des Têtes-Noires était de la plus haute importance, il fallait surtout qu'on n'y trouve rien de médiocre et que rien ne soit fait à l'économie. Du coup, combien de porcs, de moutons, d'oies ou de cygnes se retrouvaient amoncelés sur la table, personne n'aurait su le dire, en dehors de lui et des organisateurs. Le cuisinier du Conseil s'affairait depuis plusieurs jours chez les Têtes-Noires en vue du banquet, et Melchior savait que Freisinger avait lui-même visité tous les bouchers pour sélectionner les meilleurs morceaux.

La règle du *smeckeldach* prévoyait que la compétition se déroule sur deux jours, séparés par une journée de repos pour reprendre des forces et laisser se raviver le désir de la bière. Le premier jour, les dominicains présentaient quatre cuvées de bière et les marchands de la Grande Guilde autant, ces derniers l'ayant fait brasser dans la ville ou, comme les dominicains, brassée eux-mêmes. Dans tous les cas, la préparation devait obéir aux vieilles traditions allemandes, et si quelqu'un avait des reproches sérieux à faire à l'une des quatre cuvées, aucune des trois autres ne pouvait prétendre à la victoire.

Ce soir-là, d'après ce que vit Melchior, une cinquantaine d'hommes étaient rassemblés chez les Têtes-Noires, dont les plus importants étaient le commandeur de l'Ordre, le prieur et les conseillers. La règle stipulait aussi qu'il ne pouvait y avoir simultanément deux invités d'honneur, afin que l'honneur ne soit pas partagé : en l'occurrence, c'était Spanheim qui était assis, tel le président du tribunal, à une table séparée disposée au bout de la longue table du banquet, et Freisinger lui servait lui-même la nourriture et la bière. Les autres convives étaient servis par les hôtes et par le pieux frère Wunbaldus.

Melchior n'apprécia pas la bière ce soir-là. Il n'était évidemment pas le seul que l'assassinat du chevalier préoccupait, mais du plus profond de lui-même montait une sensation de malaise, une douleur qui s'annonçait de loin. Il était allé aujourd'hui chez les dominicains, il avait vu ce jeu d'échecs, et de nouveau le visage de son père lui était apparu, comme une vision venue du ciel… une vision douloureuse, malgré tous les efforts qu'il faisait pour la repousser. La douleur ne voulait pas reculer. Melchior était un Wakenstede, il ne pouvait échapper à la malédiction de sa lignée. Toutes sortes de petites choses annonçaient le mal, des souvenirs, chaque fois différents, qui le visitaient tantôt le jour, tantôt la nuit.

Cependant, il but consciencieusement chaque sorte de bière que les hôtes lui versaient, proclama à voix haute son verdict lorsque Spanheim posa la question, et tout au long de la soirée il se sentit tenu, en son âme et conscience, de louer chacune des bières présentées : pour la Grande Guilde, c'étaient la bière officielle de la guilde, la bière brassée à la mode de Hambourg, la bière de Tallinn et la bière à six ferdings. Mais il cria encore plus fort lorsque Wunbaldus fit servir les bières brassées ce printemps chez les dominicains, en commençant par la bière de laurier pour finir avec la bière cuivrée qui, tel un chevalier porte-étendard, se dressait victorieusement au sommet du donjon de la forteresse ennemie. Bien entendu, le chevalier était plutôt le modeste Wunbaldus, bien qu'il se tînt à moitié dissimulé derrière le prieur et le frère Hinricus tandis qu'on criait en son honneur.

Parmi les autres convives, Melchior repéra l'orfèvre Casendorpe, le marchand Tweffell, et encore Gallenreutter, le bâtisseur ; Kilian était là lui aussi, tantôt jouant de son instrument, tantôt engloutissant bière et nourriture. Ainsi, chacun des hommes qui avaient rencontré l'infortuné Clingenstain la veille sur Toompea était présent, et Melchior les observa tous attentivement. Il les dévisageait, essayait de lire leurs pensées, et lorsque l'un d'eux parlait, il s'efforçait de l'entendre distinctement. Il était persuadé que si Clingenstain avait eu quelque lien caché avec la ville de Tallinn, alors l'un de ces hommes devait détenir la clé de ce secret. Ou au moins une carte, qui conduirait l'apothicaire jusqu'à un autre homme qui saurait, lui, où était dissimulée la clé.

Observer ces hommes et chercher à deviner leurs pensées lui servait aussi à tenir à distance son propre secret redoutable : c'était sa manière de contrer la malédiction de sa famille, de même que la profession d'apothicaire représentait à la fois la fortune et le malheur des Wakenstede, leur clé pour vaincre ce fléau, mais une clé qui n'était pas forcément efficace, car jusqu'alors aucun de ses ancêtres n'avait trouvé de remède contre ce mal terrible.

L'orfèvre Casendorpe paraissait ce soir spécialement enjoué : il coupait sans cesse la parole à Freisinger, mettant la main sur l'épaule de l'amphitryon, et Melchior supposait que c'était à cause de l'approche des noces. Il était assis à côté de Mathias Rode, le curé de l'église du Saint-Esprit. Ce dernier gardait encore une contenance réservée et silencieuse, mais tout le monde savait en ville que la bière déliait parfois à tel point la langue de l'ecclésiastique que même des matelots n'auraient pu l'entendre sans rougir. Le bâtisseur venu de Westphalie, Gallenreutter, avait quant à lui déjà éclusé une bonne quantité de bière, et son discours n'avait plus ni queue ni tête. Il tentait de raconter toutes sortes d'histoires à la cantonade et de se faire remarquer par n'importe quel moyen, notamment en parlant plus fort qu'on n'en avait l'habitude dans cette ville. Melchior nota toutefois que dès qu'il cessait de parler fort, Gallenreutter avait soudain l'air tout à fait sobre et qu'il promenait autour de lui un regard acéré, comme pour chercher à qui il convenait de raconter sa prochaine histoire.

Le *smeckeldach* en était cependant arrivé à un stade où plus personne n'avait de doute sur la bière qui était la meilleure ; le commandeur s'était levé et proclamait :

« En vérité, par le diable – n'écoutez pas, révérend père ! – et par tous les saints – écoutez, maintenant ! – la bière des dominicains, la cuivrée, est celle que je préfère, et il me semble que tout le monde est du même avis. Par la grand-mère de Belzébuth, j'aimerais bien savoir où vous avez déniché votre maître brasseur ! »

La question s'adressait au prieur, mais il était bien difficile à celui-ci de se faire entendre par-dessus le bruit des conversations. Le vénérable supérieur des dominicains affichait toujours une mine souffrante et fatiguée, bien qu'il ait bu de la bière comme un jeune homme.

« Ce maître brasseur n'est autre que notre frère convers Wunbaldus. En vérité, ses aptitudes sont innombrables, et de la plus grande utilité parmi nos pauvres frères », déclara le prieur ; puis des dizaines de bouches, tout au long de la table, poussèrent des exclamations admiratives. Pour finir, le négociant Tweffell dut reconnaître que les dominicains les avaient battus pour cette fois. Lorsque Wunbaldus remplit les pichets, le Tête-Noire Freisinger proclama la victoire de la bière cuivrée des dominicains, selon l'avis et la volonté unanimes. Bien entendu, on demanda où Wunbaldus avait appris cet art, et ce fut Gallenreutter qui posa la question de la façon la plus pressante.

« Vue de Westphalie, Tallinn a l'air d'être le bout du monde, mais pour ce qui est de la bière, celle-ci a le même goût que si elle avait été faite par le maître brasseur de l'hôtel de ville de Warendorf, dit-il. Ou non, attendez ! Est-ce qu'elle ne me rappelle pas plutôt une bière anglaise, goûtée un jour que je me trouvais à Londres ? Où avez-vous appris votre art, frère Wunbaldus ?

— Ici et là, répondit le convers avec modestie. J'ai beaucoup erré de par le monde.

— Nous autres dominicains avons des vies de voyageurs, maître maçon, renchérit Eckell. C'est notre devoir que d'emmener avec nous tout ce que nous trouvons de bien là où nous passons. Et de répandre en même temps la parole de Dieu. »

Gallenreutter, qui était assis à côté de Melchior, lui décocha une bourrade joviale et déclara : « On voit bien qu'ils ne se contentent pas d'être meilleurs que les autres dans le commerce du hareng ou le trafic des indulgences ! »

Freisinger, qui l'avait entendu, s'écria : « Hé, vous, ne dites pas de mal de nos saints frères ! Un couvent pauvre serait une calamité pour tous ceux qui devraient l'aider à survivre : seigneur, marchands, évêque, paysans ! Personne n'a besoin d'un pareil monastère ! »

On but, on fit la louange de Wunbaldus et des dominicains, et les hôtes apportèrent de quoi manger pour accompagner la bière : de la morue salée et séchée, des saucisses blanches, du jambon parsemé d'ail et des petits pains croustillants. Melchior goûta tout cela et dut reconnaître que le cuisinier du Conseil était sans rival dans toute la ville. Il remarqua que tant que le commandeur n'avait pas fait allusion au meurtre survenu sur Toompea, personne n'avait osé le mentionner. Mais Spanheim était maintenant bien lancé, et l'effroyable tuerie fut bientôt sur toutes les lèvres.

À côté de Melchior, Gallenreutter parlait à la cantonade : « Juste au moment où je voulais aller trouver le commandeur pour lui présenter mes respects et me dire son plus fidèle et son plus humble serviteur, puisque nous étions originaires de la même ville, n'est-ce pas, voilà qu'il se fait tuer. Comme si le Ciel avait voulu me punir ! »

Melchior entendit le commandeur surpris demander, de sa place : « Vous, maître bâtisseur, vous vouliez rencontrer Clingenstain ?

— En effet, confirma Gallenreutter. Mais vos gardes m'ont chassé. Pour eux j'étais un étranger, ils ne savaient pas qui j'étais. Je suis un étranger à Tallinn, c'est vrai, mais Clingenstain et moi venions du même endroit, et je pense que lui aussi aurait trouvé à son goût cette bière délicieuse… »

De nombreux regards se tournèrent alors vers le bailli, et on demanda à Dorn les dernières nouvelles sur la chasse au meurtrier. Savait-on qui c'était, était-il de Tallinn, où avait-il trouvé refuge, pourquoi avait-il tué le chevalier de l'Ordre ? Gallenreutter demanda lui aussi comment les recherches étaient menées, et qui cela pouvait bien être.

Dorn n'eut d'autre choix que d'annoncer à voix forte : « Le Conseil de Tallinn en a donné sa parole à l'Ordre : cet homme n'échappera pas à son châtiment, sans quoi la honte retomberait sur toute la ville. Les gens du tribunal et les gardes sont à sa recherche et il ne tardera pas à être mis aux fers, avant de comparaître devant le tribunal de Toompea. »

Messire Tweffell eut un rire saccadé. « Attendez ! Dites-moi un peu comment vous pouvez le rechercher, puisque vous ne savez pas qui c'est ? Est-ce que les employés du Conseil demandent à tous les hommes de la ville s'ils n'ont pas par mégarde coupé la tête du chevalier ?

— Le Conseil sait bien comment s'y prendre pour chercher, déclara Dorn. Ce n'est pas la première affaire de ce genre. Nous avons capturé des assassins bien plus dangereux. D'ailleurs, nous en savons déjà beaucoup sur son compte...

— Quoi, par exemple ? » demanda aussitôt Tweffell. Les conseillers se mirent à remuer la tête en baissant les yeux. Dorn, lui, lança à Melchior un bref regard qui appelait à l'aide.

« Eh bien, dit-il pour finir, nous savons qu'il venait de la ville, ce genre de chose... Qu'il s'est servi d'une épée... qu'il est redescendu en ville... »

Melchior avala en vitesse une gorgée de bière, toussa bruyamment, se leva et se mit à parler d'une voix forte :

« Ce que nous savons sur le meurtrier ? Vénéré doyen, noble commandeur, nous savons beaucoup de choses. Nous savons que ce devait être un homme robuste et plein de vigueur, sachant manier une épée et pour qui couper une tête ne présentait aucune difficulté. La tête a été tranchée d'un seul coup, et ce n'était sûrement pas sa première fois. Nous savons qu'il avait sans doute déjà rencontré Clingenstain dans le passé et qu'il devait nourrir de la rancune à son égard. Nous savons que ce devait être quelqu'un qui connaît bien la ville de Tallinn et Toompea, c'est-à-dire que ce n'était pas un étranger. Sa présence là-haut n'a intrigué personne, et cet homme devait être audacieux et cruel comme un diable. Si on l'appréhendait, il était prêt à se défendre avec son épée. C'était quelqu'un qui ne se trouvait pas hier soir à huit heures là où il aurait dû se trouver. Comment le Conseil compte-t-il s'emparer de lui ? Je vous répondrai : avec l'aide de Dieu et de notre propre intelligence. »

Le silence se fit autour de la table. Pour finir, Spanheim hocha la tête d'un air approbateur : « Tu as bien parlé, Melchior. Ce démon, vous devez le capturer et le livrer à Toompea. Ensuite nous le pendrons, et nous ferons avec son cadavre ce qu'il a fait à Clingenstain : nous lui couperons la tête et nous l'accrocherons à un clou, pour que tout le monde puisse la voir.

— À un clou ? » s'exclama quelqu'un, mais le commandeur fit un geste d'exaspération et ne se donna pas la peine de répondre.

Tweffell, lui, haussa les épaules et grommela : « Je ne comprends toujours pas comment vous pourrez mettre la main dessus si vous ne savez pas qui c'est. »

Avant que Melchior ait pu lui répondre, c'est Gallenreutter qui se mit à parler.

« Permettez que je vous raconte ce qui est survenu dans la ville de Warendorf, où j'ai construit une église voilà quelques années ! Oui, ma ville natale, où une nuit, de la même façon, un conseiller a été mystérieusement assassiné. Le meurtrier était entré par la fenêtre et avait étranglé le conseiller dans son sommeil.

— Parlez, messire Gallenreutter, votre histoire a l'air passionnante ! » dit quelqu'un, et plusieurs voix s'élevèrent pour l'approuver. Gallenreutter se leva et reprit la parole :

« Oui ! On sait bien que les conseillers ont toujours beaucoup d'ennemis, mais comment trouver celui qui a fait le coup lorsque tous jurent qu'ils sont innocents et qu'il n'y a pas un seul témoin ? Le conseil ne peut quand même pas se permettre de faire torturer un riche marchand, ou de le soumettre au jugement de Dieu, sur la base d'un simple soupçon. Heureusement, il y avait à Warendorf un bailli très astucieux, un homme instruit et intelligent, qui se mit à examiner la façon dont le meurtrier avait pu s'introduire de nuit dans la demeure du conseiller. Et que fit-il ? Il alla tout d'abord trouver le serrurier qui avait fourni la serrure de la maison, et ils firent des essais ensemble pour voir comment on pouvait fracturer de la même façon une serrure similaire. Ensuite, il partit à la recherche du cordier qui avait fabriqué la corde à l'aide de laquelle le conseiller avait été étranglé. Il nota aussi que la nuit avait été pluvieuse et qu'il y avait une flaque de boue devant la maison du conseiller, ainsi qu'une quantité d'excréments, mais que l'entrée de la demeure était propre et qu'aucune trace de boue n'était visible non plus jusqu'à la chambre. Enfin, il se demanda qui tirait le plus grand profit de la mort du conseiller. Et savez-vous ce qu'il trouva ? Il apparut que... »

Mais avant que Gallenreutter ait pu poursuivre, Melchior prit la parole :

« Si vous me permettez de vous interrompre, je crois pouvoir le deviner !

— Je vous en prie, messire Melchior !

— À mon avis, et compte tenu des circonstances que vous venez de décrire, il n'est pas difficile de deviner que la serrure ne pouvait avoir été fracturée de cette façon que de l'intérieur, qu'une corde en tout point semblable à celle du meurtre fut découverte dans la maison du conseiller, et que c'était sa femme qui tirait le plus grand bénéfice de sa disparition…

— En vérité, messire Melchior… s'écria Gallenreutter stupéfait.

— Oui, continua Melchior. Et est-ce que je me trompe si je suppose qu'il y avait aussi dans cette demeure un majordome ? Le meurtrier ne venait pas de l'extérieur, il faisait partie de la maisonnée. »

Gallenreutter semblait un peu déconfit, mais il reconnut que l'apothicaire avait vu juste.

« Non, Melchior, vous ne vous trompez pas, et c'était bien le majordome qui avait acheté peu de temps auparavant une fine cordelette de chanvre. Après l'avoir un peu torturé, il s'avéra que lui et l'épouse du conseiller s'étaient adonnés à la fornication, sans doute dès l'instant où le conseiller avait fait entrer la jeune femme dans sa maison.

— Je vous en prie, messire Gallenreutter ! cria quelqu'un. Quelle affreuse histoire ! » Même le curé, Rode, s'était levé, en proie à la colère, et il déclara : « La femme ! Auxiliaire du péché ! Engeance de vipère ! Saint Augustin disait déjà que les hommes pieux devaient la tenir à distance !

— J'espère que cette traînée a été lapidée ! dit le commandeur.

— Oh non, répondit Gallenreutter, elle a été enterrée vivante. Le majordome avait été pendu, mais auparavant il avait avoué, sous la torture, que cette femme l'avait ensorcelé et incité à commettre le meurtre. Ils projetaient, une fois le forfait accompli, de vendre les biens du conseiller et de poursuivre leur vie de pécheurs dans une autre ville. Mais ce que je voulais dire en vous racontant cette histoire, c'est que même si un meurtre a été commis sans témoins, on trouve toujours quelqu'un d'assez ingénieux…

— Un bailli, par exemple, renchérit Melchior.

— Par exemple, et nous venons justement de voir que ce sont en général des gens astucieux et pleins de ressource… Donc, comme je disais, il faut toujours chercher quelqu'un d'assez ingénieux, capable de lire les traces laissées par le malfaiteur et de trouver des témoins là où on croirait à première vue qu'il n'y en a pas. C'est ainsi que même les crimes les plus incompréhensibles trouvent leur solution, et que les coupables reçoivent le châtiment qu'ils méritent. »

Cependant, la fête se poursuivit ; plus personne n'était d'humeur à écouter des histoires horribles. Melchior alla se soulager dans l'arrière-cour, puis il se mêla successivement à divers groupes. Le prieur Eckell et l'orfèvre Casendorpe s'étaient mis à parler affaires. Le prieur avait beau être malade, il gardait toujours présents à l'esprit les intérêts du couvent, même en buvant de la bière. Il était en train d'affirmer que personne ne payait l'or à un meilleur prix que les dominicains.

« Nos frères ont vendu tant de bon hareng gras aux vassaux, pendant le carême, que si nous ne nous débarrassons pas rapidement de notre argent, il va se mettre à rouiller. Je peux vous offrir par-dessus le marché des messes gratuites, et des prières pour le salut de votre famille, promit-il à l'orfèvre, qui pourtant semblait encore hésitant.

— L'or est rare, révérend père, répondit Casendorpe. L'or est cher, vous le savez bien, et il renchérit de jour en jour. Le dernier navire qui devait m'en apporter, en provenance de Bruges, a dû couler par le fond, à moins qu'il n'ait été arraisonné par le commandeur de Turku… »

Melchior avait néanmoins l'impression que Casendorpe avait déjà pris sa décision, et qu'il ne cherchait qu'à discuter le prix. Il réaliserait certainement cette belle coupe d'or pour l'autel des dominicains, l'apothicaire en était persuadé.

Messire Tweffell, quant à lui, assis de l'autre côté de la table, enseignait à Kilian certaines astuces du métier. Le jeune homme était assis et écoutait attentivement, sans paraître se rendre compte que Freisinger lui avait déjà demandé à plusieurs reprises de jouer. Comme les autres, Tweffell était rendu bavard par la bonne bière.

« L'hiver, tu achètes de la cire aux Russes, expliquait Tweffell : et tu marchandes serré, jusqu'à ce qu'ils en crient de colère ! Ensuite, jusqu'à la Saint-Georges, tu ne dis rien à personne. Tu ne vends pas en Livonie, où ils sont tous fauchés ; vends à Bruges, c'est là que les monastères sont riches – et ils sont nombreux ! Quand ils démarrent la fabrication des cierges, ils travaillent à s'en faire saigner les doigts, ils ne prennent même pas le temps de dormir pendant plusieurs semaines : il n'y a plus que les cierges…

— Je m'en souviendrai, mon oncle, dit Kilian docilement.

— Bien sûr que tu vas t'en souvenir ! Quand je serai sous terre, qui est-ce qui sera là pour t'apprendre tout cela ? Personne n'est jamais devenu riche en jouant de la musique ! Où est-ce que j'en étais ? Ah oui ! Si tu veux acheter à Bruges du feutre ou du tissu, fais attention : on m'a dit que ces maudits Frères Vitaliens, dont les mers ont été débarrassées, se sont regroupés sur les îles de Zélande, et que ceux qui restent, maintenant qu'on a décapité leurs chefs, continuent à attaquer les marchands. Et si tu veux mon avis, l'Ordre les a peut-être chassés de Gotland, mais qui est-ce qui va payer la flotte pour nettoyer cette engeance maudite sur toutes les mers ? Les marchands de la Hanse ! Toujours les marchands, pas l'Ordre ni les seigneurs ! Nous payons toujours ! Nous payons pour nos lois et notre droit, nous payons pour tout ! Mais dis-moi un peu, mon garçon, que vaudraient tous ces barons et ces princes, sans marchands ? Où est-ce qu'ils trouveraient leurs beaux habits et leurs couverts d'argent ? Un temps viendra, et mes yeux ne le verront pas, mais les tiens peut-être, où les barons s'inclineront devant les marchands… »

À son grand étonnement, Melchior s'aperçut que le commandeur Spanheim avait quitté la table d'honneur pour venir écouter les histoires que débitait le bâtisseur de Westphalie. L'apothicaire prit une chaise au sein de l'auditoire au moment où Gallenreutter expliquait que la construction d'une forteresse, d'une église ou d'une maison étaient des choses bien distinctes, le plus difficile étant bien entendu d'édifier une église.

« L'église ne doit pas seulement être belle, disait Gallenreutter. Elle doit aussi se voir de loin, et ainsi de suite, mais il y a encore plus important : l'église, c'est l'édifice dont la construction demande le plus de connaissances. Un maître seul ne bâtit pas une église, il y a tant à savoir, et à demander à ceux qui savent. Pas seulement les choses sacrées, loin de là ! Il faut connaître la ville, ses habitants, son histoire. Comme pour tous les chantiers, on commence la construction de l'église en creusant. On creuse à l'emplacement de la future église, pour poser des fondations solides, on remue tout, on déblaie, on creuse plus profond, on voit ce qu'il y a eu auparavant à cet endroit, tout ce qui était dissimulé dans les entrailles de la terre. Il n'y a pas moyen d'y échapper : le vieux doit toujours faire place au neuf. »

Gallenreutter avait de nombreux auditeurs, dont le curé, mais aussi Kilian, car messire Tweffell était entre-temps allé trouver les conseillers pour se plaindre de la Monnaie de Tallinn et de son mauvais travail. De la construction des églises, Gallenreutter passa à la guilde des Tailleurs de pierre, qui comptait beaucoup d'Estoniens, parlant mal allemand et employant parfois entre eux une langue incompréhensible en travaillant, comme si l'on n'avait pas affaire à des chrétiens.

« Les Estoniens ? Oui, ce sont de bons tailleurs de pierre, intervint le commandeur. Ils ont de la force. Cela fait d'eux aussi de bons soldats. Ils n'ont pas leur pareil pour manier la hache de guerre. Bon sang, quelle force !

— Un soir, poursuivit Gallenreutter, je me suis retrouvé à boire avec eux, à l'extérieur des remparts de la ville, mais ils ne comprenaient pas ma façon de parler, ni moi la leur…

— Oh ! C'est la langue du démon : le Dieu des chrétiens n'a sûrement jamais inventé une chose pareille, assura le commandeur. Mais donnez-leur une hache et envoyez-les contre les Russes, et vous comprendrez ce que tailler en pièces veut dire !

— Et leurs chants ! dit Gallenreutter découragé. Je n'ai rien compris à leurs chants, ni eux aux miens. »

Kilian et deux des Têtes-Noires demandèrent tout de suite au bâtisseur s'il savait chanter. L'autre répondit que sa bouche était plus experte pour s'occuper de la nourriture ou de la bière, et qu'il n'avait aucun don pour la musique.

« La truelle du maçon : voilà mon instrument, celui dont je tire des airs merveilleux et divins. Quand il m'arrive de jouer du pipeau, en revanche, même les chiens errants s'enfuient ! » déclara vigoureusement Gallenreutter. Melchior, cependant, remarqua à nouveau que le Westphalien n'était pas du tout aussi soûl qu'il voulait peut-être le faire croire.

« Mais il vous arrive quand même de chanter, messire Gallenreutter ? insista Kilian.

— Moi ? J'ai essayé d'entonner un air que les membres des guildes de Tallinn risquaient de connaître, l'autre soir dans cette auberge, mais personne ne l'avait jamais entendu, se défendit le bâtisseur.

— Mais chantez donc ! s'écria Kilian en saisissant son instrument. Chantez pour nous, chantez, moi je jouerai ! À quoi ressemble votre air ? Ne vous en faites pas, j'ai parcouru la moitié du monde et je connais plus d'airs qu'il n'en faut pour chanter pendant tout le carême. »

D'autres hommes s'étaient rassemblés autour de Gallenreutter, et parmi eux messire Casendorpe, qui demanda ce que c'était que cet air que tous les membres des guildes de Tallinn auraient dû connaître. Lui-même n'en avait aucune idée.

« Oh, c'est une vieille chanson ; on dit qu'elle est originaire de Tallinn, et qu'elle a été composée par la toute première guilde qui s'est installée ici », répondit Gallenreutter.

Casendorpe éclata de rire. « Dans ce cas, demandez à messire Tête-Noire, puisque ses confrères prétendent être les plus anciens ici. Les plus anciens, par tout l'Enfer ! Notre guilde des Kanuts était déjà célèbre dans la Hanse et l'Empire tout entier à l'époque où personne n'avait encore jamais entendu parler des Têtes-Noires ! »

En entendant les propos de Casendorpe, on fit approcher Freisinger.

« Qu'est-ce que j'entends ? Quelqu'un met en doute l'ancienneté de notre guilde ? demanda celui-ci d'un ton jovial.

— Je ne mets rien en doute, j'ai seulement dit que vous n'étiez pas aussi anciens que le Seigneur Jésus-Christ ou que la ville de Rome, déclara l'orfèvre.

— Ça me revient ! s'écria Gallenreutter. La chanson faisait comme ça – je ne sais pas la chanter correctement, mais je me rappelle quelques strophes, c'est sûrement un très ancien dialecte. Kilian, joue ! »

Le bâtisseur ne savait pas vraiment chanter. Mais c'est d'une voix claire et sonore, suivant sans difficulté les harmonies jouées par Kilian, qu'il prononça distinctement les paroles suivantes :

« C'est l'aube, à l'orient pointe le jour,

Ô mon ami, nos sept frères, au carrefour,

N'attendent que de te guider vers le Temple du Seigneur,

Refermant leur main sur la truelle et le compas.

Aide-les à s'abreuver de la lumière qui brille au-dessus de la tombe :

Toutes les promesses, aussi anciennes que la science de Salomon,

Unies, tendent leur bouclier aux sept maîtres.

Sur celui qui marche en tête la Mort étend son manteau.

Favete linguis et memento mori.

Rugissant, la relique appelle au loin son propre sang,

Et hier est plus proche du sang du Christ, qui coule sur les murailles. »

Gallenreutter récitait très fort, et tout le monde à table l'écoutait. Mais lorsqu'il eut fini, Kilian reposa son instrument en soupirant. Ce n'était pas là un chant bien intéressant.

« Messire Gallenreutter, je ne connais pas cet air-là. Ce n'est pas un chant, plutôt une devinette, dit-il sur un ton de regret.

— En vérité, Gallenreutter, cela peut être une chanson ou une devinette de maçons, mais nous autres, chez les Kanuts, nous ne l'avons jamais entendue, déclara Casendorpe. Et si ceux de Saint-Olav ne connaissent pas non plus, alors… » Il se tourna vers les représentants des autres guildes. « Messire Tweffell, et vous autres, vous connaissez une chanson qui parle de sept frères, de Salomon, d'une truelle, de murs, de la mort qui couvre quelque chose de son manteau, ou comment était-ce, déjà ?

— Pourquoi me demandez-vous cela à moi, par saint Victor ? s'écria Tweffell d'une voix rauque, en s'arrachant à sa conversation avec les conseillers. Mes vieilles oreilles n'ont rien entendu.

— Notre invité de Warendorf voudrait savoir si les hommes de la Grande Guilde connaissent une chanson à propos de sept frères qui partent ensemble à l'aube vers le temple du Seigneur, avec une truelle.

— Par le Christ, vous avez bu trop de bière, maître orfèvre : je ne comprends rien à ce que vous me dites, répondit Tweffell d'un air irrité, en s'accompagnant d'un geste brusque. Quels sept frères, quelle truelle ? »

Casendorpe haussa les épaules et dit à Gallenreutter : « Vous voyez bien, personne ne connaît ce chant. Vous avez dû mal retenir.

— Ce n'est pas une chanson, c'est une devinette, déclara Kilian. Je n'ai jamais rien entendu de semblable.

— Si c'est une devinette, alors elle doit avoir une solution, mais moi je n'ai rien compris à cette ténébreuse histoire, dit l'orfèvre. Demandez à nos ecclésiastiques, peut-être bien qu'eux sauront quelque chose… Sinon, eh bien, votre chanson demeurera une énigme…

— Chaque ville a son énigme, après tout », conclut Gallenreutter, mais déjà quelqu'un réclamait de la bière, de l'autre côté de la table. Le marchand Ulm avait renversé sa chope, et Freisinger accourut pour voir si l'homme arrivait à recouvrir de sa manche la partie humide ou s'il devait payer une amende. Cela n'empêcherait pas de lui apporter une autre chope, bien entendu, mais on arrivait au bout la bière cuivrée des dominicains, au grand dam de tous. Freisinger déclara que ce n'était pas grave, car on pouvait boire la bière à cinq ferdings des Têtes-Noires, dont il avait acheté le jour même plusieurs tonneaux, et il demanda aux hôtes de les amener. Le curé du Saint-Esprit, qui avait déjà bu plus que de raison, fit remarquer que les Têtes-Noires semblaient avoir autant d'argent que le roi d'Angleterre.

« Ne vous inquiétez pas, monsieur le curé, répondit Freisinger en riant. Les Têtes-Noires ont de quoi entretenir un autel chez les dominicains, et s'ils le veulent, encore un au Saint-Esprit !

— Pourtant, vous savez ce que j'ai entendu ? s'écria Gallenreutter, assis à côté de Melchior. Avant que je vienne à Tallinn, on m'a dit de toutes parts que c'était une ville pauvre, sans argent, sans richesses.

— C'est un mensonge, répliqua Freisinger. Tallinn est une ville riche, et les Têtes-Noires non plus n'ont jamais eu de soucis de ce côté-là. Ils ont toujours eu l'argent nécessaire pour préserver leur rang et leur statut, car ils représentent la guilde la plus ancienne de Tallinn, n'en déplaise aux Kanuts ou à ceux de Saint-Olav. »

À cet instant, Dorn tapota l'épaule de Melchior et marmonna quelque chose à propos du curé Rode, qui paraissait avoir ce soir de nouveau quelques joyeuses histoires à raconter. De l'autre côté de la table, on voyait tout un groupe d'hommes se pencher vers l'ecclésiastique tandis que celui-ci parlait, puis éclater d'un rire bruyant. Melchior hocha la tête et fronça les sourcils. Rode n'avait rien d'emprunté, c'était un bon raconteur. Cependant, lorsqu'il parlait des femmes après avoir trop bu, il arrivait que lui échappent certains termes qu'il n'aurait jamais pu prononcer en chaire. Et lors des beuveries, de nombreux membres des guildes savaient le chauffer par leurs histoires, et il finissait la soirée en délivrant un sermon qui donnait matière à rire à toute la ville pendant des mois.

Pendant que plusieurs se mettaient à faire le siège du curé, disant qu'ils voulaient savoir eux aussi ce qui avait tant fait rire les autres, Melchior entendit la façon dont Freisinger vantait à Gallenreutter les richesses des Têtes-Noires :

« Nous étions déjà ici alors qu'il fallait encore disputer chaque pied de terre aux païens, disait-il. Et nous avons aidé à consacrer des demeures au Seigneur Jésus. Depuis ce temps-là, la fortune de Tallinn et celle des Têtes-Noires ont fleuri. Et si la mort danse autour de la ville, les Têtes-Noires seront les premiers à prendre les armes.

— Oh ! Les Têtes-Noires sont donc belliqueux à ce point ? Les armes, tout de suite ? Riches comme ils sont… s'étonna Gallenreutter.

— Vous avez mille fois raison, mille fois raison ! s'exclama avec conviction le chef de la confrérie. La miséricorde de Dieu a donné aux Têtes-Noires richesse et argent en abondance. Un bon conseil et un tonneau plein de marks d'argent de Riga font souvent plus que les hallebardes. »

Cependant, de l'autre côté, on exigeait toujours plus vigoureusement que le curé fasse son sermon édifiant au sujet d'une moniale de Heisterbach, et tout le monde se réjouissait par avance. Seul le prieur Eckell protesta contre l'idée d'un prêche en ce lieu et à cette heure, mais Rode s'était déjà levé, renversant au passage sa chope de bière, et Freisinger ne lui demanda même pas de mesurer la tache avec sa manche.

« Mes amis : l'histoire du couvent de Heisterbach ! Personne ne la raconte mieux que notre vénéré curé ! » annonça Freisinger.

Mais Rode avait déjà commencé, et même si la langue lui fourchait quelquefois, il parla avec tant de conviction et d'animation que tous l'écoutèrent. « Je m'en vais vous raconter une pieuse et édifiante histoire, qui s'est jadis déroulée dans ce couvent de Heisterbach, et c'est la vérité vraie, aussi vrai que je suis ici devant vous. Or, il vivait dans ce couvent, au milieu de ces saintes femmes, une pucelle qui avait pour nom Beatrixa. Et cette jeune fille était, disons… bien faite et plaisante à regarder. Toutefois, elle était ferme dans sa foi et elle servait avec conviction la Sainte Mère de Dieu, priant devant son autel dès qu'elle avait un instant. Et à partir du moment où elle fut nommée gardienne de l'oratoire, elle n'en pria que davantage. Mais il y avait encore dans ce couvent un ecclésiastique, qui observait la pieuse Beatrixa et dont l'esprit était obsédé par l'image de son corps : et cet homme se mit à désirer cette pieuse vierge et à l'induire en tentation, que Dieu ait pitié de son âme ! Et plus cet homme s'ouvrait de son désir auprès d'elle, plus Beatrixa repoussait son insistance, mais les paroles malsaines faisaient leur chemin, et le vieux serpent, celui-là même qui avait attiré Ève sur le chemin du péché, enserrait déjà dans ses anneaux le sein de la femme, qui n'avait plus la force de lui résister… »

Rode fit une pause, avala une gorgée de la bière qu'un serviteur venait de lui apporter, et reprit aussitôt, car des cris se faisaient déjà entendre pour demander la suite.

« Alors Beatrixa alla au pied de l'autel de la Mère de Dieu et parla ainsi : "Ô bienheureuse mère, je t'ai servie sincèrement, avec une foi profonde, mais maintenant je dépose à tes pieds les clés du couvent, car je ne peux pas résister plus longtemps à l'appel de la chair." Ayant dit cela, Beatrixa posa les clés du couvent sur l'autel et elle alla retrouver cet homme qui l'avait attirée sur le chemin du péché – car l'esprit de la femme est faible. Alors cet homme la conduisit dans sa demeure, il lui ordonna d'ôter son habit de nonne, puis… »

Rode fut interrompu par les rires véhéments des marchands. Même le commandeur s'écria : « Et ensuite ? Qu'est-ce qu'il a fait ?

— Ne nous cachez rien, curé, racontez tout comme cela s'est passé ! » criait-on de toutes parts.

Rode prit sa respiration et se lança, tout en cherchant d'une main un appui sur la table. « Puis cet homme impie l'attira sur le chemin du péché et la flétrit… »

De nouveau les rires éclatèrent comme un coup de canon, et quelqu'un s'écria : « Je ne comprends rien, qu'est-ce qu'il lui a fait ?

— Il l'a déshonorée ! » clama Rode encore plus fort.

Mais cela ne suffisait pas, et on continua à exiger que le curé dise clairement ce qui s'était passé.

« Cet ecclésiastique a commis avec cette femme perdue le péché de chair, comme l'homme avec la femme…

— Allons, curé ! s'écria Casendorpe au milieu des rires. Ce n'est pas le mot que vous avez utilisé tout à l'heure. Si vous savez exactement ce qui s'est passé, dites-le !

— Cet homme s'est uni à elle », recommença Rode, mais cela non plus ne convenait pas aux marchands, qui savaient très bien quel genre de vocabulaire le curé utilisait lorsqu'il avait bu. On tapait sur la table avec les chopes, on tapait du pied par terre, et on criait : « Monsieur le curé, ne cachez rien ! Nous ne comprenons plus ! »

Une fois encore Rode puisa du courage dans sa chope de bière, puis il s'exclama : « Allez vous faire foutre ! Il l'a baisée comme… »

Un rire gigantesque interrompit le curé, qui fut obligé de crier encore plus fort :

« … comme il n'avait jamais rien baisé jusque-là, baisée et rebaisée… »

Pour le coup, plus personne ne pouvait se retenir de rire : certains hommes étaient affalés sur la table, le visage trempant dans les plats de viande, d'autres martelaient la table avec leur chope en hurlant. Seul le prieur Eckell hochait tristement la tête.

« Il l'a baisée ce jour-là, continuait Rode en glapissant. Il l'a rebaisée le lendemain, et encore le surlendemain ; et une fois ses sales instincts apaisés, quand la pauvre fille avait perdu tout intérêt à ses yeux, il l'a abandonnée et l'a jetée à la rue. » Le curé se calma, but une gorgée de bière et reprit :

« Et comme Beatrixa n'avait plus de toit ni d'argent, et qu'elle avait trop honte pour retourner au couvent auprès de ses vertueuses sœurs, elle devint prostituée dans les rues de la ville. Quinze ans ! Pendant quinze ans elle se prostitua, couchant avec les hommes et commettant les pires péchés en leur compagnie. Puis un jour, au bout de ces quinze ans, elle revêtit son habit de sœur converse, se présenta à la porte du couvent et demanda au portier : "Est-ce que tu as connu Beatrixa, qui était jadis la gardienne de l'oratoire dans ce couvent ?" Le portier lui répondit : "Bien sûr, je la connais très bien, c'est une honnête et sainte femme, qui a vécu depuis l'enfance jusqu'à aujourd'hui dans notre couvent sans commettre le moindre péché." Lorsqu'elle entendit cela, Beatrixa ne comprit pas ce que cet homme lui disait, et elle allait repartir lorsque la Mère de Dieu lui apparut et lui dit : "Quinze années durant, pendant que tu étais loin du couvent, j'ai rempli ta charge en prenant ton apparence et en m'habillant de tes vêtements. Maintenant, reprends ta charge et pleure tes fautes, car personne ici ne sait que tu avais quitté le couvent…" Et en effet, la Sainte Mère de Dieu elle-même avait passé tout ce temps dans le couvent, sous les traits de Beatrixa, à sa place. Et Beatrixa réintégra aussitôt le couvent et tomba en prière au pied de la statue de la Vierge. Ce n'est qu'au moment de se confesser qu'elle révéla le miracle qui lui était arrivé… »

On demanda une autre histoire à Rode, mais Melchior ne resta pas pour l'entendre. Il voulait rentrer chez lui, où l'attendait Keterlyn. Il s'en alla en même temps que le prieur Eckell, Hinricus et Wunbaldus, un peu avant l'heure des vigiles.

13

Hors les murs
La taverne Süstermaye
17 mai, fin de matinée

Le lendemain, au petit matin, Melchior avait la tête dans un étau, mais suivant la recette enseignée par son père il se prépara un breuvage fort et amer composé d'alcool, d'herbes diverses, de jus de cassis, d'hydromel et d'un œuf cru. Puis, ayant bu, il confia la garde de la boutique à sa femme.

Lorsqu'il sortit de chez lui, il se rendit compte qu'il n'était pas, de loin, le premier à avoir surmonté la fatigue de la fête. Kilian était assis sur la margelle du puits et jouait un air triste, tout en tripotant de temps en temps une pierre descellée dans le bas du muret. Des ateliers du maréchal-ferrant, que deux maisons séparaient de la demeure de Melchior, s'élevaient déjà le tintement des enclumes et les hennissements des chevaux ; au-dessus de la Monnaie montait une épaisse fumée, tandis que chez les armuriers on débattait avec animation à propos d'un canon.

Ce jour de la semaine, Melchior serait en temps ordinaire sorti de la ville par la porte des Forges et se serait rendu derrière le moulin, auprès de la chapelle Sainte-Barbara, là où son père avait acheté un petit bout de terrain pour en faire son jardin d'apothicaire. C'était le lieu où, fidèle aux indications paternelles, Melchior continuait à faire pousser les plantes médicinales que l'on ne trouvait pas dans les champs ou les forêts des Estoniens. Il faisait ses plantations au printemps avec l'aide de Keterlyn, puis il désherbait et arrosait tout au long de l'été. Aujourd'hui il aurait dû s'occuper des jeunes pousses, mais il se contenta d'une brève visite pour voir les fragiles boutons verts – guimauve, céleri, cresson, camomille, valériane, chicorée et autres – sortir de terre avec confiance. Son jardin se trouvait au bord de la route du sud, après la porte des Forges, en lisière du petit bois situé derrière la chapelle Sainte-Barbara. D'un côté s'étendaient les prés et les champs des paysans du faubourg ; de l'autre, derrière la colline Saint-Antoine, on apercevait le gibet de la ville. Melchior avait très souvent à faire sur le lieu des exécutions, car son père avait acheté auprès du Conseil le privilège d'être le premier à découper sur les cadavres les organes entrant dans la composition de remèdes.

Il avait dix ans lorsque son père l'avait emmené pour la première fois à la colline du Gibet, car un apothicaire devait s'habituer à la mort. Il lui fallait la connaître, et il ne pouvait pas se permettre de la craindre. De plus, de nombreuses parties du corps des morts pouvaient aider à soigner les vivants. Cette fois-là, on avait exécuté un homme jeune et vigoureux, un pêcheur des environs de Viimsi, qui avait escroqué le Conseil. Lorsqu'un homme meurt de mort violente, de la vie demeure quelque temps encore dans son corps, dont on peut alors découper certains morceaux utiles pour confectionner des remèdes. La graisse par exemple, bouillie, permet de préparer un baume pour les os douloureux ; les reins d'une vierge fournissent un bon antidote aux baies sauvages vénéneuses. Ou encore, si l'on découpe en fines lamelles les muscles des cuisses d'un jeune homme, qu'on les assaisonne de myrrhe et d'aloès et qu'on les fait mariner dans du vin, puis qu'on les suspend à l'ombre pour les laisser sécher avant de les sortir à la pleine lune, on obtient un remède contre les affections du foie. Le père de Melchior avait aussi obtenu du Conseil l'autorisation de creuser sous le gibet, pour y chercher la racine de mandragore aux effets puissants. Lorsque l'on pendait quelqu'un, tous ses fluides vitaux s'écoulaient, en particulier la semence des hommes, et cette dernière faisait germer dans la terre la racine de mandragore, connue aussi sous le nom de racine des sorciers. Celle-ci rappelait la forme du corps humain, et, réduite en poudre, elle était efficace contre de nombreuses maladies, tandis que, bouillie, elle donnait un breuvage qui renforçait la vigueur masculine. Ces derniers temps, toutefois, le médecin de la ville n'avait que rarement prescrit des remèdes préparés à partir d'extraits de cadavres, et il y avait déjà plus d'un an que Melchior s'était rendu sur la colline du Gibet, pour prélever le foie sur le cadavre d'un pêcheur.

Cette fois-ci, cependant, il ne resta qu'un instant dans son jardin ; il arrosa les plates-bandes, échangea quelques mots avec le sacristain de Sainte-Barbara et s'en retourna vers la ville. Son chemin le conduisit vers l'ouest, sur la route qui menait au moulin des Troupeaux et, passant les masures du faubourg des blanchisseries, jusqu'à la porte des Troupeaux. Du sud montaient vers la ville des charrettes, des troupeaux, des transports de poutres, de blocs de calcaire. La ville bâtissait sans relâche et croissait à vue d'œil ;

chaque année, les remparts gagnaient en hauteur et en épaisseur ; ici on construisait une nouvelle tour, là on élargissait une porte. Vue ainsi du sud, Tallinn était magnifique, avec la ligne grise des remparts, les ponts relevables des moulins et les tours se détachant contre un fond tirant sur le vert, tandis que le clocher de Saint-Olav et la citadelle de Toompea s'élançaient à la rencontre des nuages. L'air était pur et une tiède brise marine apportait un peu d'humidité. Il faisait beau, et Melchior opta pour un petit tour, afin de s'aérer la tête et de ruminer ses pensées.

Longeant le lac de retenue du moulin situé à proximité de la porte des Troupeaux, il se dirigea vers la porte de l'Argile, d'où l'on pouvait déjà apercevoir la mer et le port. L'eau provenant du lac Ülemiste, des rivières et des ruisseaux, était conduite par des aqueducs jusqu'aux douves qui entouraient les remparts, puis stockée dans des étangs. Ceux-ci, protégés à leur tour par des remblais défensifs, s'étendaient devant trois des portes de la ville. Pour accéder au moulin et à la porte de la ville, il fallait gravir des marches, puis franchir un pont. Si un ennemi attaquait par le sud, il aurait tant à faire avec ces défenses avancées que le temps pour lui d'atteindre la porte, les archers, les artilleurs et les arquebusiers auraient déjà envoyé la moitié de ses hommes dans l'autre monde. Au bord des lacs de retenue, un endroit était aménagé pour que les chevaux puissent boire ; au-delà, l'eau s'enfuyait vers la mer, et les berges du canal faisaient un bon endroit pour pêcher. Son père avait appris à Melchior à pêcher, et quelques mois seulement avant sa mort, ils étaient venus là dans l'espoir de rapporter une nourriture convenable pour leur table de carême.

Cependant, Melchior ne voulait pas penser à cela. Il détourna son esprit du souvenir de son père pour le ramener à des préoccupations plus terre à terre et, pressant le pas, il se mit à longer la côte. Les remparts suivaient maintenant la direction du nord, parallèlement à la grève caillouteuse. Auprès de la petite porte Côtière, le chemin bifurquait : une branche faisait un coude et, traversant l'entrepôt de bois du Conseil, se dirigeait vers le port, mais Melchior choisit celle qui menait vers les faubourgs de Süstermaye et de la colline des Cordiers, où l'on trouvait de nombreuses tavernes fréquentées par les marins. Il était à la recherche de Rinus Götzer, un vieux loup de mer aujourd'hui pensionnaire de l'hospice.

Ce brave homme avait jadis commandé un navire qui donnait la chasse aux Vitaliens, perdant au cours de cette lutte un bras et toute sa fortune, mais il avait survécu aux geôles des pirates et était maintenant à la charge de l'hospice du Saint-Esprit. Toutefois, Götzer passait le plus clair de son temps à écumer les tavernes des faubourgs, où il se trouvait toujours quelqu'un prêt à payer une bière au vieux marin pour écouter ses meilleures histoires. Surtout, Melchior ne connaissait personne qui fût mieux que lui au fait des allées et venues des navires et des marins, et de tout ce qui touchait à la mer. À ce que l'on disait, il n'était pas rare qu'un marchand confie deux sous à un serviteur et l'envoie trouver Götzer, pour tâcher de savoir s'il y avait du vrai dans les vantardises que les autres membres de la guilde proféraient devant une chope de bière, ou essayer d'apprendre plus généralement ce qui se passait sur le port, et tout ce que les marchands ne voulaient pas se confier les uns aux autres. Les souvenirs que Melchior avait de cet homme remontaient à son enfance, lorsqu'il allait avec son père observer les bateaux dans le port. Mais le fier capitaine de naguère n'était plus aujourd'hui qu'un mendiant miséreux.

Après avoir jeté un coup d'œil en deux ou trois endroits, Melchior finit par dénicher le vieux marin dans une taverne proche des tours Grusbeke et Epping, où l'argent qu'il avait mendié le matin sur le port lui avait permis de se payer deux chopes de la bière la moins chère. La taverne se trouvait entre d'autres masures de bois de même aspect, où vivaient principalement des marins de souche non-allemande. L'apothicaire offrit à Götzer une poignée de bonbons à l'anis, et le vieillard en fut ému aux larmes. C'étaient là des confiseries comme en mangeaient les conseillers et les nobles, des friandises qu'on ne voyait guère sur les tables de l'hospice. Melchior déclara qu'il avait à faire au port, mais qu'il avait décidé de commencer par étancher sa soif, parce que le temps était chaud et qu'il avait déjà beaucoup marché.

Le vieux engloutit les bonbons, les arrosa d'une rasade de bière et ne tarit pas de remerciements pour la générosité de Melchior.

« Ce n'est rien du tout, messire capitaine, dit ce dernier après avoir bu lui-même une gorgée de bière forte. Vous avez fait tant de bien à la ville de Tallinn qu'il est temps pour elle de vous rendre la pareille. Je n'oserais pas aller sur la mer pourchasser les pirates, mais mes affaires péricliteraient bien vite si ces bandits s'emparaient des marchandises que j'ai commandées dans des pays lointains.

— Vous avez sans doute raison, soupira Götzer. On pille et on tue sur la mer, et on continuera à le faire, les choses ne changent pas sous le seul effet de la miséricorde divine.

— Pourtant la situation est plus calme, non ? demanda Melchior. Il n'y a plus de Vitaliens, et… Vous devriez le savoir mieux que moi, messire Götzer, après tout vous avez commandé un des navires militaires de la Hanse !

— J'ai sillonné la mer en long et en large pendant ma misérable vie ; il n'y a pas un port, pas une rade où je n'aie été avec mon bateau, pour me protéger d'une tempête ou pour y commercer. Je connais cette mer comme mes poches – dans lesquelles il n'y a jamais eu un liard, depuis le jour où je suis tombé aux mains des Vitaliens, avec le peu que je possédais », déclara Götzer en soupirant.

Melchior remua la tête avec commisération. « Laissez-moi vous offrir encore une chope. C'est une histoire terrible. Hé, tavernier ! De la bière par ici !

— Merci, Melchior, merci ! » dit le capitaine. Peu après leurs chopes s'entrechoquèrent.

« Je suis peut-être un mendiant, reprit Götzer sans perdre de temps, mais je ne me plains pas, la mer m'a appris à ne pas me plaindre. La mer apprend à être soumis, on apprend beaucoup plus auprès d'elle qu'en écoutant parler les curés. On peut craindre Dieu tant qu'on veut, écouter les Écritures et ainsi de suite, mais pas un seul marin ne peut s'empêcher, de temps à autre, de penser que la mer est Dieu et que Dieu est la mer. Tout ce que le destin fait de nous, tout ce qui nous arrive, vient de la mer : on se remet en son pouvoir, quand on veut être marin. On peut bien être un riche marchand, s'acheter une chapelle et un autel, donner de l'argent aux monastères et aux pauvres et faire dire des messes pour soi du matin jusqu'au soir, si une tempête survient et qu'elle te pousse vers une crique… Tu aperçois là-bas des feux de signalisation, tu rends grâces à Dieu et tu dis des prières de remerciement parce qu'il t'a conduit sain et sauf à la côte. Le lendemain matin tu vois trois embarcations rapides qui lèvent l'ancre, qui attendaient justement que quelqu'un tombe dans le panneau de leurs faux signaux. C'était comme ça que faisaient les Vitaliens. Que la peste les emporte, et que Satan les écorche vifs !

— Sur ce point, je suis entièrement de votre avis ! » déclara Melchior. Il avala une bonne gorgée et demanda au tavernier de leur apporter du pain, pour que la faim ne les dérange pas. « Mais vous, messire Götzer, vous êtes quand même resté en vie, dit-il ensuite.

— Et j'en loue le Seigneur depuis des années déjà, bien que je me demande quel était son dessein en m'obligeant à voir Gödeke Michels arracher lui-même les yeux de mes matelots, les enfermer dans une caque à harengs et les balancer par-dessus bord, pour que ceux qui seraient poussés vers la côte finissent leurs jours sur les récifs, déclara tristement le marin. Il ne restait plus de tonneau pour moi, aussi se sont-ils contentés de me planter une lance dans la poitrine et de me jeter à l'eau. Je ne sais plus, Melchior, vers qui je me suis alors tourné pour prier : le Seigneur Dieu, saint Joosti, je ne sais qui… Toujours est-il que je fus recueilli par des pêcheurs de harengs de Rostock et que je finis par regagner Tallinn, mais sans le moindre sou, gueux comme un rat d'église.

— Vous êtes vivant, messire Rinus. Vos matelots sont morts. Dieu a son dessein pour chacun…

— Et nous devons l'accepter avec soumission : c'est ce qu'on dit, en effet. C'est ce qu'on dit chez les dominicains, au Saint-Esprit, et dans toutes les églises autour de la Baltique. Melchior, je ne me plains pas ! Tout ce que me donne le Seigneur Dieu, je le reçois avec soumission, mais je demande à tous ces prêtres pourquoi Dieu n'a pas écouté les prières de ces milliers d'hommes qu'on a massacrés en mer, comme des rats en temps de peste.

— Vous leur posez des questions trop difficiles, ou trop simples. On vous répondra sans doute que ceux qui se sont ainsi livrés à la piraterie n'entreront jamais dans le Royaume de Dieu… Messire Götzer, permettez-moi de vous demander : vous est-il jamais arrivé d'aller sur Gotland avec un navire de la Hanse ?

— Gotland ? Gotland ? s'exclama le capitaine. C'est à proximité de Gotland que j'ai perdu le bras : une blessure que m'avait faite un Danois, qui s'était infectée, et c'est à l'infirmerie du couvent des dominicains de Visby qu'on me l'a coupé, sans quoi je serais parti rejoindre mon Créateur. Non, je ne me plains pas, je ne récrimine pas : bien peu de navigateurs vivent aussi vieux que moi, et à l'hospice, la guilde du Saint-Sacrement prend bien soin de nous.

— Honneur à eux ! intercala Melchior.

— Et avec dans la ville un apothicaire si généreux… »

De nouveau, le marin se sécha les yeux.

« Mon père disait toujours qu'un apothicaire ne devient jamais aussi riche qu'un marchand, mais que personne ne lui voue jamais non plus la même haine, déclara Melchior.

— Par saint Victor, ton père avait mille fois raison ! Paix à ses cendres, répondit Götzer.

— Oui, murmura Melchior. Oui, il est mort en paix, dans cette ville, au moment précis où les vaisseaux de l'Ordre faisaient route vers Gotland pour exterminer les Vitaliens.

— C'était un homme brave et honnête, Melchior ! Un homme brave et honnête, soupira Götzer. Mais tu m'as demandé quelque chose sur Gotland ?

— C'est juste. Je voulais savoir si par hasard vous aviez rencontré là-bas le prieur de nos pieux dominicains, Eckell, demanda l'apothicaire.

— Non, je ne me souviens pas de lui. Non que j'aie beaucoup de souvenirs d'ailleurs, je suis resté inconscient la plus grande partie du temps. Oh, combien de fois j'ai prié Dieu pour qu'il mette ce Gödeke Michels sur notre route, que je puisse lui arracher les yeux de mes propres mains, comme il l'avait fait à mes pauvres marins ! Mais je n'ai pas eu cette chance. Je t'explique : nous avions souvent trois vaisseaux, pleins de soldats, pour accompagner les navires des marchands de Tallinn, et il y avait aussi des hommes de l'Ordre à bord, car l'Ordre avait en général sa part dans chacun des navires de marchandises, et pour finir l'Ordre a en effet chassé les Vitaliens de Gotland, mais je n'ai pas pu le voir parce que nous étions en train de livrer une bataille quelque part du côté de Bornholm. C'est seulement plus tard que nous avons entendu raconter comment les chevaliers avaient écorché vifs les Vitaliens, pendu leurs cadavres aux remparts de Visby, qu'ils les avaient décapités et avaient cloué leurs crânes aux pieux d'amarrage, et je peux te jurer, Melchior, que j'aurais voulu être là pour couper moi-même en quatre ce Gödeke Michels.

— À ce qu'on dit, il a réussi à s'enfuir ? demanda Melchior.

— Ha ! Tous les meneurs ont réussi à quitter Gotland au nez et à la barbe de l'Ordre, répondit Götzer, rageur. Gödeke, Klaus Störtebecker lui-même, et ce maudit magister Wigbold aussi, jusqu'à ce qu'on les prenne tous, plus tard, heureusement, du côté de la Zélande, et qu'on les décapite sur l'île de Grasbrook, à Hambourg – à ce qu'on dit, du moins…

— Pour les châtier de tous leurs crimes, il aurait fallu pouvoir leur couper la tête plusieurs fois, et cela n'aurait toujours pas suffi, estima Melchior. Mais continuez, je vous écoute, et pendant ce temps-là je me repose.

— Oh, je pourrais parler jusqu'à Noël ! Enfin, je ne sais plus où j'en étais…

— Vous racontiez comment les Vitaliens ont été décapités sur l'île de Grasbrook.

— Oui… enfin je ne l'ai pas vu de mes yeux, mais je sais ce qu'on en dit, reprit le vieux marin. C'est ça : la Hanse avait fini par les capturer, Störtebecker en premier, et un an plus tard magister Wigbold et Gödeke, et on les a tous exécutés, du chant du coq jusqu'à la tombée de la nuit. Les bourreaux pataugeaient dans le sang jusqu'aux genoux, et les spectateurs continuaient à crier de joie à chaque fois qu'une tête tombait. Mais celui qui les avait capturés, c'était Simon d'Utrecht, sur son fameux navire, la *Bunte Kuh*. Ça, c'était un bateau, un vrai bateau de guerre, avec des canons et tout ce qu'il faut : je l'ai vu moi-même, une fois. Il y avait d'autres navires aussi, bien entendu, et comme les villes payaient les capitaines selon le nombre de pirates qu'ils prenaient, ils marquaient au fer rouge chacun des Vitaliens capturés, pour éviter toute contestation par la suite. Störtebecker lui-même, n'est-ce pas, leur plus grand meneur, le plus grand pirate que le monde ait jamais vu, Störtebecker a pris peur en arrivant devant l'échafaud : il a supplié qu'on le laisse en vie, il a promis d'offrir à la ville de Hambourg une chaîne d'or assez longue pour faire le tour de l'église. Mais on ne lui a pas fait grâce, car il n'y avait pas dans la foule un seul homme ni une seule femme dont les hommes de Störtebecker n'avaient pas tué un parent. Et on raconte même que Störtebecker avait dit : si vous ne me laissez pas vivre, ayez au moins pitié de mes hommes, d'autant de mes hommes que je parviendrai à faire de pas, après que vous m'aurez coupé la tête.

— Moi aussi, il me semble que j'ai déjà entendu raconter cela, marmonna Melchior.

— On dit qu'il a réussi à faire treize pas sans sa tête, et qu'ensuite seulement il s'est écroulé. Après quoi, sa tête a été clouée à un poteau. Mais on n'a pas épargné treize hommes, pas même un seul : on les a tous raccourcis ! Et un an plus tard, n'est-ce pas, magister Wigbold et Gödeke ont été pris au piège eux aussi, même si pendant longtemps on n'a pas voulu y croire, parce que ce Wigbold était si malin qu'il avait jusqu'alors déjoué tout ce qu'on avait tenté contre lui… »

Le marin fut interrompu par un grincement subit de la porte, qui s'ouvrit et laissa entrer nul autre que Dorn, le bailli. Le tavernier sursauta en le voyant, et il en renversa même sa marmite de terre cuite à trois pieds, avec la soupe de harengs. Tout au long des quelques dizaines d'années qu'il avait passées dans le métier, l'apparition d'un magistrat n'avait jamais rien annoncé de bon. Cela signifiait en général qu'on venait une fois de plus lui faire payer une amende pour avoir vendu de la bière trop diluée, ou après l'heure autorisée. Cette fois, cependant, Dorn ne lui prêta aucune attention, et il se dirigea droit vers Melchior.

« Tiens, notre bailli ! Déjà sur pieds, si tôt ? s'écria joyeusement l'apothicaire.

— Je te cours après comme un chien après ses moutons, grommela Dorn. À la porte Côtière, on m'a dit que tu étais à la recherche du capitaine Götzer. » En disant cela, Dorn remarqua le marin et lui fit un signe de tête respectueux. « Et notre valeureux capitaine est là aussi. Écoute, Melchior, je viens de recevoir des informations importantes.

— Le bailli consentira peut-être à patienter un peu ? demanda Melchior. Nous avions une conversation en cours avec messire Götzer.

— Non, non ! Je ne veux pas vous déranger, je n'avais rien d'important à dire, protesta Götzer à la hâte.

— Je prierai cependant le capitaine d'avoir la bonté de terminer son histoire, car celle-ci m'intéresse ! » répliqua Melchior. Puis, sur un ton appuyé : « Et elle intéresse beaucoup le bailli. » Tout en disant cela, il fit un clin d'œil à Dorn, qui ne remarqua évidemment rien.

« Enfin, Melchior, on vient juste de m'annoncer… commença le bailli, mais l'apothicaire lui tapa sur l'épaule en demandant s'il ne voulait pas s'asseoir un moment et boire une chope de bière.

— De bière ? Quelle bon sang de bière ? grommela Dorn, avant de se taire subitement et de cligner des yeux. De bière ? répéta-t-il d'une voix un peu tremblante.

— Si cela ne déplaît pas trop à monseigneur le bailli, nous avons là de la bière forte toute fraîche, de la brasserie derrière la tour Lurenburg, dit le tavernier d'une voix mielleuse. Et bien sûr, nous ne demandons pas d'argent ou quoi que ce soit de ce genre aux vénérables membres du Conseil !

— Ferme-la, gibier de potence ! » rugit Dorn. Il réfléchit une seconde et ajouta : « Et apporte ta bière. Mais sans argent, cela ne va pas, car mon serment m'interdit d'accepter quoi que ce soit venant de gens qui seront avant peu convoqués devant le tribunal. »

Le tavernier fit comme on lui ordonnait : il se tut, apporta à Dorn une chope de bière forte de qualité et disparut dans l'arrière-salle. Götzer semblait bien quelque peu troublé par l'irruption du bailli, mais Melchior répéta que Dorn et lui voulaient tous deux entendre son histoire.

« Je dois préciser au bailli que c'est intéressant au plus haut point, ajouta Melchior.

— Ce qui est intéressant, ce sont les nouvelles qu'un écuyer du commandeur vient de m'apporter, corrigea Dorn en buvant sa bière.

— L'écuyer est sans doute venu parler d'une certaine chaîne ? avança l'apothicaire. Oui, je m'en doutais. Mais le capitaine était en train d'expliquer comment ont fini les meneurs des Vitaliens. Il s'est arrêté dans son propos juste avant l'exécution de Gödeke Michels. Le bailli et moi aurions beaucoup aimé entendre cela. »

Götzer n'avait pas besoin d'incitations supplémentaires.

« Gödeke, c'est juste !... s'écria-t-il. Il a été pris plus tard, hein, ça a été une bataille navale terrible, des centaines d'hommes ont péri là-bas, près des îles de la Frise. On dit aussi que magister Wigbold a été capturé en même temps et qu'on l'a torturé lui aussi avec des tenailles sur le bateau de Simon d'Utrecht, pour leur faire dire où étaient cachés leur butin et celui de Störtebecker, mais ils n'ont pas parlé. Ils ont juste dit que tout avait été partagé équitablement, et qu'ils n'allaient sûrement pas le rendre aux épiciers.

— Mais on les a quand même décapités ? s'enquit Melchior.

— C'est ce que le Conseil de Hambourg a juré et certifié, mais il est vrai que dans les ports on raconte toutes sortes d'histoires. Il y en a qui prétendent qu'on aurait vu Gödeke des années plus tard du côté de Bergen, ou encore que magister Wigbold – le Maître des Sept Arts, comme on l'appelait, vu qu'il était assez rusé pour se tirer des situations les plus difficiles, et aucune ruse n'avait permis de le prendre –, que magister Wigbold, donc, personne à Hambourg ne connaissait son visage, et que pas moins de quatre hommes auraient prétendu être Wigbold et auraient éclaté de rire pendant qu'on les décapitait.

— Parce qu'on dit que Dieu lui-même ne pouvait plus supporter leurs méfaits.

— Dites plutôt que Satan ne pouvait plus les supporter ! explosa le capitaine. À propos de Dieu, on dit même que cet homme qu'on appelait magister Wigbold – car personne ne connaissait son vrai nom – avait vécu jadis dans un monastère, où il avait appris toutes sortes de métiers, et que c'est pour cette raison qu'on l'appelait le Maître des Sept Arts. Mais on l'avait chassé du couvent pour une histoire de vol, après quoi il avait continué à étudier en Angleterre, dans une ville dont je ne connais pas le nom. Quoi qu'il en soit, il avait étudié là-bas, et c'est pour cela qu'on l'appelait magister. On dit que c'était le plus intelligent, le plus rusé des Vitaliens, et qu'à plusieurs reprises il avait fait entendre raison à Gödeke et à Störtebecker et avait réussi à les convaincre d'épargner certains marins. Mais les pillages les plus rusés, les plus audacieux, étaient ceux imaginés par magister Wigbold, c'est une autre chose qu'on dit aussi. Quand il était nécessaire de discuter avec quelqu'un, cela se faisait toujours selon les indications données par Wigbold. C'était un marchand de talent, aussi, à ce qu'il paraît. Comme il avait été moine par le passé, il ne permettait pas à Störtebecker et à Gödeke de piller des monastères ou de tuer des moines. Cela ne veut pas dire qu'il ait toujours réussi à contenir Gödeke, bien sûr, à qui il arrivait de torturer des marins juste par plaisir, de s'entraîner sur eux au tir à l'arc, de leur arracher la langue ou les yeux.

— Dieu merci, ces pirates sont tous morts, intervint Dorn.

— Vous savez, messire bailli, tant que je n'aurai pas vu la tête coupée de Gödeke, je ne pourrai pas dire cela avec certitude. Et si je pouvais, même après sa mort, arracher les yeux de cette tête, je le ferais, dussé-je être maudit ! tonna Götzer, en frappant sa chope vide sur la table. Mais maintenant, je vous souhaite bien le bonjour, messire apothicaire, bailli. Le miséreux part rejoindre les miséreux, et que le Très-Haut veille sur votre santé. »

Götzer s'inclina maladroitement et sortit de la taverne en titubant. Dorn se pencha aussitôt vers Melchior par-dessus la table et dit :

« Par saint Victor, Melchior !

— Qu'il soit loué, répondit Melchior en souriant.

— En tout temps et toutes circonstances, comme dit notre pieux prieur Eckell ! Mais explique-moi un peu ce qu'il y avait de si important à entendre ces histoires, quand je venais t'informer que…

— Que la chaîne d'or du haut dignitaire Clingenstain a disparu, et que Toompea voudrait que la ville la retrouve.

— C'est exactement cela, mais je me demande bien comment tu peux déjà le savoir. Le commandeur a envoyé un message disant qu'ils n'ont trouvé la chaîne nulle part, qu'il a fait enchaîner le serviteur de Clingenstain, le dénommé Jochen, et qu'on lui a appliqué des tenailles rougies au feu, mais que l'autre jure dans toutes les langues de la terre qu'il ne sait rien de la chaîne, que Clingenstain ne la lui a pas fait porter à bord du navire et qu'il ne l'a même jamais vue.

— Et le commandeur suppose que celui qui a raccourci Clingenstain a aussi empoché la chaîne, poursuivit Melchior.

— Tout juste. »

Melchior réfléchit un moment et déclara : « C'est vraiment un drôle de voleur, alors, qui prend d'une main et qui donne de l'autre. On n'a encore jamais vu cela !

— Qu'est-ce que tu veux dire par là ? demanda Dorn.

— Seulement qu'il se passe des choses bizarres à propos de cette chaîne. Clingenstain l'achète pour l'offrir au grand maître de l'Ordre, et il se pavane lui-même toute une demi-journée avec la chaîne autour de son cou. Avant d'aller se confesser, il dit qu'il va la porter chez lui afin que Jochen aille la mettre sous clé à bord de son navire. Et maintenant j'apprends qu'il n'en a rien fait.

— Et qu'est-ce que ça a de bizarre ? Le meurtrier lui a coupé la tête et il a fourré la chaîne dans sa poche.

— Sauf qu'entre-temps il lui a aussi fourré une pièce de monnaie dans la bouche. Cet homme qui a tué Clingenstain, vois-tu, devait éprouver une haine profonde envers lui. Et maintenant je trouve très bizarre qu'il lui coupe la tête, lui mette une pièce dans la bouche dans un mouvement de colère et ensuite lui vole encore sa chaîne.

— Pourquoi ? C'est une bonne affaire, non ?

— Ce serait une bonne affaire, oui, mais tu ne fais pas d'affaires avec un homme que tu hais violemment. Enfin, les choses étaient déjà surprenantes avant, en ce qui concerne cette chaîne, et je me suis tout de suite dit que les gens de l'Ordre ne la trouveraient pas. »

Dorn but de la bière et marmonna : « Écoute, Melchior, si tu sais quelque chose à propos de cette chaîne, dis-le tout de suite, parce que Spanheim est fou de rage ! Il faut que j'aie quelque chose à raconter au Conseil à ce sujet.

— Dis-leur que tu prendras à coup sûr le meurtrier, et que si c'est lui qui a la chaîne, l'Ordre la récupérera, bien entendu », répondit Melchior.

Dorn le dévisagea un moment, puis il haussa les épaules. L'apothicaire avait toujours de drôles d'idées, et il s'exprimait de façon confuse. Mais le fait qu'il paraisse si peu inquiet au sujet de cette chaîne rassura le bailli.

« Je ne comprends pas trop, mais je dirai ça, alors, grommela-t-il en conclusion. Et ensuite ?

— Ensuite ? Ensuite j'ai très envie d'avoir une petite conversation avec messire Casendorpe. Et pour cela, il n'y a pas de meilleur moyen que d'aller faire un tour à son atelier, rue du Roi. Quant à notre bailli, je n'ai pas de meilleur conseil à lui donner que d'ouvrir grand ses yeux et ses oreilles quand il circule dans la ville, et de tâcher d'apprendre qui a vu dernièrement de vieux öre de Visby, ou de vieux öör, comme on les appelle ici. Je reçois tous les jours de l'argent de la main des habitants de Tallinn, mais je n'ai pas souvenir que quelqu'un m'ait jamais payé avec ces vieilles pièces de Gotland. »

En disant cela, Melchior cligna de l'œil avec malice. Le bailli soupira et se prépara à partir, mais auparavant il ordonna au tavernier de compter son argent sans perdre de temps pour payer sa prochaine amende, voleur comme il l'était !

14

Rue du Puits
La boutique de Melchior
17 mai, après-midi

Melchior repassa entre-temps par la boutique et
demanda à Keterlyn s'il était venu beaucoup de gens
en quête d'assistance, et comment les affaires avaient
marché. Bien entendu, Keterlyn n'était pas autorisée
à vendre elle-même des remèdes, ni à en préparer
d'après les prescriptions du docteur, mais la fréquen-
tation de son mari avait permis à cette femme intelli-
gente d'apprendre deux ou trois choses concernant le
métier, et si le demandeur était un bon ami, qui n'irait
pas la dénoncer auprès du Conseil ou du docteur,
Keterlyn se permettait de lui vendre un remède anodin.
Quant à la liqueur d'apothicaire – et à la vérité c'était
cela que la plupart venaient chercher –, aux bonbons
à l'anis ou aux biscuits épicés, elle les vendait à tous
sans difficulté ; à cela le Conseil n'avait rien à redire.

En fait, Melchior aurait dû depuis le temps avoir
un apprenti, voire un compagnon, à qui transmettre
son savoir. Mais il n'en avait pas.

Son père non plus n'avait pas pris d'apprenti : il
avait formé son fils, comme son propre père déjà
l'avait fait avec son fils aîné – et tous, selon la coutume

des Wakenstede, avaient pour prénom Melchior. La même règle avait cours chez les apothicaires que chez les artisans : personne ne pouvait exercer le métier avant d'avoir fait ses années d'apprenti et de compagnon, et avant d'avoir satisfait, sous le contrôle du docteur de la ville et de l'apothicaire en titre, aux épreuves montrant sa compétence.

Melchior avait été apprenti auprès de son père, et il avait connu les mêmes épreuves et les mêmes difficultés qu'un apprenti qui serait venu du dehors. Le père exigeait zèle et assiduité, il les exigeait avec sévérité, et si Melchior faisait quelque chose de travers on l'envoyait au grenier, où il devait s'agenouiller sur des pois et réciter les commandements de l'apprenti. Le père était un homme sévère, mais c'était aussi un homme juste, qui n'élevait jamais la voix sans raison contre son fils, et Melchior n'avait jamais reçu un coup sur l'échine…

Jamais.

Sa mère, Rosamunde, était morte quand il avait à peine quatre ans. Il ne se souvenait pas d'elle, et son père ne s'était pas remarié, car un Wakenstede devait toujours choisir la femme *juste*, et le vieux Melchior n'avait trouvé personne de comparable à Rosamunde. Il n'avait pas beaucoup cherché, cela dit.

Melchior avait commencé son éducation à Lübeck, dans l'école du couvent, et après cela comme apprenti auprès de son père à Tallinn, où il était aussi allé tout un hiver à l'école de la cathédrale, en gravissant la Côte longue. Là-haut, il avait reçu tant de coups que son père avait pris la peine d'aller s'expliquer avec le professeur, sans qu'il en résulte rien de bon, bien entendu. Mais à douze ans, Melchior avait prononcé solennellement, en présence de son père, son serment de compagnon : il avait promis de toujours préparer ses remèdes en suivant fidèlement les prescriptions et avec célérité, de n'escroquer personne en les vendant, de déposer scrupuleusement tout l'argent reçu dans la caisse, de ne vendre à personne un remède susceptible d'empoisonner quelqu'un sans qu'on lui ait présenté l'ordonnance correspondante ; il s'était engagé à se tenir prêt à venir en aide de jour comme de nuit à tous ceux qui auraient besoin de ses services, et tout cela de manière honnête et consciencieuse, avec l'aide de Dieu, et il avait prêté ce serment en vrai chrétien, en prenant les saints à témoin. Deux années durant, Melchior avait été l'assistant de son père, puis étaient venues ses années de pérégrination, durant lesquelles il devait, muni d'une attestation de son maître, aller apprendre son métier chez les apothicaires d'autres villes. Son père l'avait envoyé à Riga chez une connaissance, un homme en qui il avait confiance et qui était au fait de la malédiction des Wakenstede. Il n'avait pas osé l'envoyer plus loin, chez des inconnus. Et c'est à Riga, dans une chambre froide et sans chauffage, que Melchior avait été terrassé pour la première fois par ce mal qui frappait impitoyablement sa lignée. Son père l'avait averti, il s'y était préparé, il l'attendait, il croyait qu'il s'y ferait.

Melchior marcha jusqu'à la barrière de la Côte courte, puis il tourna au coin de la maison du sacristain et descendit la rue de Saint-Nicolas, longea le cimetière, passa le puits et la Monnaie, puis il arriva à l'angle de la rue des Forges et de la rue du Roi. De là, la demeure de messire Casendorpe était visible, une construction en calcaire sur deux étages, avec, pendue au-dessus de la porte, l'enseigne des orfèvres, une petite enclume dorée. À cette heure-là, il n'y avait pas grand monde dans les rues : les guildes d'artisans travaillaient encore, sur le marché les affaires étaient finies, et les offices du soir n'avaient pas encore commencé. Il lui fut donc facile de remarquer un couple qui tournait de la rue des Forges dans la rue du Roi, et qu'il reconnut déjà de loin comme étant messire Freisinger et la demoiselle Hedwig Casendorpe. Melchior pressa le pas pour les saluer tous deux. Ceux-ci s'arrêtèrent devant la maison Casendorpe ; messire Tête-Noire raccompagnait sa promise, sans doute étaient-ils allés faire une promenade… Mais quand Melchior s'approcha d'eux, il se rendit compte que les jeunes gens n'étaient nullement en train de discuter de la fête de fiançailles. Non : ils se disputaient. Hedwig semblait demander quelque chose et ne pas se satisfaire des explications de Freisinger. Puis elle poussa subitement un cri sonore et repoussa le Tête-Noire.

« Vous et vos promesses, que la peste vous emporte ! » s'exclama la jeune fille en éclatant en sanglots. Freisinger essaya de la saisir par le bras et de l'apaiser, mais elle était plus agile et s'engouffra par la porte ouverte. Freisinger resta planté là, interdit, puis il remarqua Melchior qui se tenait un peu plus loin et il lui fit un signe de tête.

Melchior s'inclina. Le moment semblait mal choisi pour sa visite à Casendorpe. Il trouverait là une fille éplorée et des parents en pleine confusion, qui n'auraient évidemment pas le temps de s'occuper d'un apothicaire curieux.

« Messire Tête-Noire ! s'exclama Melchior en saluant le marchand. Quelle belle soirée ! Mais j'ai cru entendre quelqu'un crier à la peste, il me semble ? »

Le Tête-Noire parut se raidir. « Oh non, répondit-il, ce n'était que demoiselle Hedwig.

— Ah, votre… future fiancée, n'est-ce pas ? »

Freisinger haussa les épaules en marmonnant confusément :

« Dieu dispose, comme on dit.

— Vous savez quoi ? déclara brusquement Melchior d'un ton décidé. Messire Tête-Noire a peut-être le temps de passer par la boutique et de recevoir, en remerciement pour la magnifique réception d'hier, une bonne rasade de liqueur d'apothicaire, qui éclaircit l'esprit et met de bonne humeur ?

— Par le Ciel, je suis pressé, mais c'est une offre qui ne se refuse pas ! » répondit Freisinger en souriant. Le fier Tête-Noire avait retrouvé sa dignité.

« C'est dit, alors, conclut Melchior, allons-y ! » Quelques instants plus tard, il versait déjà à Freisinger une timbale de sa célèbre liqueur, puis il lança :

« À la gloire de messire Tête-Noire, en remerciement pour le grandiose banquet d'hier ! Et pour la bière, non moins grandiose.

— Pour la bière, vous savez bien que c'est notre frère Wunbaldus qu'il faut remercier. Je suis passé au monastère ce matin : il a déjà commencé à préparer un nouveau brassin. Mais en ce qui concerne le festin, tant que les Têtes-Noires en seront capables, ils régaleront leurs vrais amis dans les règles de l'art », promit Freisinger.

Ils burent, toussèrent, croquèrent un biscuit, puis Melchior dit : « C'est une vieille recette qui me vient de mon père. Lui était originaire de Lübeck, mais c'est l'écuyer d'un chevalier de Franconie qui la lui avait enseignée, en disant que c'était là une boisson très prisée dans les cours royales.

— Je veux bien le croire », convint le marchand. Il fronça ensuite les sourcils et demanda sur un ton malicieux : « Dites donc, Melchior, vous ne voudriez pas apprendre votre recette aux Têtes-Noires, par hasard ?

— Ah ha ! s'exclama Melchior. Ce serait avec plaisir, mais je ne peux pas. Secret professionnel ! Les Têtes-Noires devraient bien comprendre cela, eux non plus ne manquent pas de secrets.

— Oh ! vous savez… Nous sommes de simples et joyeux marchands.

— De simples et joyeux marchands qui disent que leur guilde est présente dans cette ville depuis le commencement, alors que personne n'a aucun souvenir précis à ce sujet. Ou comme vous l'avez dit vous-même hier, "les Têtes-Noires étaient déjà ici alors qu'il fallait encore disputer chaque pied de terre aux païens, et ils ont aidé à consacrer les églises de cette ville au Seigneur Jésus." »

Freisinger but une gorgée et tenta de protester. « Vous savez, après quelques chopes de bière, nous avons tous tendance à nous grandir et à nous donner de l'importance. Maintenant, il est incontestable que le premier homme à s'être qualifié de Tête-Noire à Tallinn était arrivé ici déjà du temps des Danois : il était originaire de la ville de Strasbourg. Mais entre-temps, les Têtes-Noires n'ont pas conquis à Tallinn la même réputation que les Kanuts.

— Tout de même, depuis votre arrivée et surtout après l'incorporation des fils des marchands de la Grande Guilde… D'ailleurs, je ne me souviens plus, vous êtes vous-même originaire de quelle région ?

— Je viens de Cologne, et c'est là-bas que j'ai été accueilli dans notre guilde. Mon père en était déjà membre, comme mon grand-père. Ensuite, j'ai tenté ma chance ici et là dans les affaires, jusqu'à ce que je me retrouve ici, venant de Rostock », raconta Freisinger.

En pensée, Melchior fut forcé de reconnaître qu'il ignorait cela. Dans bien des cas, il était capable de dire d'où les uns et les autres venaient, où étaient leurs origines, mais maintenant qu'il arrivait chaque année davantage de gens, il devenait difficile de suivre. Clawes Freisinger avait beau être l'homme le mieux vêtu de la ville, le marchand dont les manières avaient le plus de noblesse, l'apothicaire avait jusqu'à ce jour tout ignoré de son passé.

« Vous appartenez donc à une ancienne et prestigieuse famille de marchands, déclara-t-il alors.

— Auparavant, mon aïeul avait été constructeur : il était l'un de ceux qui avaient édifié la cathédrale de Cologne, et il a appartenu à la guilde sans doute la plus ancienne qu'il y ait eu dans cette ville. Notre guilde ne porte pas partout le nom des Têtes-Noires, savez-vous : elle est appelée différemment suivant les villes. Mais son père avait porté la croix en Terre sainte, en combattant pour Jérusalem. Quant à moi, j'ai débarqué ici… Ce pays me plaît.

— Alors nous avons des destins comparables, dit Melchior. Moi aussi, j'appartiens à une ancienne famille, où les fils aînés ont toujours été apothicaires, et je me retrouve ici, où je me plais beaucoup. Encore un gobelet ?

— Faites, je vous en prie ! Mais la Livonie… Pourquoi est-ce que je me plais ici ? » Freisinger devenait plus bavard. « C'est un pays neuf, récemment gagné au royaume de Dieu. On n'y trouve peut-être pas la même richesse qu'ailleurs dans l'Empire, mais il y a ici de la fraîcheur, de la vie. On construit, on crée ce qui ailleurs existe déjà. Nous sommes à la limite de la chrétienté, Melchior : au-delà ce sont les Philistins et les barbares, et si Dieu bénit le glaive de l'Ordre, nous avancerons vers l'est. Cette guerre-là est encore à venir.

— Si Dieu le veut… Il pourrait commencer par donner un peu d'esprit chrétien aux évêques et à l'Ordre, afin qu'ils se réconcilient : pour l'instant, il me semble qu'ils sont plus occupés à se battre entre eux qu'à guerroyer contre les Russes.

— L'argent, Melchior ! C'est l'argent qui s'interpose toujours entre les gens riches et qui les empêche de se conduire en vrais chrétiens. L'Ordre veut être plus fort, plus riche, et les évêques pareillement. Et à la fin ce sont les Russes qui en profitent, tant les chrétiens s'épuisent dans ces luttes intestines.

— Vous avez mille fois raison, messire Tête-Noire. Que nous commercions avec eux ne veut pas encore dire que ce soient de bons chrétiens, chaque jour nous le montre.

— Exact. Nous nous tenons au bord du monde, et nous devons défendre d'autant plus vigoureusement la parole de Dieu et de ses saints, à la frontière du monde des Philistins. Les Têtes-Noires et les dominicains ont été appelés et placés ici pour porter la parole de Dieu et tenir haut l'étendard de la sainte Croix. »

Ils bavardèrent ainsi quelque temps des affaires de l'Ordre et de la politique des grands de ce monde, burent encore un verre, après quoi Freisinger déclara qu'il était temps pour lui de prendre congé, car il avait des choses à faire à la pesée ainsi qu'à l'autel chez les dominicains. En partant, il promit que la fête du lendemain ne le céderait en rien à celle de la veille, car les Têtes-Noires avaient eux aussi sélectionné une bière fameuse. Sur le pas de la porte, il se trouva nez à nez avec Ludke, le valet de messire Tweffell, qui était planté devant la boutique, avec son air un peu stupide et demeuré. Lorsque le Tête-Noire sortit, Ludke entra timidement.

« Quelle douleur te tourmente aujourd'hui, Ludke ? » s'exclama Melchior d'une voix joviale, en l'invitant aimablement à s'avancer. Le valet du voisin n'était pas un visiteur habituel. Tweffell ne l'autorisait pas à sortir pour boire de la bière, et d'ailleurs Ludke ne trouvait peut-être pas grand plaisir à boire. Melchior ne l'avait jamais vu soûl, et il y avait peu de gens, parmi le petit peuple de Tallinn, dont l'apothicaire pût dire une chose pareille. Cet homme avait la force d'un ours ; c'était un mastodonte aux cheveux blonds et aux yeux bleus, taciturne et à première vue un peu simple d'esprit, mais dévoué corps et âme à son maître. Où qu'aille messire Tweffell, il emmenait toujours Ludke avec lui, et on racontait que chez lui le valet le portait pour monter les escaliers. Peu bavard, Ludke était cependant l'un de ceux qui s'étaient trouvés l'avant-veille sur Toompea – après quoi il avait disparu, se rappela Melchior.

« Aucune douleur, répondit alors le garçon. Je n'ai rien du tout. C'est messire Tweffell qui m'envoie.

— Bien entendu, suis-je bête ! s'écria Melchior. Comment une douleur pourrait-elle s'attaquer à une montagne pareille ? La tour de l'hôtel de ville s'écroulera avant que le moindre de tes os te fasse mal ! Et en quoi puis-je aider ton maître ?

— Il vous demande de lui envoyer le même baume qu'hier. Et aussi un flacon contre la fatigue.

— Je crois savoir de quel flacon il s'agit, répondit Melchior en souriant. C'est encore ma célèbre liqueur d'apothicaire, qui ce matin, après la fête d'hier soir chez les Têtes-Noires, est la coqueluche de toute la ville.

— Sans doute », répondit seulement Ludke, et il attendit. Melchior avait le breuvage tout prêt, mais il ne se hâta pas. Il versa lentement une poudre d'herbes d'un petit sac dans son mortier, la broya, y ajouta de l'huile et de l'alcool et se mit à farfouiller dans les bouteilles. Il avait besoin de faire parler le garçon. Il le questionna sur la santé de messire Tweffell, puis il se mit à bavarder gaiement des affaires de la ville. Ludke restait planté, muet, et il attendait avec ses deux pièces de monnaie entre les doigts.

« Toujours cette fameuse liqueur d'apothicaire, hein ! répétait Melchior inlassablement. Je n'ai pas besoin d'ordonnance du médecin pour en vendre autant que je veux. Ludke, écoute-moi bien, ton maître doit consciencieusement aller chez le barbier faire faire ses saignées, sans cela ça n'ira pas, pas du tout ; il faudrait poser des sangsues de temps en temps, aussi, ce serait bien, mais où est-ce qu'on trouve de bonnes sangsues, de nos jours… »

Quand le breuvage fut enfin prêt, il tendit le flacon à Ludke, qui n'avait toujours pas desserré les dents, par-dessus le comptoir. Melchior prit les deux pièces, dévisagea le garçon un moment et lui demanda :

« Dis-moi franchement, comment va messire Tweffell, est-ce que sa santé a empiré ? C'est curieux que tu ne me dises rien à ce propos.

— Ses os lui font mal, son dos lui fait mal, et il a des élancements dans le côté. Le maître dit qu'il n'en a plus pour longtemps », dit Ludke comme à contrecœur. Il saisit le flacon et fit mine de partir.

« Attends un peu, Ludke, lança Melchior. Dis-moi plutôt, est-ce que cette visite à Toompea ne l'a pas trop fatigué ? Je me fais du souci pour lui. Tu étais avec lui, non ? Est-ce que de mauvaises nouvelles l'auraient accablé ?

— Je ne sais rien de tout ça », répondit le garçon avec réticence.

Tu sais forcément quelque chose, pensa Melchior. Il ramassa dans un panier sur la table une poignée de biscuits et les tendit à Ludke. « J'allais oublier : c'est pour dame Gertrud, un échantillon. S'ils sont à son goût, elle en trouvera toujours chez Melchior. Toi aussi tu peux les goûter, si tu veux.

— Merci, marmonna Ludke en fourrant les biscuits dans sa poche.

— À cet âge, le corps peut être assailli de toutes sortes de douleurs en entendant de mauvaises nouvelles. Je pense à cette histoire de navire, que le chevalier avait confisqué sur Gotland, poursuivit Melchior.

— Interrogez messire Tweffell, pourquoi me demander ça à moi ? marmonna le garçon.

— Bien entendu, je le lui demanderai. Mais je te demande, à toi aussi, si tu n'aurais pas vu traîner un inconnu avant-hier à Toompea. Tu sais bien que j'ai promis au bailli de l'aider à trouver le meurtrier.

— Je n'ai vu personne.

— Mais quand tu vas sur le port, et que tu causes avec les autres domestiques, les serviteurs… tu n'as rien entendu dire de ce genre ?

— Non, moi je ne cause pas avec les étrangers, et je ne parle pas pour ne rien dire. Et je n'étais même pas en ville hier, répondit Ludke en regardant droit devant lui.

— Non, je sais bien : tu es un homme sérieux, et qui ne bavarde pas. Oui, c'est vrai que tu n'étais pas en ville hier, dame Gertrud a dû venir elle-même chercher un remède, bien sûr.

— Je n'ai pas été en ville de toute la journée, répéta machinalement le garçon.

— C'est juste : on t'avait envoyé ailleurs…

— Je suis allé dans un village voisin réclamer le paiement d'une dette, dit soudain le valet. Et… et chercher des sangsues, aussi. Comme le maître l'avait ordonné. J'ai apporté des sangsues à maître Tweffell, et dame Gertrud doit les lui poser aujourd'hui sur le dos, quand il ira au bain.

— Ma foi, Ludke ! s'exclama Melchior. Depuis toutes ces années, je ne t'avais jamais entendu faire une phrase aussi longue. On t'a payé la dette ?

— On me paie toujours toutes les dettes.

— Et la fois suivante, la personne en question évite de se retrouver dans la même situation », supposa Melchior en jetant un long coup d'œil sur Ludke. Ce dernier haussa les épaules et fit à nouveau demi-tour pour s'en aller. Melchior attendit qu'il ait atteint la porte, puis il s'écria :

« Attends un peu, je me demande tout à coup, depuis combien d'années es-tu au service de messire Tweffell ?

— Quatre ans, répondit Ludke.

— Ah oui, approuva Melchior. Et auparavant tu étais, si ma mémoire ne me trompe pas – comme tu as l'habitude de dire, saint Côme –, sur un bateau ? »

Il ne s'attendait pas à obtenir une réponse, mais il en vint pourtant une. « Seulement pour une traversée. Le bateau s'est échoué sur un banc de sable et les gens d'Arensburg ont tout vidé. Plus tard je suis arrivé à Tallinn et j'ai été soldat au service du Conseil. »

Melchior dévisagea son interlocuteur, cette fois-ci avec un intérêt non feint. « Bon sang, Ludke, tu devrais demander une soirée de libre et venir ici raconter ces histoires. Il passe beaucoup de gens ici, et ces histoires de guerre et de marine intéressent toujours. Qu'est-ce que tu en dis ? »

Ludke haussa les épaules de façon vague. « Je ne sais pas raconter. Et d'ailleurs, il n'y a rien à raconter. On nous a envoyés nous battre à Novgorod, et on y est allés.

— Et qu'est-ce qui s'est passé là-bas ? On vous a donné des épées et des haches, et…

— Une hallebarde. On m'a donné une hallebarde.

— Ça alors ! Et qu'est-ce que tu en as fait ?

— J'ai mis les Russes en pièces. Mais il faut que j'y aille. Messire Tweffell m'attend depuis longtemps. Et il faut que j'aille de l'autre côté des remparts, chez le maquignon, acheter un nouveau cheval…

— Un cheval ? Qu'est-ce qui est arrivé au beau cheval saur que Tweffell a acheté au printemps passé ? demanda Melchior étonné.

— Il a crevé ce matin. Hier encore tout allait bien, il n'avait rien du tout, mais aujourd'hui il s'est mis à se vomir dessus et il a crevé. Là-bas, dans l'écurie où on le gardait, près de la colline des Cordiers.

— Étrange histoire, murmura Melchior.

— Maître Tweffell était fou de rage. Il a promis de faire pendre tous ceux qui auraient donné des saloperies à son cheval. Mais je lui ai donné de l'avoine hier, et de l'eau, et j'en ai bu moi-même. C'est comme si cette nuit quelqu'un lui avait jeté un sort, comme si on l'avait envoûté. J'y vais, maintenant. »

Melchior ferma sa boutique plus tôt qu'à l'ordinaire. Il resta assis, le regard perdu dans le vide devant lui, mais au bout d'un moment il décida de tenter sa chance et d'aller voir comment un maître orfèvre accueillerait la visite vespérale d'un apothicaire curieux. À tout hasard, il se munit toutefois d'un petit flacon d'huile de lavande.

15

Rue du Roi
La maison Casendorpe
17 mai, après vêpres

Burckhart Casendorpe avait déjà fermé l'atelier et quitté sa fenêtre. Il s'était emporté contre les compagnons, après avoir ramassé par terre une pincée de poudre d'argent. En son temps, il s'était fait traiter de tous les noms pour le même genre de raison, et aujourd'hui il traitait de façon identique ses ouvriers. Ceux-ci devaient porter pendant le travail des tabliers de cuir et garder les jambes écartées, pour recueillir toutes les particules de métal précieux qui pourraient tomber. S'il y en avait sur le sol, cela voulait dire qu'ils étaient paresseux, négligents, voleurs – tout juste bons, en fait d'orfèvres, à devenir cordonniers, ou pis encore. Peut-être ce jour-là les garçons en avaient-ils d'ailleurs entendu plus que leur compte, car la journée n'avait guère été porteuse de bonnes nouvelles pour Casendorpe. À peine finissait-il de passer sa colère qu'apparut de l'autre côté de la fenêtre le visage de Melchior, clignant malicieusement de l'œil et annonçant qu'il avait des choses importantes à dire à l'orfèvre.

On fit entrer Melchior, et Casendorpe chassa les compagnons avec quelques insultes. Quelque chose lui faisait penser que les messages dont l'apothicaire était porteur ne pouvaient pas être bons. Melchior, de son côté, inspectait les étagères surplombant le comptoir, censées arrêter le regard des clients et suggérer que l'orfèvre était un maître parmi les maîtres, choisi pour percer les secrets des contrées lointaines. Il prononça quelques paroles élogieuses et reconnut que s'il possédait de pareilles curiosités à la place de son lézard empaillé tout ratatiné, ses affaires iraient sûrement beaucoup mieux. L'apothicaire et l'orfèvre avaient, autant l'un que l'autre, besoin de convaincre les gens de la ville de leur appartenance à une élite, et il n'y avait pas de meilleure méthode pour cela que de suspendre quelque chose d'exotique et d'énigmatique.

« Mon père, déclara Melchior, disait qu'il y a une croyance à propos de ces dents, ici, selon laquelle elles auraient la propriété de signaler le poison – saviez-vous cela, messire orfèvre ? On les appelle aussi langues de vipères, n'est-ce pas, et quand on les pose sur un endroit où il y a du poison, elles changent de couleur. Et si l'on boit un remède préparé à partir de la coquille de la noix de coco, il élimine le poison. Et vous savez ce que m'a encore appris mon père ? Qu'il ne faut pas toujours croire tout cela. Il me disait que l'on ne doit jamais faire commerce d'un remède dont tous vantent les mérites sans l'avoir essayé. Prenez par exemple le bézoard, ou la racine des sorciers, à propos desquels circulent toutes sortes de racontars : dans leur cas, nous savons bien qu'ils aident réellement ceux qui en ont besoin, l'essai en a été fait d'innombrables fois.

— Vous avez sûrement raison, dit Casendorpe avec impatience. Mais vous parliez de messages importants ?

— Oui, oui ! s'écria Melchior. Je ne serais pas venu sans raison, ou juste pour bavarder… » Il s'arrêta subitement, plissa les yeux et mit un genou au sol. « Regardez-moi ça, on dirait bien de la poudre d'or, ici, entre ces dalles, non ?

— Les gredins ! jura Casendorpe, les mâchoires serrées, en chaussant ses lunettes et en s'agenouillant lui aussi pour mieux y voir. C'est pourtant vrai ! La peste les emporte, ces bons à rien ! »

Il alla chercher un pinceau et une petite pelle et se mit à rassembler la poudre d'or. Melchior, pendant ce temps, inspecta avidement l'atelier, où il n'avait pas l'occasion de pénétrer tous les jours. Au centre de la pièce rectangulaire, un grand établi était disposé perpendiculairement à la fenêtre, pour que le jour l'éclaire directement. Seule la lumière du jour convenait à l'orfèvre pour son travail, et lorsque celle-ci commençait à baisser, il pouvait utiliser, comme les artisans flamands, un miroir arrondi que l'on disposait dans le coin le plus reculé de la pièce pour la refléter. Un de ces instruments extraordinaires, parfois appelés miroirs de sorcière, était présent au fond de l'atelier de Casendorpe, posé sur une table. Que la pièce s'en trouve vraiment plus lumineuse, Melchior n'arrivait cependant pas à s'en convaincre. Contre le mur ouest était bâtie une grande cheminée dans l'âtre de laquelle le feu commençait déjà à s'éteindre pour aujourd'hui. Les murs étaient garnis d'étagères et de crochets, où étaient posés ou suspendus d'innombrables outils d'orfèvre, de tailles, de grosseurs et de tranchants variés : pinces, enclumes, ciseaux, limes, couteaux, pointes, pincettes, burins et mèches, et jusqu'à des pattes de lapin de différentes grosseurs pour ramasser la poudre d'or. Dans le coin est se trouvaient un cierge et un petit autel dédié à saint Éloi, et au-dessus, sur une étagère, trois récipients identiques, en étain. Un orfèvre devait être capable de réaliser des objets en tout point identiques entre eux, c'était la marque de sa maîtrise.

Casendorpe avait terminé de ramasser la poussière. Melchior continua à parler des propriétés médicinales merveilleuses des rubis et des saphirs, puis il déclara :

« Et à propos de choses précieuses, justement, je venais annoncer au maître orfèvre que cette chaîne qu'il a vendue avant-hier au chevalier, sur Toompea, a disparu. L'Ordre l'a annoncé aujourd'hui au Conseil, et comme je me trouve en ce moment employé par le Conseil, pour ainsi dire, je suis venu vous le faire savoir. Le commandeur a exigé qu'on retrouve le meurtrier, et la chaîne en même temps, car on pense à Toompea que c'est sans doute lui qui l'a prise. »

Casendorpe ôta ses lunettes, se gratta la joue et reposa les lunettes sur son nez.

« Alors c'est à cause de la chaîne qu'on lui a coupé la tête ? demanda-t-il sans paraître comprendre. De *ma* chaîne ?

— Il n'avait plus ni tête ni chaîne, hélas, répondit Melchior en haussant les épaules. Comment s'est passée cette vente, au juste ?

— Comment voulez-vous ? marmonna Casendorpe en secouant la tête d'un air irrité. Comme ça se passe en général avec l'Ordre. » L'orfèvre raconta que déjà deux mois auparavant, il avait reçu une commande par écrit, en provenance de Gotland, car les orfèvres là-bas sont médiocres et Clingenstain voulait emporter avec lui, pour faire un présent, une pièce authentique de maîtres artisans de Tallinn. Casendorpe avait répondu et on s'était mis d'accord sur le prix : soixante marks de Riga. Bien entendu, il aurait dû demander que le notaire ou un écrivain public établisse le contrat, y appose un sceau de cire et tout ce qu'il fallait, car pour finir le dignitaire de l'Ordre n'avait nullement respecté le prix convenu.

« Vous voulez dire le notaire de Tallinn ? demanda Melchior pour bien comprendre.

— Lui-même, grogna Casendorpe en fronçant les sourcils. Par tous les diables de l'Enfer, aujourd'hui aussi j'aurais eu besoin de lui, je voulais annuler mon testament. Ce maudit Freisinger…

— Oh ! Il s'est passé quelque chose ? s'enquit Melchior promptement. On parle d'une grande fête de fiançailles, n'est-ce pas ? Oh, et j'allais oublier : j'ai même apporté un petit présent pour demoiselle Hedwig… » Il posa sur la table le flacon d'huile de lavande.

« Soyez remercié pour le présent, messire apothicaire, mais la fête de fiançailles est annulée », dit l'orfèvre d'un ton un peu forcé. En même temps, un sanglot retentit dans l'encoignure de la porte. Demoiselle Hedwig s'avança – *de toute évidence elle a écouté*, pensa Melchior. Même triste et les yeux pleins de larmes, elle paraissait toujours très belle. Melchior s'inclina légèrement pour la saluer ; la jeune fille fit un signe de la tête et fut prise d'un nouveau sanglot.

« Que la chère demoiselle me pardonne, j'ai vu tout à l'heure par hasard que vous aviez semblé vous disputer avec messire Freisinger, dit l'apothicaire, mais la fête de fiançailles…

— Est annulée, coupa Casendorpe d'un ton décidé.

— Oh, père ! Il a pourtant promis, commença la jeune fille.

— Promis, promis, répéta l'orfèvre avec irritation. La promesse d'un marchand ne vaut pas plus que celle

211

d'un voleur. Par l'Enfer, j'ai pourtant cherché par toute la ville un fiancé convenable et fortuné, et je tiens assez à ma fille pour ne pas la donner à un vieux misérable. Et ce Tête-Noire, qui est venu rôder autour d'elle comme un renard guette une poule, et qui est revenu, et revenu encore…

— Père ! s'écria Hedwig sur un ton de reproche.

— De toute façon, toute la ville le saura bientôt. Et je ne me laisserai pas tourner en ridicule !

— Rien ne reste secret dans une petite ville, fit remarquer Melchior, sur ce point vous avez raison. Non pas que je comprenne, pourtant, comment un homme peut ne pas vouloir mener à l'autel et prendre pour épouse une demoiselle aussi belle, vertueuse et bien dotée.

— Mais il le voulait ! dit précipitamment Hedwig, à travers ses larmes. Il disait même qu'il était l'homme le plus heureux de toute la Livonie, et ainsi de suite, et père avait déjà fait les achats… et voilà qu'aujourd'hui, ce Freisinger déclare qu'il veut encore attendre avant de se marier, et que je l'ai mal compris.

— Tais-toi ! ordonna l'orfèvre. Ne te mets pas à discuter de nos affaires devant les autres !

— Tout le monde le sait, de toute façon, que j'ai été repoussée !

— Voilà bien une chose que je ne croirai jamais, que quelqu'un puisse réellement repousser une jeune fille comme vous, dit Melchior sur un ton apaisant. Ce qui s'est sans doute passé – et je me suis dit la même chose lorsque j'étais sur le point de me marier –, c'est qu'il a vu qu'il fallait dire adieu à la vie de garçon et aux joies de la jeunesse. Peut-être messire Freisinger doit-il juste réfléchir encore un peu et organiser quelques fêtes chez les Têtes-Noires. »

La jeune fille le regarda, sourit tristement et s'essuya les yeux.

« Épargnez-moi ces bonnes paroles. Vous ne savez pas tout ce qu'il m'a promis, juré, vous n'avez pas entendu toutes ses cajoleries. Mais j'ai de la fierté, je suis la fille du doyen des maîtres orfèvres, la fille du doyen de la guilde des Kanuts, et je ne me laisserai pas ridiculiser. C'était une dot de choix que m'avait réservée mon père, et avec cela nous trouverons pour moi un mari à Lübeck, ce Freisinger pourra s'en mordre les doigts.

— Assez avec cette histoire ! » explosa Casendorpe. Il réfléchit un moment avant d'ajouter : « Mais ma fille a cent fois raison, par saint Victor. J'écrirai à Lübeck, et les prétendants afflueront, à tel point que le port de Tallinn ne pourra même pas contenir leurs navires, et ce Freisinger pourra se saler dans une caque à harengs. Je sais bien les paroles mielleuses qu'il a dites à ma fille, pour l'attirer dans sa couche impure, mais si…

— Père ! s'écria la fille effarée. Père, devant quelqu'un de la ville !

— Il n'y a pas de honte à cela ! Que tout le monde sache qu'un Tête-Noire venu d'on ne sait où n'attire pas comme ça la fille unique de Burckhart Casendorpe dans sa couche, et s'il ne veut pas prendre sa demande en mariage au sérieux, il n'a qu'à aller chercher du côté des filles de maquignons. C'est tout !

— Et moi, dit Hedwig, je ne lui adresserai plus un regard. J'épouserai plutôt un chanteur errant, étranger, que Freisinger !

— Assez, maintenant ! Et oublie tes chanteurs errants ! Mais bon, ça suffit. Melchior, tu m'as demandé quelque chose à propos de cette chaîne ? Mais qu'est-ce que tu fais encore ici à traîner, va donc pleurer chez ta mère ! » ordonna l'orfèvre à sa fille.

Hedwig allait sortir, mais elle s'arrêta un instant, fit demi-tour, approcha et prit sur la table le flacon d'huile de lavande, puis elle s'en alla pour de bon. Casendorpe maugréa encore quelque temps à propos des marchands à la langue mielleuse et au discours trompeur, tout en se félicitant de ce que chez les orfèvres on ne pouvait pas se moquer des gens de la sorte, et Melchior, bien entendu, approuva.

« C'est vrai, dit-il enfin. Mais pour en revenir à cette chaîne d'or que vous avez vendue à Clingenstain un bon prix, d'après ce qu'a dit le commandeur, je voulais vous demander comment s'est déroulée l'affaire.

— Un bon prix ! s'exclama Casendorpe outré. Il a dû payer un bon prix ? Laissez-moi vous dire qu'il a eu cette chaîne pour presque rien, et que si cela n'avait pas été un présent pour le grand maître de l'Ordre à Marienburg, le prix normal aurait été deux fois plus élevé. Je n'en ai reçu que trente malheureux marks de Riga en argent, alors que même l'évêque de Tallinn m'aurait payé son juste prix, dans les soixante marks.

— C'est le prix que vous avez tout d'abord demandé ?

— C'est-à-dire, quand nous avons parlé du prix nous avons *commencé* à soixante marks, comme il était convenu, mais en entendant cela, il a voulu me jeter dehors, et il a dit qu'il achèterait plutôt la chaîne à Riga, mais l'honneur m'interdisait d'accepter cela. Le travail des artisans de Tallinn est fameux jusqu'au-delà des mers : nous fournissons un travail honnête, de qualité, et qui mérite son prix.

— Et quel a été le prix, pour finir ?

— Trente misérables marks ! s'écria Casendorpe. Je me suis contenté de cela, uniquement pour préserver la réputation des artisans de Tallinn au sein de l'Ordre. Et par l'Enfer, il n'avait même pas cet argent avec lui, il a dû envoyer son écuyer en chercher dans son coffre sur le navire.

— Mais vous avez fini par recevoir vos trente marks ?

— Presque, et pas avant que j'aie tout pesé ; Clingenstain m'insultait et me traitait d'usurier, de juif. Il a commencé par vider sa bourse, qui contenait à peine l'équivalent de dix marks en vieux öre. Ensuite l'écuyer est revenu du bateau avec de l'argent, et quand j'ai pesé tout cela il y avait environ trente marks de Riga, disons vingt-neuf en tout et pour tout.

— Et tout cet argent en vieux öre de Gotland ?

— Il y avait de l'argent et des pièces d'un peu partout, entre autres un bon nombre de vieux öre, mais j'ai bien regardé, j'ai tout trié et pesé en fonction des teneurs en argent – je connais déjà bien les ruses de ces gens de l'Ordre. Je suis maître orfèvre, n'est-ce pas, et l'orfèvre n'est pas un vulgaire cordier, ou un tailleur de pierre, à qui l'Ordre peut ordonner ou interdire à sa guise. Je pratique mon art comme on le pratique dans la ville de Lübeck, et comme avant cela le pratiquaient les célèbres orfèvres de la ville de Maastricht. Je ne vais pas me laisser bousculer par l'Ordre ou par un quelconque Tête-Noire ! »

Pour finir, après qu'ils se furent mutuellement souhaité bonne santé et que l'orfèvre eut un peu réfléchi en silence, il déclara que si Melchior trouvait la chaîne, il était d'accord pour la racheter avec ces trente marks, mais qu'il ne fallait surtout pas le dire au commandeur.

16

Rue du Puits
La boutique de Melchior
17 mai, tard le soir

Il commençait déjà à faire plus sombre lorsque Melchior arriva chez lui ; neuf heures avaient sonné, et il y avait peu de monde dans les rues. Il ne rencontra qu'un employé du tribunal, qui venait à sa rencontre, à l'angle de la rue Sous-la-Colline, et qui se répétait à mi-voix la phrase apprise par cœur : « Les honnêtes citoyens de Tallinn qui auraient connaissance de la cachette dudit meurtrier… » *Les rouages juridiques du Conseil tournent bien*, se dit l'apothicaire en s'arrêtant devant sa demeure. C'est alors que lui parvint à l'oreille le son d'un instrument et des rires joyeux de jeunes filles. Il plissa les yeux dans la pénombre et distingua trois silhouettes débouchant de la rue Large, parmi lesquelles il reconnut celle de Kilian. Melchior ouvrit promptement sa porte, pénétra chez lui, entrebâilla la fenêtre et resta à écouter. Auparavant, il remarqua toutefois qu'à la fenêtre de la maison voisine aussi, on pouvait apercevoir une chandelle qui brûlait et le visage de dame Gertrud. Comme la musique se faisait plus proche, on souffla la bougie, tout en entrouvrant la fenêtre.

« Je trouve que si la ville de Tallinn décernait des prix pour les chansons les plus tristes, vous seriez un des hommes les plus riches par ici ! » Melchior reconnut la voix enjouée de Katrine, une fille de marchand.

« Oh oui, Kilian ! Est-ce que vous avez songé à vous faire moine ? Eux aussi sont des gars silencieux et tristes, vous savez, un peu comme vous : de temps en temps, je me demande s'ils sont encore vivants, intérieurement. » La deuxième voix appartenait sans doute à Birgitta, la fille d'un conseiller. Les deux filles avaient entrepris Kilian avec ardeur et s'en donnaient à cœur joie. Les jeunes gens s'arrêtèrent auprès du puits ; Kilian s'assit sur la margelle, l'air mélancolique, et tripota une pierre dans le bas du muret.

« Kilian, je me demande vraiment pourquoi vous faites de la musique, si vous ne savez tirer de votre instrument que des airs tristes à pleurer ! Regardez autour de vous, le printemps fleurit gaiement de tous côtés, et comme dit ma mère, la jeunesse ne passe qu'une fois, et à toute vitesse. Bien sûr, elle ne dit pas cela à ma sœur, qui est déjà promise aux sœurs de Saint-Michel.

— Mes chères demoiselles ! gémit Kilian. Je ne peux pas me forcer : je chante la joie quand mon esprit est joyeux, et la tristesse quand je suis triste. Si le chant ne vient pas du cœur, à quoi bon chanter ?

— Mais qu'est-ce qui peut bien vous accabler ainsi, à votre âge, pour que vous ne parliez que de désespoir ? demanda Birgitta en riant. Vous ne vivez pourtant pas dans un couvent, comme un moine ! Rien ne vous empêche de chanter pour nous la joie et le bonheur !

— L'amour, le printemps ! s'écria Katrine.

— Les fleurs, le bonheur, tout ce qu'il y a de beau dans ce monde, tout ce qui fait battre le cœur plus vite, tout ce qui le fait crier de joie !

— Vous savez sûrement à quoi cela ressemble, Kilian ! Vous avez parcouru la moitié du monde, vu de nobles dames, des chevaliers, entendu toutes sortes de chansons et d'histoires.

— Vous avez vu les coutumes des pays étrangers ! Vous êtes certainement capable de chanter des airs qui plaisent davantage aux jeunes filles vertueuses de Tallinn que ces plaintes tristes et désespérées. »

Kilian paraissait désemparé. « La tristesse et le désespoir sont justement ce qui fait les meilleurs chants. Vous voudriez que je parle de joie et de gaieté… poursuivit-il en soupirant.

— Mais oui ! Bien sûr ! s'écrièrent les deux filles.

— Des cœurs qui battent, par exemple ? Des âmes qui crient de joie ?

— Plus que de n'importe quoi d'autre ! répondit Katrine.

— Des coutumes étrangères et des nobles dames, du bonheur, de la joie, du printemps ?

— Et encore des joies du mariage, Kilian ! s'écria Birgitta. Et de l'amour, Kilian, de l'amour !

— De l'amour ? demanda Kilian. Des nobles dames et de l'amour, des cœurs palpitants et du printemps… C'est bien, je vais chanter, mais dans un vrai chant tout cela va de pair avec la tristesse et le désespoir, la séparation et la mélancolie. »

Il prit son instrument, fit entendre un accord déchirant et se mit à chanter lentement, à voix basse, suffisante toutefois pour être à coup sûr entendue par la fenêtre ouverte de la maison voisine.

« *Bernard de Ventadorn vivait en Limousin, au château de Ventadorn ;*

Il n'était point noble, mais fils d'un serviteur, qui faisait le feu dans le four à pain.

Il devint un bel homme, et brave ;
Il savait chanter et inventait mainte chanson jolie.
Il apprit les belles manières, il se fit beaucoup d'amis,
Et le comte, seigneur de Ventadorn, aimait sa compa-
    gnie :
Il aimait ses chants, ses poèmes, il le prisait fort.
Mais la femme du comte, jeune et belle, aimable et
    enjouée,
Aimait elle aussi que Bernard chante l'amour de sa
    dame et loue ses vertus.
Et ainsi leur amour grandit, ignoré de tous, secret, celé.
Lorsque le comte connut la vérité, il s'emporta contre
    Bernard et enferma sa femme dans le donjon.
La dame renonça à Bernard
Et celui-ci s'en alla, loin de ce pays, seul avec sa
    tristesse... »

Quelque part une fenêtre claqua, et une voix d'homme courroucée cria que si ce tintamarre ne finissait pas sans tarder, on allait sur-le-champ se soulager les boyaux. Les deux filles se rapprochèrent et tinrent conciliabule, puis elles saluèrent Kilian en faisant des mines et s'enfuirent en courant. Le garçon poussa un soupir et pénétra silencieusement dans la maison de messire Tweffell, par le portail. Melchior vit alors la fenêtre se refermer.

Le soir était tombé, un soir de mai paisible, embaumé par les lilas et parcouru d'une brise légère. Melchior ferma sa fenêtre lui aussi et alluma des chandelles. Il avait besoin de réfléchir et d'écrire. Il chercha du papier, de l'encre et une plume, sortit sa carte du ciel et l'étala sur la table. Il se souvint de ce que lui disait son père. *Écris toujours tout, un apothicaire doit se souvenir de tant de choses qu'il est prudent de les mettre par écrit. Si quelque chose te tracasse, s'il y*

a quelque chose que tu ne comprends pas, écris-le.
Et Melchior écrivit. Il était si absorbé par ce qu'il faisait qu'il n'entendit pas Keterlyn ouvrir doucement la
porte du fond et se glisser dans la pièce.

« Dis-moi, mon cher mari, on dirait qu'attraper les
meurtriers est plus difficile que préparer tes remèdes
de sorcier ? Tu crois que c'est ta carte du ciel qui va
t'aider ? » demanda soudain Keterlyn, faisant sursauter Melchior. Il sourit, se leva et embrassa sa femme.

« La carte du ciel révèle des choses simples, répondit-il, la façon dont les gens se conduisent d'ordinaire.
Ce mystérieux meurtrier est un individu ordinaire, lui
aussi. La préparation des remèdes se fait d'après des
recettes, elles-mêmes consignées par écrit par des
savants qui ont observé l'effet des différentes sub-
stances et la façon dont leurs propriétés se combinent.
Tout ce qui s'est déjà produit se produira encore, et il
n'y a rien de nouveau sous le ciel. Si tu mélanges de
l'achillée et de la menthe avec du vin fort et sucré, tu
obtiens un remède contre la coqueluche… Si tu mets
le boucher de Gotland ivre mort dans la même pièce
qu'un homme assoiffé de vengeance, celui-ci coupera
la tête du chevalier. Reste à savoir qui c'était, et comment il a pu pénétrer dans la pièce.

— Et cela, ta carte du ciel ne le dit pas, conclut
Keterlyn.

— La carte connaît beaucoup de choses, mais rien
qui concerne la Tallinn d'aujourd'hui. On y trouve une
sagesse séculaire, les hommes qui l'ont faite connaissaient les passions et les désirs de leurs semblables. Et
en fait, la carte du ciel ne ment jamais. Il faut juste la
lire correctement. Elle parle de la vie, des hommes, et
des forces célestes qui les manipulent. Tout est lié, ma
chère épouse : tout comme les étoiles et les planètes

s'influencent mutuellement au firmament, de même les hommes influent les uns sur les autres par leurs actions... Toutes choses sont reliées entre elles par des fils invisibles : un fil en tire un autre, qui en tire un troisième. Regarde ! »

Il attira sa femme et la fit asseoir à côté de lui, puis il lui montra la carte : « Aquarius voudrait me dire quelque chose que je ne comprends pas encore tout à fait. Ici se tient la mort. La mort ? L'apothicaire va voir la mort aujourd'hui ? Il faut que je devine, mais je ne sais pas résoudre cette énigme.

— Est-ce que Sagittarius ne devrait pas te conseiller de te tenir à l'écart de pareilles choses ? demanda Keterlyn en caressant doucement la tête de son mari.

— Je peux me tenir à l'écart, mais la mort, elle, ne veut pas se tenir à l'écart de Tallinn. Et si un meurtrier rôde ici en liberté, c'est que la ville est malade et qu'elle a besoin d'un remède.

— Mais mon cher Melchior, tu ne vas pas deviner comme ça qui a coupé la tête de ce chevalier. Tu n'es quand même pas voyant !

— Mais je ne veux pas *deviner* ! Je veux savoir. Je viens de coucher par écrit toutes les choses que je sais, et toutes celles qui me tracassent dans le meurtre de Clingenstain.

— Dis-moi ce que tu sais, tiens ! demanda la femme.

— Je sais qu'est arrivé à Tallinn un chevalier nommé Clingenstain, qui n'avait jamais mis les pieds ici auparavant, mais qui avait des liens avec plusieurs habitants de la ville. Il fait ripaille cinq jours sur Toompea, après quoi quatre habitants de la ville lui rendent visite le même jour, et deux heures plus tard quelqu'un lui tranche la tête avec une rage épouvantable. Ce quelqu'un descend de Toompea et s'enfuit dans la ville, c'est là encore une chose dont je suis sûr, car personne ne l'a suivi depuis la petite forteresse, les traces de sang passent par la porte de la Cathédrale et conduisent vers la ville, et il s'est débarrassé de son arme sur le territoire de la ville.

— Mais ce pourrait être quelqu'un de la forteresse de l'évêque, qui aurait agi ainsi pour détourner les soupçons, objecta Keterlyn.

— Il n'y a pas de vassaux en ce moment à la grande forteresse : il n'y a que les gens de l'évêque, une ving-taine de cordonniers, de boulangers et autres servi-teurs, et le commandeur est certain que cela ne peut pas être l'un d'entre eux, car personne n'était absent. Il les connaît tous, il en est sûr. Je le crois volontiers, car si c'était quelqu'un de la grande forteresse, il aurait fait le coup de nuit, une fois Clingenstain endormi. Traverser Toompea et passer les deux portes, en cou-rant avec un manteau et une épée ensanglantés, cela n'aurait aucun sens.

— Mais ça ne pouvait pas non plus être quelqu'un de Tallinn !

— Pourquoi ? Plus d'un, parmi ces quatre-là, pou-vait avoir de la rancœur contre Clingenstain. Il avait roulé Casendorpe lors de l'achat de cette chaîne d'or, il l'avait insulté et avait payé un prix misérable. Il s'était approprié le navire de messire Tweffell, il n'avait pas donné de certificat à Kilian, quant au prieur Eckell…

— Melchior ! Tu n'imagines quand même pas que le vieux Tweffell ou le prieur auraient pu lui trancher la tête ! s'exclama Keterlyn.

— Non, marmonna Melchior. Mais Tweffell a Ludke, son fidèle serviteur, et le prieur a été jadis au couvent des dominicains de Gotland. Clingenstain s'est confessé à Eckell, rappelle-toi, et le prieur n'est pas monté seul à Toompea, il était accompagné du frère Hinricus, et il y avait encore le frère Wunbaldus qui mendiait : deux hommes jeunes et vigoureux.

— Melchior, tu crois que ce qu'il a dit en confession… » Keterlyn se tut et regarda intensément son mari.

« Je ne sais pas encore quoi penser du fait que quatre hommes lui ont rendu visite dans la journée et qu'après cela on l'a retrouvé mort. Et il y a encore trois choses très bizarres que j'ai relevées, regarde ! »

Keterlyn se pencha sur les écritures de son mari et lut, lettre après lettre :

« Avec ce que tu m'as appris des lettres de l'alphabet, il me semble que… c'est quelque chose à propos de pièces de monnaie ?

— Clingenstain avait dans la bouche un vieil ørtug de Gotland, expliqua Melchior. Pourquoi ? Dans quel but ? S'agissait-il d'une annonce, d'un message ? Pour qui, pour quoi faire ? La deuxième chose que j'ai écrite, c'est qu'aux dires de Kilian, le chevalier portait la chaîne d'or au cou après s'être confessé, tandis que le commandeur et le vénérable Eckell prétendent le contraire. Comment cela se fait-il ? Et troisièmement… »

Keterlyn lut : « Troisièmement, tu as écrit… le revirement de Freisinger ? » Elle leva les yeux, étonnée.

« Oui, répondit Melchior. Jusqu'à la mort de Clingenstain, messire Tête-Noire désirait ardemment épouser la fille du maître orfèvre, la dot était déjà convenue auprès du notaire et toute la ville savait que ce serait là le plus heureux des mariages – en mettant de côté celui de l'apothicaire, bien entendu – ; et aussitôt après le meurtre, Freisinger change d'avis. Aussitôt, et brusquement.

— Quel rapport avec Clingenstain ?

— À première vue, rien que cela : Casendorpe vend à Clingenstain une chaîne d'or, qui a maintenant disparu, et aussitôt Freisinger renonce à la fille la plus riche et la plus jolie de la ville. Comme dit la carte du ciel, tout est lié et chaque chose agit sur toutes les autres. Il faudrait que messire Freisinger soit fou à lier pour renoncer à devenir citoyen de Tallinn grâce à son mariage avec la fille du doyen de la guilde des Kanuts, homme respecté de tous, et surtout avec une dot pareille. Mais il n'est sûrement pas fou à lier.

— Non, certainement pas, dit la femme avec tendresse en déposant un baiser sur le front de son mari. Mais j'en connais un qui est fou à lier, qui par hasard est déjà marié mais qui préfère toujours rester seul à déchiffrer les présages de sa carte du ciel. Hier, Sagittarius a pourtant promis à l'apothicaire un doux baiser.

— Alors tu crois quand même aux étoiles ! se réjouit Melchior.

— Qu'est-ce que tu veux que je croie ! dit Keterlyn d'un air désabusé. C'est peut-être un jeu, un peu comme les échecs, par exemple, où on peut voir, en cherchant bien, une peinture des hommes et de la vie. Comme les pièces d'échecs, les constellations ressemblent un peu à des hommes, et…

— Les échecs ? bredouilla Melchior. Tu as raison, par certains côtés, mais tu ne sais pas jouer aux échecs, pourtant !

— C'est vrai, mais Gertrud sait y jouer, par exemple, le vieux Tweffell l'oblige à jouer avec lui quand Ludke est parti faire une course au-dehors…

— Ludke joue aux échecs ? » demanda Melchior, levant les yeux avec stupéfaction. Keterlyn raconta que c'était la seule passion du vieillard, qu'il l'avait fait partager à tous ceux qui demeuraient chez lui, y compris à Kilian, pour pouvoir jouer avec eux, et jusqu'à son épouse, comme si c'était une occupation convenable pour une jeune femme. On entendait pourtant souvent les prêtres, à l'église, dire que les jeux détournent l'esprit de l'homme des choses du Ciel.

Mais Keterlyn avait raison. Melchior avait entendu dire, lui aussi, que les échecs étaient le miroir de la vie et du monde, que chaque pièce y avait une signification et un rôle précis, comme chaque homme ici-bas. Il se souvint encore une fois de l'échiquier vu au couvent et sur lequel avaient joué le prieur et Wunbaldus, il se souvint de lui-même avec son père. *Les échecs sont peut-être la seule chose j'aie oubliée, de ce que mon père m'a appris.* Il demanda à sa femme si elle pourrait emprunter un jeu d'échecs à Gertrud, en échange par exemple d'un baume à moitié prix ; Keterlyn estima que cela ne ferait aucune difficulté. *Il faut que je me rafraîchisse la mémoire*, pensa Melchior. *Il n'est pas convenable que j'aie oublié l'enseignement de mon père.*

17

Rue du Puits
La boutique de Melchior
18 mai, la nuit

Mon père est mort !
Cette pensée assaillit Melchior Wakenstede en pleine nuit, dans son lit ; elle fit irruption de façon subite dans son esprit, douloureusement, profondément, comme le poinçon brûlant du bourreau. Il venait de rêver, et dans son rêve il marchait entre les remparts de la ville et la mer, sur les pierres, lorsqu'une femme du marché était venue à sa rencontre en pleurant et en gémissant, puis lui avait demandé : « Tu comprends, Melchior, que ton père est mort ? Il te laisse seul, il est mort pour de vrai ! »

Il est mort, il n'existe plus. Il est mort entre mes bras, il ne reste de lui qu'une poussière décomposée dans un cercueil moisi, au plus profond de la terre du cimetière de Sainte-Barbara ; je ne sentirai plus jamais son odeur, je ne verrai plus sa main préparer les remèdes, je n'entendrai plus sa voix m'expliquer quelque chose. Il m'aimait, et maintenant il est mort.

Cette idée était douloureuse, aussi immensément douloureuse que la première fois, quand Melchior avait compris. Il n'était revenu de son temps de compagnonnage à Riga que depuis deux ans, il avait retrouvé la compagnie de son père, et alors celui-ci était tombé malade. Non pas d'une maladie bénigne contre laquelle il aurait lui-même connu les remèdes : c'était une maladie maligne, puissante, qui le faisait tousser et cracher le sang, avec une forte fièvre qui le clouait au lit. Ce n'était pourtant ni la toux ni la fièvre, ni les accès de faiblesse ni ses paumes en sueur, mais bien son regard, qui disait à Melchior que cette fois-ci, cet homme ne se relèverait pas. Il n'y avait plus de vie dans les yeux de son père, plus d'amour de la vie ; il n'y avait plus que la conscience, la compréhension passive de son destin, la soumission apaisée vis-à-vis du monde et de Dieu. Un apothicaire devait connaître la mort, la connaître intimement, et il savait aussi reconnaître sa propre mort.

Le père de Melchior était mort au bout de huit jours ; il s'était éteint petit à petit, obéissant à l'appel de Dieu, et Melchior avait compris que rien, *rien au monde* ne saurait le détourner de ce chemin. Le médecin de la ville était venu et avait hoché tristement la tête : il était impuissant, la vie de cet homme était désormais entre les seules mains de Dieu. Aucun homme n'était capable de trouver un remède à cette maladie-là. Aucune force au monde ne pouvait aider Melchior, aucun remède miracle, ni thériaque, ni mithridate, ni bézoard, rien. L'homme était sans recours, Melchior n'avait plus qu'à attendre et à regarder son père cracher le sang, s'étioler, s'éteindre. La science d'aucun apothicaire ne pouvait aider son père. Il ne lui resterait que ses souvenirs et son enseignement, les objets qu'il avait touchés, cette maison où il avait vécu… rien de plus.

Melchior hurla et se débattit dans son lit. *Mon père est mort !* Sa poitrine se raidit de douleur : à cet instant, ses sens ne savaient rien d'autre. Il ne sentit pas la douleur lorsque sa tête heurta le mur de pierre, il ne sentit pas l'humidité lorsque son pied renversa la bouteille d'eau potable. Seule la douleur de la perte bouillonnait en lui ; il se griffa pour la faire disparaître, il hurla.

Trois jours avant sa mort, son père avait perdu l'usage de la parole. Son regard, d'où la vie avait déjà disparu, disait tout. Il aimait son fils, il avait de la peine de le quitter, mais il devait en être ainsi, et au royaume de Dieu il ne serait pas seul, là-haut l'attendait Rosamunde. La mère de Melchior avait visité son mari dans ses rêves, et lui n'avait pas peur : il savait qu'il était attendu. Pourtant il avait de la peine. Il était parvenu à parler avant de pousser son dernier soupir. Il avait trouvé en lui la force de saisir la main de Melchior pour un ultime adieu et de prononcer d'une voix à peine audible ses dernières paroles. *Trouve-toi une femme bonne*, avait-il murmuré. Un Wakenstede devait toujours trouver l'épouse juste. Sans cela ils allaient à leur perte, la malédiction de la famille leur dévorait l'âme jusqu'à ce qu'ils rampent nus dans la fange, hurlant, se démenant, s'arrachant les cheveux, rongeant la chair sur leurs propres os, s'arrachant les yeux de leurs propres ongles. Puis son père avait encore chuchoté ces mots : *le saint, rappelle-toi, crains*, il avait saisi convulsivement la main de son fils – oh ! il aurait encore voulu tant lui dire, mais il n'avait plus le temps. Quel saint ? Que devait-il se rappeler ? Que devait-il craindre ? Melchior ne savait ni ne se risquait à deviner ce que son père avait voulu lui dire, ni s'il s'agissait de délire à l'approche de la mort. Jusqu'à présent il l'ignorait. Un jour, certainement, il comprendrait.

Keterlyn fut réveillée par les hurlements de son mari.

Ça y est, pensa-t-elle effrayée, *c'est donc pour cette nuit*. Plus de six mois s'étaient écoulés depuis la dernière fois, et elle s'était déjà prise à espérer que son mari était débarrassé de la malédiction des Wakenstede, que ses prières au pied de l'autel de sainte Barbara, les cierges qu'elle allait faire brûler là-bas, faisaient leur effet. Mais non, elle devait supporter cette épreuve, elle devait croire, elle devait espérer, elle devait aimer.

Keterlyn prit son mari dans ses bras, mais Melchior se dégagea de son étreinte en se débattant, se recroquevilla et se mit à hurler.

C'était bien là la malédiction des Wakenstede : toute la douleur du monde leur fondait dessus comme cent démons, ils ne trouvaient autour d'eux nulle consolation, partout leur apparaissaient des visions de mort et d'horreur, d'Enfer, de peste. Cela n'arrivait pas à tous, pas toujours, quand l'un était épargné son frère ne l'était pas, quand le père était épargné son fils ne l'était pas. Cela ne frappait jamais les sœurs ni les filles des Wakenstede, seuls les hommes étaient poursuivis par cette horreur comme par le châtiment de quelque faute effroyable commise des siècles auparavant, qu'il leur fallait subir et transmettre. Ils avaient beau lire des livres savants et explorer les secrets de la nature pour trouver un remède à leur éternelle malédiction, personne encore n'y était parvenu ; ils étudiaient les vies des saints, cherchaient le juste intercesseur face à ce fléau, mais aucun ne leur avait encore porté secours, aucune tombe, aucun pèlerinage, aucune relique : et celui que frappait la malédiction, celui-là finissait par succomber aux douleurs qui l'assaillaient subitement, comme si tous les péchés du monde étaient retombés sur lui, à moins qu'il trouve à ses côtés la personne capable de l'aider et de dire pour lui des prières, et grâce au soutien de laquelle il parvenait à ressortir de cette mer de tourments. Mais la malédiction ne laissait pas intactes ces personnes charitables, comme la mère de Melchior, qui avait quitté ce monde avant l'heure, car elle avait aidé son mari à surmonter son poison, et par là même elle avait été châtiée.

Keterlyn ne se souciait pas de cela. Elle croyait, espérait et aimait.

Qu'il s'agisse de colère divine ou de la malédiction des démons, d'un fléau mérité pour quelque faute que ce soit, Keterlyn était une chrétienne à l'âme droite et elle honorerait la promesse qu'elle avait faite à Dieu devant l'autel. Et cela, ni sainte Catherine, ni sainte Gertrud ni aucune autre ne pourraient le lui défendre, car elle avait juré d'être aux côtés de son mari dans la détresse et dans l'angoisse, dans la tempête et dans l'orage, dans la vie et dans la mort.

Il y avait un breuvage que Melchior s'était préparé en vue de ces moments-là, un breuvage si fort qu'il faisait jaillir les larmes des yeux et coupait la respiration, mais Keterlyn n'osait pas courir à la boutique et se mettre à le chercher. Elle était la femme d'un Wakenstede et elle devait remplir son devoir. Melchior semblait inconscient et aucune parole sensée ne sortait de sa bouche, hormis : « Père, père ! », et quand Keterlyn lui baisa le front, il lui sembla que ce n'était pas de la sueur, mais du sang, dont le sel lui piquait les lèvres.

Elle rejeta la couverture et attira son mari entre ses bras. Melchior la repoussa, mais elle se mit à effleurer son corps de ses lèvres. Elle se posa à cheval sur lui, caressa son ventre de ses seins et couvrit sa bouche de baisers, pour qu'on n'entende plus ses cris et ses hurlements. De ses jambes elle pressa les hanches de Melchior et lui passa sa toison contre les bourses et la verge, qui ne semblaient pas encore comprendre ce qu'on attendait d'elles. Keterlyn avait de la force, ce n'était pas une frêle citadine ; dans cette vieille famille de la province de Viru, les femmes avaient toujours su comment prendre ce dont elles avaient besoin. Keterlyn se frottait contre la peau de son mari, elle couvrit son corps nu de son corps nu, sa langue pénétra profondément dans la bouche de Melchior et elle finit par sentir que celui-ci se débattait moins fort, tandis que quelque chose, entre ses jambes, s'éveillait. Descendant lentement le long de son corps, elle effleura délicatement son sexe de ses lèvres. Celui-ci était encore d'une taille modeste, mais Keterlyn le prit dans sa bouche et le titilla à petits coups de langue. Les gens de la ville appelaient cela faire l'amour en évêque, mais cet art était connu de longue date aussi à Viru. Melchior n'avait toujours pas retrouvé ses esprits, mais son corps commençait à s'apaiser et à répondre aux invites des lèvres de sa femme. Keterlyn continua à exciter sa verge avec la langue, puis elle aspira vers sa gorge la partie qui se gonflait, jusqu'au moment où elle sentit sa propre toison commencer à devenir humide. L'homme gémit, mais ce n'était plus de la douleur. Keterlyn passa les mains sur son ventre et sur sa poitrine, et elle remua la langue jusqu'à ce que la vigueur ait achevé de gonfler le sexe de son mari. Elle accéléra encore le mouvement de sa langue et avala plus activement, tandis qu'elle saisissait d'une main les bourses de Melchior et de l'autre ses fesses. Melchior était toujours inconscient, mais la malédiction battait en retraite. Lorsqu'elle sentit son sexe tendu par l'attente, pantelant, et que ses hanches se mirent à accompagner le rythme qu'elle leur communiquait, Keterlyn releva la tête, se remit à cheval sur le ventre de son mari et enfonça sa verge profondément en elle. Elle appliqua une des mains de Melchior sur la courbure de ses hanches et l'autre sur ses seins gonflés, et elle sentit une onde de plaisir, comme un fer rouge, naître entre ses jambes et monter dans son ventre ; elle remua alors les hanches avec plus de vigueur et serra les cuisses, jusqu'au moment où enfin le corps de Melchior se relâcha et où le jaillissement se produisit. Keterlyn se releva promptement et comprima le sexe de son mari comme si c'était un trayon de vache, jusqu'à ce qu'il n'en sorte plus une goutte. Enfin, grâces soient rendues à sainte Catherine et à tous les saints, et à la sagesse des anciennes de Viru, elle sentit que la main de Melchior lui caressait les seins, que ses lèvres les effleuraient, et elle l'entendit lui murmurer des paroles enflammées. Alors elle sut que la malédiction était, pour cette fois, écartée. Ensuite seulement, lorsqu'elle fut sûre que Melchior respirait régulièrement et qu'il dormait, Keterlyn sépara son corps nu de celui de son mari, elle se glissa hors du lit, s'assit sur le plancher froid et se caressa entre les jambes jusqu'à ce que son corps à elle aussi défaille de plaisir.

Sous le lit, elle avait caché un bec de cigogne et un ruban multicolore tressé à Viru, sur lesquels le sage d'Iinistagana avait prononcé ses paroles magiques. Au cas où la bénédiction de sainte Catherine ne suffirait pas. Il faudrait qu'elle se souvienne d'envoyer à Iinistagana deux tonnelets de bière et un peu de viande salée. Et il valait mieux que Melchior ne sache rien de tout cela. Contre la malédiction des Wakenstede, il pouvait y avoir d'autres remèdes que les vies de saints et les recueils de prescriptions des savants romains.

Keterlyn passa une chemise de nuit, remit en place la couverture sur Melchior et se glissa à côté de lui. Elle s'assoupit rapidement en écoutant la respiration régulière de son mari.

Tous deux se réveillèrent plus tôt qu'à l'ordinaire. Aux premières lueurs de l'aube, la clameur du marché fit irruption dans la chambre : « Seigneur Jésus ! Mort ! L'assassin de Toompea ! La tête tranchée, miséricorde, on lui a tranché la tête ! L'assassin de Toompea frappe dans la ville ! »

Cimetière de Saint-Nicolas
18 mai, au petit matin

Le corps sans tête de Gallenreutter, le bâtisseur, gisait dans le cimetière de Saint-Nicolas, derrière la chapelle Saint-Mathieu, dans un renfoncement camouflé par des lilas et où menait un petit sentier partant de la sacristie. Une haie cachait la rue Sous-la-Colline, au sud se dressaient de nombreuses croix funéraires en pierre et des tombes ; à l'ouest, le lieu était fermé par les murs des maisons de la rue des Forges. Le constructeur de Westphalie avait été tué dans un coin retiré où, à cette heure encore obscure, les regards des curieux ne pénétraient pas. Son cadavre était affalé sur une vieille croix de l'époque danoise, et sa tête, enfoncée sur la branche desséchée d'un pin, observait avec des yeux écarquillés les curieux qui s'étaient rassemblés autour du corps dont elle avait fait partie. Sur l'herbe jaunie s'étalaient des flaques de sang figé ; il en avait même giclé sur la pierre tombale et sur les jeunes feuilles des lilas. Il y avait beaucoup de sang, partout. La chaleur du matin n'avait pas encore pénétré ce recoin, le ciel était nuageux et une brise morne agitait les longs cheveux ensanglantés de Gallenreutter.

Lorsque Melchior arriva sur place, en courant, Dorn était déjà parvenu à écarter les curieux trop nombreux, et il se querellait pour une raison inconnue avec l'infortuné vicaire de Saint-Nicolas, un vieux Suédois chétif qui avait occupé ce poste aussi loin que remontaient les souvenirs de Melchior. Il y avait encore un homme, penché au-dessus du cadavre, en qui Melchior reconnut un compagnon bâtisseur étranger, qui avait dû arriver en même temps que Gallenreutter pour la construction de Saint-Olav.

Le vieux vicaire était en train de raconter qu'il avait découvert le cadavre de ce malheureux dès son arrivée, en traversant le cimetière. L'homme se lamentait et gémissait, disant que la terre sacrée de l'église était maintenant profanée, et qu'il faudrait la faire bénir à nouveau par l'évêque.

« L'assassin de Toompea ! s'écria le compagnon avec rage. Le même qui s'est enfui dans la ville. Le chevalier aussi avait eu la tête tranchée. Et le maître venait de la même ville que lui, il l'avait raconté lui-même ! »

Gallenreutter ? pensa Melchior. *Le maître bâtisseur Caspar Gallenreutter, de Warendorf.* Celui-là même qui avait voulu parler à Clingenstain. Est-ce qu'on ne tuait plus à Tallinn que les hommes originaires de Warendorf ? Il poussa un soupir d'effroi. Il était accouru en hâte dès qu'il avait entendu crier, et maintenant, interdit, il contemplait le cadavre. Il ne s'était toujours pas dégagé des griffes de ses rêves et de la nuit, et il aurait aimé croire que ce corps décapité n'était qu'un cauchemar. La nuit avait été douloureuse, épuisante, il avait l'impression de se relever du banc de torture, comme après chaque attaque de la malédiction des Wakenstede, et si Keterlyn n'avait pas été là il serait à présent à moitié mort de désespoir et de souffrance… Mais il chassa bientôt ces idées de son esprit et se pencha sur le cadavre sans tête.

« Quand est-ce que vous comptez prendre l'assassin de Toompea, bailli ? demanda le vicaire au même moment. C'est une menace pour la ville entière, s'il se met maintenant à tuer ici.

— Dès que je l'aurai trouvé, je le prendrai ! grommela le bailli exaspéré. Mais il ne courra plus longtemps. Et qu'est-ce que ce Gallenreutter faisait à Saint-Nicolas, d'ailleurs ?

— Il n'était encore jamais venu. Je ne le connais même pas. Je n'ai aucune idée de ce qui l'amenait de nuit dans notre cimetière », répondit le vicaire d'une voix plaintive.

Melchior tâta le cadavre et prit un peu de sang au bout d'un doigt. Oui, pour ce qu'il connaissait de la mort, cet homme devait avoir été tué plusieurs heures auparavant, le meurtre ne pouvait certainement pas avoir été commis le matin. Il glissa la main sous sa tunique ensanglantée, et ses doigts rencontrèrent un morceau de papier raidi par le sang. La tunique était souillée, certes, mais comment du sang était-il passé dessous ? Melchior délaça le vêtement et inspecta le corps.

« Comment votre maître est-il arrivé ici ? demandait Dorn au même moment au compagnon bâtisseur. Avait-il quelque chose à faire ?

— Par saint Victor, je n'en ai pas la moindre idée, dit l'autre, accablé. Hier, après le travail, il est parti, et ce matin il n'est pas revenu à la chapelle. Je suis parti à sa recherche, il est logé chez un parent pas loin d'ici, mais en chemin j'ai rencontré des gens qui criaient qu'il y avait un mort… Je me suis dit tout de suite que c'était à cause de ce mauvais signe, et j'avais raison…

— Quel mauvais signe ? cria Melchior sans quitter le cadavre.

— Eh bien… quand le maître a vu le cercueil, ou la boîte, que nous avions déterrée, où il y avait ces sortes d'os, expliqua le garçon. C'était pour ainsi dire contre les anciens murs, vous voyez, pas dans le cimetière. Il a dit qu'il regarderait lui-même de quoi il s'agissait, et il l'a emporté. Ça ne pouvait rien amener de bon, il aurait dû les faire enterrer par le curé.

— Qu'est-ce que c'était que ces os ? » demanda Melchior. Il tira le papier qui se trouvait contre la poitrine de Gallenreutter, l'aplanit et regarda de quoi il s'agissait. Il y vit quatre lignes griffonnées à la hâte, auxquelles il ne comprit tout d'abord pas grand-chose, car le sang avait couvert les premières lettres de chaque ligne. Il se leva, s'approcha du pin et observa avec intérêt la tête de l'infortuné, dont les yeux figés continuaient d'exprimer la frayeur et la surprise.

« Que saint Nicolas me pardonne », murmura l'apothicaire, puis il ouvrit la bouche de Gallenreutter. Sur la langue violacée, un caillot visqueux se mit à glisser. Melchior introduisit deux doigts dans la bouche et en sortit une pièce de monnaie. *Juste comme on pouvait s'y attendre*, pensa-t-il.

Pendant ce temps, le compagnon bâtisseur expliquait que personne, à Saint-Olav, ne savait ce que c'était que les os qu'ils avaient trouvés.

« Sans doute des ossements humains, sur l'emplacement de l'ancienne église. Mais messire Gallenreutter les a emportés, et… je ne sais rien de plus.

— Dis-moi, mon garçon, est-ce que quelqu'un éprouvait envers lui de la rancœur, ou de la haine ? demanda Dorn. Est-ce que quelqu'un l'avait menacé de son couteau, ou avait juré de le tuer ? Dis toute la vérité, sans rien cacher.

— Je ne sais rien du tout, moi ! gémit le garçon avec un mouvement de recul. Je n'ai rien vu, je n'ai vu personne tirer son couteau contre lui : nous sommes juste là pour bâtir l'église, pour construire des murs. Personne n'a jamais vu qu'on coupait la tête d'un bâtisseur d'églises !

— Seigneur, aie pitié de nous ! Seigneur, aie pitié de nous ! » marmonna le vicaire.

Dorn dit au maçon de déguerpir et de prévenir tous les autres ouvriers que quand l'employé du tribunal se présenterait, ils devraient tous comparaître devant le bailli et jurer par tous les saints de dire toute la vérité sur ce qu'ils savaient de cet assassinat.

« Bailli, viens donc voir par ici ! s'exclama Melchior.

— Il ne reste plus qu'à l'enterrer, et le Conseil devra écrire à sa famille. En voilà, une affaire… Oui, Melchior ? » Dorn s'interrompit et tourna la tête. Le vicaire s'agenouilla auprès du cadavre et se mit à prier.

Melchior nettoya la pièce de monnaie dans l'herbe et la montra à Dorn.

« Regarde un peu ce que cette tête avait dans la bouche.

— Jésus Marie, encore une pièce ! C'est donc vraiment le meurtrier de Toompea, s'exclama Dorn.

— Il semble bien. Seulement, pourquoi s'en être pris à ce malheureux ? Mais regarde, ce n'est pas un vieil ö̈r de Gotland, c'est un artig de Tallinn.

— Tu as raison, un artig. Bon sang, c'est de l'argent, ça ! s'étonna Dorn.

— Clingenstain venait de Gotland, et on a retrouvé dans sa bouche un vieil ö̈r de Gotland. Gallenreutter, lui, venait de Westphalie, dit Melchior, songeur.

— D'accord, mais qu'est-ce que ça veut dire ?

— Si seulement je le savais ! Gallenreutter et Clingenstain étaient originaires de la même région, mais… Ce n'est pas clair. Encore une chose : Gallenreutter a une blessure profonde au cœur. On dirait qu'il a été poignardé. »

Dorn regarda Melchior, interloqué. « Quel besoin y avait-il de le poignarder, par-dessus le marché ? demanda-t-il. Tu en es sûr ?

— Il a une profonde blessure au cœur.

— On lui a coupé la tête, et après on l'a poignardé, à tout hasard, pour être sûr ? grommela Dorn.

— C'est possible comme ça aussi, bien sûr, fit Melchior. Mais il est plus probable qu'on a commencé par le poignarder, et qu'on l'a décapité ensuite.

— Oui, c'est vrai. Mais pourquoi ? Pourquoi lui couper la tête par-dessus le marché, s'il avait déjà un couteau dans le cœur ?

— Vraisemblablement parce que de son vivant il n'était pas d'accord pour se séparer de sa tête. C'est la raison pour laquelle le meurtrier a commencé par le tuer, et qu'il lui a coupé la tête seulement après. Avec Clingenstain la question ne se posait pas, il était tellement soûl qu'il n'a pas donné grand mal à son assassin. Mais je ne comprends tout de même pas pourquoi il était nécessaire de le décapiter à la hache, puis de lui clouer la tête à cet arbre et de laisser cet artig comme une devinette à notre intention.

— Tu as raison. En tout cas, ce meurtrier n'est pas un avare ! Mais sous la torture il nous expliquera bien pourquoi… » Le bailli s'interrompit subitement et fronça les sourcils. « À la hache ? demanda-t-il. Tu as dit "à la hache" ? »

Melchior hocha la tête. « Elle est là-bas, un peu plus loin, sous les lilas, pleine de sang. Le bailli devrait regarder si elle porte une marque ou si quelqu'un reconnaît de quel atelier elle provient. Encore que je n'imagine pas que le meurtrier ait pris une hache chez lui et l'ait ensuite abandonnée ici.

— Ce ne sera pas nécessaire, dit derrière eux la voix du vieux vicaire. C'est la hache de la réserve à bois de Saint-Nicolas. L'homme de peine de l'église se lamentait déjà hier sur sa disparition. Habituellement elle est à côté du billot.

— Déjà hier ? demanda Melchior surpris. Intéressant. Le sort du malheureux Gallenreutter était donc déjà décidé hier : il ne peut pas s'agir d'une dispute fortuite, ou d'un accès subit de folie meurtrière.

— Melchior ! s'écria soudain le bailli, tout excité, les yeux saillants. Melchior, mais cet homme était originaire de Warendorf, tout comme ce Clingenstain !

— Oui, fit l'apothicaire. Nous le savons bien.

— Mais tu te rappelles ce que Gallenreutter a raconté à propos de Warendorf, chez les Têtes-Noires ? demanda Dorn, au comble de l'excitation.

— Je m'en souviens, oui, dit Melchior en essayant de se rappeler. Il a dit que… » La phrase mourut sur ses lèvres. « Ah ! bon sang ! murmura-t-il.

— Exactement ! »

Le bailli lui saisit la manche et se mit à parler frénétiquement :

« Souviens-toi, il a raconté l'histoire d'un assassinat commis à Warendorf, et il a dit ensuite que même si un crime n'avait pas de témoins, il se trouvait toujours quelqu'un d'assez astucieux pour déchiffrer les traces laissées par le meurtrier, et aussi pour trouver des témoins, même si à première vue il n'y en avait pas. Et qu'ainsi les crimes les plus incompréhensibles pouvaient être expliqués, et les coupables châtiés.

— Bon sang ! grommela Melchior encore une fois. Quand on y repense de cette façon, ce sont là des paroles bien étonnantes.

— Peut-être parlait-il à l'intention du meurtrier de Toompea ? Pourquoi avait-il besoin de dire ça, hein ? Sans doute parce que c'était lui cet homme astucieux, qui savait quelque chose sur le meurtrier et qui était capable de déchiffrer les traces…

— Et l'assassin devait donc être présent chez les Têtes-Noires, conclut Melchior. J'ai du mal à le croire, mais tu pourrais bien avoir raison. Il ne savait peut-être pas encore exactement qui c'était, mais il se doutait qu'il devait être présent à la fête, et il avait des indices, des éléments le concernant.

— Mais enfin, Melchior, il est impossible que le meurtrier ait été là ! Ce n'étaient que des gens connus, respectables !

— Pourquoi pas ? fit Melchior. Il y avait chez les Têtes-Noires tous ceux qui étaient allés voir Clingenstain à Toompea : Casendorpe, Tweffell, Ludke, Kilian, Eckell, Hinricus, Wunbaldus…

— Mais aucun d'eux ne peut être l'assassin, tout de même ! » Le bailli paraissait très sûr de son fait. « Il y avait encore une vingtaine de marchands et de fonctionnaires, bien sûr, mais ceux-là n'étaient pas allés à Toompea. Quel casse-tête !

— Et cela ne fait qu'empirer. Regarde ce que j'ai trouvé dans la poche de Gallenreutter. »

Melchior exhiba la feuille de papier toute raidie par le sang et la montra à Dorn. Le bailli plissa les yeux.

« Il y a quelque chose d'écrit. On dirait… une chanson ? Je ne vois pas bien.

— C'est une écriture minuscule, reconnut Melchior. Je ne sais pas ce que c'est, mais j'arrive à lire cette strophe :

...trépides, les anges donnent à notre ville un défenseur, plus haut que nous tous.

...ns relâche, la Mort danse autour de leurs noms.

...isible, le secret éternel est gardé par le serment de la chair du premier,

...l autre que les sept n'y a part, comme au corps sacré. »

Dorn secoua la tête. « C'est une chanson ? Ou une devinette ? »

Melchior haussa les épaules. « Je n'en sais rien, je n'y comprends rien.

— Ce bâtisseur construisait peut-être aussi des vers, supposa Dorn. Ou alors c'est un sermon ?

— Ce sont des vers étranges ; des vers très étranges, venant d'un constructeur », dit Melchior. Il voulut ajouter quelque chose, mais il releva la tête, ayant aperçu du coin de l'œil une silhouette vêtue de noir qui s'approchait. Du coin de l'église avait surgi, de manière inattendue, le prieur Eckell, suivi du frère Hinricus. Le prieur avançait à une allure rapide, vu son âge et son état de santé, mais de loin on voyait déjà que ses maux ne lui avaient pas accordé de rémission : il boitait, soufflait, et Hinricus semblait prêt à le soutenir à tout instant.

« Gallenreutter ! Gallenreutter a été tué ? s'écria de loin le révérend père, d'une voix étranglée. Est-ce vraiment possible ?

— Oui, révérend père, c'est bien le bâtisseur de Saint-Olav. L'assassin de Toompea lui a tranché la tête pendant la nuit », répondit Dorn en s'inclinant.

Le prieur s'approcha, et en découvrant le corps décapité il eut un sursaut et fit un signe de croix. Hinricus, blanc comme un linge, se tenait derrière lui et marmonnait une prière.

« Le Seigneur a voulu que ce ne soit pas la seule mort à déplorer cette nuit à Tallinn », dit Eckell d'un ton lugubre. Il était d'une pâleur extrême, le visage presque gris, et son œil gauche clignait nerveusement lorsqu'il releva le regard. « Messire bailli, selon le droit canon vous n'avez pas de pouvoir dans l'enceinte du couvent, mais je vous prie cependant de venir chez les dominicains. Melchior, s'il vous plaît, venez aussi.

— Révérend père, est-ce qu'au couvent aussi… s'exclama Melchior, effaré.

— C'est le frère Wunbaldus, dit Eckell. Le Seigneur l'a rappelé à lui. Je souhaite que vous le voyiez.

— Frère Wunbaldus ! Mort ? s'écria Dorn. Il a été tué ? »

Le prieur baissa les yeux et trébucha. Hinricus le soutint et dit : « Il n'était pas là ce matin à la prière. Il n'était pas non plus à son poste à la brasserie. Le révérend prieur a dit la messe matinale des Têtes-Noires, puis nous sommes partis à sa recherche. Il est mort dans d'atroces souffrances. »

19

Couvent des dominicains
18 mai, tôt le matin

L'habit noir des dominicains doit nous faire souve-
nir que nous sommes tous mortels et égaux devant la
mort, pensait Melchior lorsqu'il franchit de nouveau
le porche du couvent. Aujourd'hui le jardin était plus
silencieux ; la mort respirait en ces lieux, la mort dont
le souffle est fait de silence et de froid, dont la présence
fait craindre d'élever la voix, comme si la faucheuse
n'était pas encore repartie, cherchait sa prochaine
victime et risquait d'entendre. Peut-être se prome-
nait-elle ici même, dans quelque recoin ombragé du
jardin, sous les arbres fruitiers, là où le frère Wunbaldus avait coutume de travailler, au milieu des plates-
bandes de plantes médicinales ou de légumes, tracées
au cordeau, où il allait sans aucun doute cueillir la
menthe et le cresson pour parfumer sa bière. Le manteau de la mort flottait au-dessus du couvent ; un des
frères venait de partir, mais ce n'était pas un départ
ordinaire, Melchior l'avait senti tout de suite, bien que
le prieur et Hinricus n'aient presque rien dit. Le deuil
planait dans l'air, mais aussi l'inquiétude, plus noire
que l'habit des moines, une inquiétude plus profonde
que la certitude de l'inévitabilité de la mort. Cette

mort-ci avait quelque chose d'anormal, sans quoi le prieur n'aurait pas demandé au bailli de venir.

Ils avancèrent en silence. Hinricus ouvrit la porte grinçante de la cellule de Wunbaldus. Le prieur fit le signe de la croix et Hinricus baissa les yeux ; le bailli jeta à Melchior un regard interrogateur, puis il se baissa pour passer sous le linteau et pénétra dans la pièce. Melchior le suivit.

Tout semblait être ici comme la fois précédente : les reliquaires sur l'étagère, le mur du cloître monté jusqu'à mi-hauteur et par-dessus lequel une lumière sourde pénétrait dans la cellule, la chaise, la table, la cruche d'eau, deux chopes de bière, la boîte des pièces d'échecs, le lit, sur lequel – seule différence – Wunbaldus était étendu. L'âme s'était séparée du corps, et cela avait dû se produire dans d'affreuses souffrances. L'air était empuanti. Les dominicains n'avaient pas encore fait la toilette de leur frère défunt.

Le corps raidi de Wunbaldus était recroquevillé, les doigts crispés agrippant sa poitrine, comme s'il avait cherché à arracher de son propre corps la source de la douleur. Il était sur le dos, la tête en arrière, le visage déformé par une grimace épouvantable, et sa poitrine était couverte de vomissures. La tunique blanche de Wunbaldus était ensanglantée, couverte de taches brunes, aussi bien sur le devant que sur les manches.

En découvrant le cadavre, Dorn avait sursauté et s'était figé.

« Il… il est… commença-t-il en bredouillant, incapable de finir sa phrase.

— Pour autant que je connaisse quelque chose à l'art médical, dit le prieur d'une voix rauque, et tous les dominicains en connaissent quelque chose, il est mort la nuit dernière, peu après la prière du soir. Je n'ai pas vu Wunbaldus à la prière, mais il a de nombreuses tâches et nous ne l'avons pas cherché hier soir. J'ai imaginé qu'il était dans sa cellule.

— Et il y était sans doute, marmonna Melchior. Le révérend père n'ignore vraisemblablement pas qu'une mort survenant de cette façon est le signe d'une terrible maladie.

— Pour moi, il était en pleine santé. C'est moi, ici, qui suis à deux doigts de la mort. » Mais le prieur fit un signe de tête à Melchior, et ce dernier s'approcha promptement du cadavre. Il tâta les membres de Wunbaldus, tira sur ses paupières, lui ouvrit la bouche, renifla, écarta sa tunique et inspecta le corps.

« Dieu du Ciel, Melchior, murmura Dorn.

— Est-ce que Wunbaldus ne s'est pas plaint hier de maux de tête, ou d'autres douleurs ? demanda l'apothicaire.

— Non », répondirent le prieur et Hinricus d'une seule voix. Le cellérier s'inclina et recula légèrement.

« Il n'a rien signalé. Personne ne l'a entendu se plaindre », déclara Eckell.

Melchior réfléchit un instant. Puis il demanda : « Révérend père, s'il vous plaît, dites-moi quelles ont été ses activités hier au couvent.

— Wunbaldus ? Les mêmes que d'habitude. Il a passé une partie de la matinée à la brasserie, puis je l'ai vu plus tard dans cette cellule nettoyer les reliquaires, pendant que les frères étaient occupés à lire les Écritures. Après le repas, il est sorti mendier.

— Les frères convers ne vont donc pas au scriptorium ? J'avais cru comprendre que Wunbaldus connaissait très bien les Écritures.

— Oh oui, il savait lire et écrire. Tallinn n'était pas son premier couvent, mais il n'était cependant que convers, et dans notre règle ceux-ci ont d'autres tâches que les frères.

— Mais il connaissait bien l'Écriture sainte ? »

Eckell ne répondit pas tout de suite, il semblait hésiter. Melchior attendit tout en essayant de bouger les doigts raidis du cadavre.

« Il avait l'esprit plus vif que bien des frères, dit pour finir le prieur.

— Quand l'avez-vous vu pour la dernière fois ?

— Hier soir, après vêpres. Il venait des magasins, il s'est dirigé du côté du dortoir des convers, en compagnie de messire Freisinger.

— Et il semblait être en bonne santé ?

— Il se portait aussi bien que d'ordinaire. Il n'avait pas l'allure de quelqu'un qui serait sur le point de succomber à ses douleurs. Et croyez-moi, j'ai vu bien des malades au long de ma vie.

— Et messire Tête-Noire était avec lui ?

— Wunbaldus les aidait sans doute à arranger quelque chose sur l'autel. »

Melchior hocha la tête ; Freisinger venait souvent au couvent. Puis il toucha l'avant-bras du bailli, comme pour le prévenir que ce qu'il allait dire ensuite était important.

« Révérend père, est-ce que vous nous avez fait venir ici parce que vous n'êtes pas certain de pouvoir enterrer Wunbaldus dans le cimetière des dominicains... en terre consacrée ? »

Il y eut un profond silence ; Eckell respira avec difficulté, tandis que Hinricus, sombre, gardait les yeux rivés au sol.

« Je pense qu'il a pu manger une nourriture... avariée », dit enfin le prieur. Mais il n'y avait aucune assurance dans sa voix.

« Pourtant, il a mangé avec les autres convers, la même chose qu'eux. Et tous les autres sont bien portants.

— Les voies du Très-Haut sont impénétrables, murmura Hinricus.

— Sans aucun doute, convint Melchior. Révérend père, bailli, veuillez vous approcher. Je voudrais vous montrer quelque chose. »

Quand les autres s'approchèrent, Melchior souleva l'habit ensanglanté de Wunbaldus.

« Cet homme est mort dans des souffrances effroyables, et ces souffrances lui ont retourné les entrailles, dit alors Melchior. Il a vomi, il a expulsé tout ce qui s'était accumulé en lui durant la journée. Il est mort en se débattant dans les crampes, mort quand il n'a plus réussi à contenir ses renvois, quand ses muscles ont cessé d'obéir à sa volonté. Oui, c'est ainsi que l'on meurt quand on a mangé une nourriture avariée, qui contient son propre poison. Ou on meurt ainsi, également, quand on a avalé du poison. »

Eckell se signa et Hinricus leva les yeux.

« Miséricorde ! murmura Dorn.

— Dites-moi, est-ce qu'aucun des frères convers n'a entendu quoi que ce soit ? demanda l'apothicaire. Lorsque les gens sont en proie à de telles douleurs, ils cherchent de l'aide, en général. »

Eckell garda le silence, Hinricus secoua lentement la tête. Melchior poursuivit :

« Oui, on cherche de l'aide, sauf dans le cas où on ne veut pas de cette aide. Quand on s'est infligé soi-même cette horreur. Cet homme n'a pas appelé à l'aide, il s'est débattu et a souffert dans cette cellule jusqu'à la mort. Le poison présent dans son corps devait être très puissant, car la mort est survenue rapidement, je dirais en une demi-heure environ. À peu près à l'heure des complies, par conséquent. Un empoisonnement aussi violent ne peut pas être causé, par exemple, par du poisson pourri. Et si une nourriture à ce point corrompue se retrouvait sur la table du repas, chacun aurait assez de bon sens pour ne pas y toucher. Cet homme a sans aucun doute avalé du poison. »

Les dominicains savaient cela, évidemment, ou du moins le soupçonnaient. Leur infirmier avait beau être âgé et diminué, même lui était capable de reconnaître le poison. Ils connaissaient tous plus ou moins les remèdes, ils prenaient soin des malades, ils allaient dans les hospices et confessaient les mourants.

« Du poison ? Tu veux dire que Wunbaldus a pris du poison ? demanda Dorn.

— Quelque chose de violemment empoisonné, répondit Melchior en hochant la tête. Quel poison, il est impossible de le dire avec certitude, mais dans un des livres que j'ai à la maison – le *Livre des venins* du révérend magister Ardoyn –, il est dit qu'un homme ressemble à cela lorsqu'il a absorbé une grande quantité d'arsenic blanc, le même poison que… »

Le prieur poussa un soupir déchirant, comme si son cœur était sur le point de lui sortir de la poitrine. Sa voix tremblait et Melchior remarqua qu'il se touchait le torse, peut-être instinctivement.

« Qu'avait découvert Albert le Grand en personne, il y a de cela cent cinquante ans, dit-il d'une voix brisée.

— Qui était lui-même dominicain, si ma mémoire ne me trompe pas. D'ailleurs, Dorn, on dit et on écrit que dans les États du pape et à Milan, l'arsenic est le poison préféré des nobles. On n'en retrouve pas la trace dans les cadavres, il n'a ni couleur, ni odeur, ni goût particulier, c'est une simple poudre blanche, semblable à de la farine. Et fatale.

— Mais nous n'avons pas de ce poison ici au couvent, certainement pas ; nous n'en avons aucun besoin ! » s'écria Hinricus, choqué.

Melchior haussa les épaules, puis il abaissa encore davantage la tunique de Wunbaldus, découvrant son torse.

« Regardez, dit-il d'un air grave. La tunique de Wunbaldus est pleine de sang, mais il n'a aucune plaie récente à la poitrine.

— Par le diable, grommela Dorn en se penchant sur le cadavre. Ce gars-là est criblé de coups d'épée.

— Oui ; quand un homme ne parle pas, son corps peut livrer un témoignage beaucoup plus éloquent », dit Melchior. Il inspecta le cadavre, et Hinricus s'approcha aussi, tandis que le prieur Eckell se retournait et s'affaissait sur la chaise, le regard fixe, perdu dans le vide. Avec l'aide de Hinricus, Melchior retourna le cadavre du malheureux, révélant une masse de chair hideuse à la limite du dos et du cou, comme si quelque avorton dégénéré avait cherché à s'extraire de son corps. Quant aux cicatrices, elles étaient innombrables.

« Bon sang, murmura Dorn, le frère Wunbaldus a pris part à plus de dix batailles.

— Si vous regardez attentivement, reprit Melchior, même dans son dos, ici, sur la bosse, on trouve une ancienne plaie refermée : j'irai même jusqu'à dire que c'est la blessure causée par ce coup de hache qui lui a fait pousser cette bosse.

— C'est étonnant qu'il soit toujours en un seul morceau.

— Étonnant, en effet, mais c'est loin d'être la seule chose étonnante chez cet homme. Il est entièrement couvert de cicatrices, et son corps a naguère été fort et vigoureux, même s'il a beaucoup diminué durant les années passées au couvent, et que cette vigueur ne transparaît plus. C'est là le cadavre d'un soldat, bailli, d'un soldat tué par un poison épouvantable.

— Et cette blessure dans le dos semble avoir été particulièrement profonde », remarqua Dorn. Il leva vers Hinricus un regard interrogateur, mais l'attention du cellérier semblait captée par des voix en provenance du cloître. Secouant la tête, celui-ci sortit de la cellule. Le prieur Eckell était toujours figé sur son siège et respirait péniblement. Melchior s'intéressa de nouveau au cadavre et passa les doigts sur la cicatrice qui traversait la bosse.

« Profonde, en vérité, marmonna-t-il. Tellement profonde que les os ne se sont pas ressoudés comme il faut. » Mais à ce moment il remarqua autre chose et se pencha encore plus près.

« Attends un peu ! Il fait sombre ici, mais si je disposais d'aussi bonnes lunettes que notre maître orfèvre Casendorpe… Enfin pour autant que j'arrive à y voir, il me semble qu'il a une sorte de marque sur la nuque. »

Dorn se pencha lui aussi pour examiner cela de plus près.

« C'est juste sur la cicatrice ; on dirait un signe de propriété marqué au fer rouge, comme sur les vaches. Il me semble reconnaître un E, et un K… »

La peau de Wunbaldus avait beau être criblée de cicatrices en cet endroit, il semblait cependant bien que son corps ait été marqué au fer brûlant. La blessure traversait la lettre E. Melchior fut parcouru d'un frisson : cette marque, à cet emplacement, c'était comme une révélation. Ajoutée à ce que le bailli venait de dire.

« Comme sur les vaches, bien sûr, dit Melchior, frappé de saisissement. Regarde, la cicatrice de la blessure traverse la marque, juste sur le E.

— En effet. Qu'est-ce que ça veut dire ? Je ne savais pas qu'on marquait les moines. En tout cas, c'est un sacré coup qu'il a reçu là. On se demande vraiment comment il a pu y survivre.

— C'est incroyable qu'il s'en soit tiré, en effet, proprement incroyable. Le malheureux mentait lorsqu'il se prétendait bossu de naissance. Sans doute vous avait-il menti également, révérend père ? »

Eckell ne comprit pas tout de suite qu'on lui parlait ; il parut se réveiller, sursauta et regarda Melchior d'un air absent.

« Oui, oui, marmonna-t-il précipitamment. Il nous a sans doute trompés… Du poison, disiez-vous, Melchior ? De l'arsenic ? De l'arsenic blanc ?

— Je ne saurais le jurer, aucun docteur ne le pourrait, mais c'est ce que je suppose. Tous les apothicaires connaissent les poisons et leurs effets. »

Hinricus était réapparu sur le seuil de la cellule, accompagné, au grand étonnement de Melchior, par Rode, le curé du Saint-Esprit, qui paraissait effrayé et bredouillait. Hinricus s'approcha aussitôt du prieur, lui chuchota quelque chose à l'oreille et ressortit ensuite. Rode jeta un regard craintif à l'apothicaire et au bailli, après quoi seulement il remarqua derrière eux le cadavre tourné sur le ventre.

« Vénéré prieur, messire bailli… » Les mots se mêlaient dans la bouche du curé. Melchior ne se souvenait pas de l'avoir jamais vu dans un tel état d'excitation. Lorsqu'il était en chaire, il lui arrivait, certes, de cracher le feu et la poix, et s'il avait la tête embrumée par la bière il pouvait employer pour annoncer la miséricorde divine des paroles bien profanes ; cependant, âgé d'à peine quarante ans, c'était malgré sa constitution frêle un serviteur de Dieu fidèle et à l'âme bien trempée, et Melchior ne l'avait jamais vu aussi effrayé. Le prieur leva les yeux, mais il était toujours perdu au loin, dans ses pensées. Il ne semblait même pas réaliser la présence du nouveau venu. Rode le salua maladroitement, puis il se retourna pour voir le cadavre. Ses mains tremblaient.

« J'ai entendu dire que le frère Wunbaldus… bredouilla-t-il en cherchant ses mots. Est-ce que cet homme… Est-ce que c'est Wunbaldus ? Il est mort ? »

Melchior saisit le cadavre par les bras et, avec l'aide du bailli, le retourna de nouveau, de sorte que son visage figé par la mort fixait maintenant Rode. Le curé tressaillit.

« C'est bien Wunbaldus ? Et ce bâtisseur de Westphalie, aussi ? On dit que l'assassin de Toompea… »

Eckell parut se réveiller ; il se secoua et se mit debout.

« Qu'est-ce qui vous amène chez les dominicains, monsieur le curé ? demanda-t-il.

— J'étais venu pour… J'ai entendu que cette nuit, le frère Wunbaldus était… » Rode était troublé. Il regarda le cadavre, puis le prieur. Il avait l'air d'être arrivé là sans trop savoir pourquoi ni comment.

« Oui, le Seigneur l'a rappelé à lui. Nous prions pour le salut de son âme, dit Eckell.

— Il est couvert de sang ?!

— Son vêtement est couvert de sang, mais comme l'apothicaire nous l'assure, il n'est pas mort de blessure. »

Melchior intervint. « Il n'est certainement pas mort de blessure, ni d'avoir perdu son sang. On compte sur lui davantage de blessures que sur bien des soldats, mais elles se sont refermées depuis des années déjà. Il est mort empoisonné.

— Empoisonné ? Il a bu du poison ? Lui-même ? » Rode lançait question sur question, mais il n'osait toujours pas s'approcher du corps. Melchior l'observa attentivement. Cet homme avait peur de quelque chose, il était réellement terrorisé.

« Nous ne pouvons pas encore le dire. Nous ne connaissons aucune raison qui aurait pu le pousser à commettre un tel acte, dit le prieur.

— Et d'ailleurs, il n'y a pas de poison dans le couvent, ajouta doucement Melchior.

— Que le Seigneur Jésus ait pitié de son âme, si c'est ce qui s'est passé, révérend père ! Dans ce cas, il vous faudrait faire traîner ce malheureux par des chevaux à travers la ville, jusqu'au gibet, et le pendre ! déclara brusquement le curé.

— Monsieur le curé, nous ne savons pas encore s'il a pris le poison de lui-même, dit sèchement Eckell.

— Je ne vois pas pourquoi ce malheureux aurait bu du poison, grommela Dorn. Mais, Melchior, pourquoi y a-t-il autant de sang sur son habit ?

— Je n'en sais rien. Du moins pas encore. Une chose est sûre, en tout cas, c'est que cela ne peut pas être son propre sang.

— Cela ne peut pas être son propre sang… » répéta Eckell songeur, avant de se figer à nouveau. La situation était étrange, avec Rode contemplant le cadavre de loin et le prieur quittant de nouveau le monde terrestre pour se réfugier dans ses pensées surnaturelles. Melchior eut l'impression que chacun de ces deux hommes savait quelque chose qu'il ignorait. Dorn lui lança un regard muet : il semblait qu'il était temps pour eux de quitter le couvent. Melchior lui fit un signe d'assentiment de la tête, mais il couvrit d'abord le cadavre d'une couverture. Le Wunbaldus vivant, que l'on connaissait comme brasseur talentueux et dominicain infatigable… qui était-il vraiment ? Mort, il se révélait porteur de mystères et de secrets que l'on ne soupçonnait pas de son vivant.

« Qui était le frère Wunbaldus, révérend père ? demanda Melchior doucement. D'après ses blessures, il a dû jadis être soldat ?

— Qui était-il ? répéta Eckell d'une voix faible. Un homme qui se repentait de ses fautes. Une âme égarée. »

Melchior hocha la tête. « C'est notre lot à tous.

— Si elle suit la parole du Seigneur, une âme égarée trouve toujours le bon chemin, assura Rode avec vigueur.

— Pour certains, il est peut-être déjà trop tard, dit Melchior.

— Non, pour le frère Wunbaldus il n'était pas trop tard, répondit Eckell.

— Est-ce que vous connaissiez cet homme avant qu'il devienne frère convers ici, à Tallinn ?

— Cet homme ? Si je le connaissais ? Oui et non. Il était venu ici expier ses péchés, et son chemin d'expiation n'était pas encore fini. » Le regard du prieur erra sur le mur de la cellule, sur la muraille de pierres calcaires passées à la chaux, et il semblait parler à la fois à Melchior et à quelqu'un d'autre, peut-être à lui-même, pensant à voix haute. « Il ne sera jamais fini, et il le savait. Il était soumis et résigné, il savait qu'il ne verrait jamais le royaume de Dieu, mais il croyait cependant qu'il pourrait s'en approcher, d'un petit pas peut-être, mais tout de même s'en approcher. Et tout en sachant qu'il lui resterait toujours une trop grande distance à franchir – car pour certaines personnes la vie entière n'y suffirait pas –, il croyait néanmoins, et il expiait. Est-ce que je connaissais cet homme ? Oui et non. Dieu avait châtié son corps, mais il lui avait laissé son âme, qu'il désirait si ardemment sauver. Peut-être pourtant n'est-ce pas ce qui lui était échu.

— Est-ce qu'il est mort sans confession, seul dans cette cellule ? demanda soudain Rode.

— Oui, et son chemin en sera d'autant plus long. Il est resté toute la soirée dans sa cellule, et il est mort en proie à des douleurs inimaginables.

— Pourquoi posez-vous cette question, monsieur le curé ? » s'enquit Melchior.

Le curé parut se troubler, puis il prit une décision. « Cet homme, frère Wunbaldus, n'a pas passé toute la soirée d'hier dans le couvent, il est allé… il est allé… à l'église du Saint-Esprit, et…

— Il est venu se confesser ? » s'écria Melchior en comprenant soudain. Cela expliquait aussi la visite de Rode au couvent. « Il est allé à l'église et a demandé à être entendu en confession ?

— Non, c'est impossible, c'est impossible ! s'exclama Eckell.

— Pourquoi impossible, si messire Rode l'affirme ? Vous avez dit vous-même que vous ne l'aviez pas cherché hier soir, que vous l'aviez vu pour la dernière fois avant le prêche, et pas plus tard. Il pouvait bien sortir du couvent, non ?

— Même, c'est impossible, il ne serait pas allé se confesser à l'église du Saint-Esprit.

— Je maintiens qu'il est venu à l'église du Saint-Esprit, dit Rode.

— Attendez, attendez un peu ! dit alors le bailli. Vous voulez dire qu'il est allé à l'église se confesser, qu'il est revenu au couvent et qu'il a bu du poison ?

— Il n'est pas revenu tout de suite, il… » répondit Rode aussitôt, mais le prieur leva le bras et s'exclama : « C'est le secret de la confession, messire Rode, le secret sacramentel ! » Mais ce cri sembla lui avoir coûté ses dernières forces ; suffoquant, il se leva, porta ses mains à sa gorge et inspira. Melchior et Dorn se précipitèrent pour le soutenir. Rode s'écria :

« Le prieur se sent mal ! Vite, appelez quelqu'un ! »

Pourtant, Eckell retrouva sa voix ; la sueur lui perlait au front tandis qu'il dit d'un ton rauque : « J'ai autorité là-dessus, je l'ai encore. Je peux vous délier, et l'évêque de Tallinn le peut aussi. Et je le veux, je le veux… Jamais Wunbaldus ne laisserait son corps être traîné dans la boue par les chevaux, jusqu'au gibet, jamais ! Il a déjà sauvé la vie de trois saints hommes, et tous les dominicains ont cette dette envers lui, à tout jamais… »

C'étaient des paroles obscures, et si le prieur voulait vraiment dire quelque chose, Melchior en tout cas ne le comprenait pas. Le frère Hinricus arriva en courant sur ces entrefaites, accompagné de deux autres moines et de l'infirmier du couvent. Soutenant le prieur, ils le conduisirent en direction de l'étuve, pour lui administrer une saignée. Il était temps pour Melchior et Dorn de s'en aller.

20

Entre le couvent des dominicains et l'hôtel de ville
18 mai, avant midi

Un peu plus tard, Melchior et Dorn marchaient en direction de la place du marché ; le vent avait éparpillé les sombres nuages du matin et les premiers rayons de soleil chauffaient les pavés. De la mer soufflait une brise salée.

« Cette histoire est de plus en plus confuse, dit Dorn, rompant le silence d'un ton accablé.

— *Cette histoire ?* demanda Melchior.

— Bien entendu ! Ne t'en défends pas, tu penses la même chose que moi, répondit le bailli avec impatience. C'est comme si Clingenstain avait lâché une sorte de machine à tuer sur la ville.

— Tu crois donc que toutes ces morts ont…

— Un lien entre elles ? Sans aucun doute. Clingenstain a attiré un fléau sur la ville.

— Ça en a bien l'air, marmonna Melchior.

— Bon sang, si seulement je comprenais ce qui se passe vraiment, dit Dorn. Écoute un peu : Clingenstain arrive, il achète une chaîne d'or, il se dispute avec Tweffell, il se confesse au prieur. Ensuite – après sa confession – quelqu'un lui coupe la tête et décapite de la même manière, deux jours plus tard, ce malheureux bâtisseur qui était originaire de la même ville et qui voulait parler de quelque chose au chevalier. Et maintenant Wunbaldus est mort lui aussi, il était à Toompea et il a pu entendre ou voir quelque chose là-haut.

— Tu as l'air d'avoir une idée à propos de tout cela, murmura malicieusement Melchior.

— C'est vrai, reconnut le bailli. Si on regarde les choses de cette manière, j'ai en effet comme une idée, mais je n'arrive pas bien à la saisir. Melchior, est-ce que tu crois possible qu'il ait confessé au prieur quelque chose qui... » Il se tut et, plein d'expectative, regarda son ami.

Melchior haussa les épaules. « Je devine dans quelle direction tu te diriges, mais il nous manque encore plusieurs fragments de la mosaïque, c'est eux qu'il nous faut chercher.

— Et ce Gallenreutter, avec son histoire à propos d'un homme astucieux qui saurait lire les traces laissées par un meurtrier ? On dirait qu'à force de parler il s'est condamné lui-même.

— L'assassin lui a tendu un piège le lendemain, dit Melchior pensif. Il a préparé la hache et a invité Gallenreutter le soir près de Saint-Nicolas. Pourquoi il a choisi cet endroit-là, ce n'est pas bien difficile à deviner, c'est à l'abri des regards. Tu peux demander aux gardes s'ils ont vu quelqu'un rôder dans la ville après neuf heures, mais à mon avis le crime a été commis avant cette heure, car ce meurtrier est très prudent. Et après neuf heures, quand il fait noir, personne ne va traîner derrière Saint-Nicolas. Il y a pourtant dans cette ville d'autres lieux discrets, dans les jardins, contre les remparts... Il a dû être couvert de sang, et de deux choses l'une, soit il s'est débarrassé de ses vêtements tachés, soit il n'avait que peu de chemin à faire depuis Saint-Nicolas, et il a réussi à se dérober aux regards.

— Bien entendu, il a dû être couvert de sang, convint Dorn. Mais dis-moi, comment le malheureux Wunbaldus a-t-il pu se retrouver plein de sang, s'il n'avait pas de blessure récente ?

— Il y a une idée curieuse qui nous vient tout de suite à l'esprit, bailli, c'est vrai, mais il ne faut peut-être pas se presser de la formuler.

— Tu veux dire que… »

Melchior attrapa le bailli par la manche et secoua la tête.

« Non, je ne veux rien dire pour le moment. Est-ce que tu as remarqué qu'il y avait dans la cellule de Wunbaldus deux cruches en terre, celles qu'on utilise d'ordinaire au couvent pour boire la bière ?

— Comme si Wunbaldus avait bu de la bière avec quelqu'un d'autre ?

— Cela semble probable. Cela pourrait être l'un des frères, bien sûr, mais messire Freisinger était hier au couvent, lui aussi. »

Dorn regarda son ami d'un œil ahuri. « Tous les jours il passe quelqu'un des Têtes-Noires au couvent, Melchior ! Comme si tu ne le savais pas ! Freisinger n'a pas l'air d'avoir le moindre rapport avec cette histoire, il n'était même pas à Toompea.

— Il n'y est pas allé, acquiesça Melchior. Je ne veux pas dire pour autant que c'était forcément un de ceux qui étaient à Toompea ce jour-là qui a tué le chevalier. Mais commençons par examiner quelles affaires les gens de la ville avaient avec Clingenstain, et nous finirons peut-être par aboutir petit à petit à la vérité. Freisinger ne peut pas être l'assassin, déjà, parce qu'à l'heure du crime il était chez les dominicains. Mais il reste qu'il a renoncé à la fille de l'orfèvre, avec précipitation et de façon inattendue, et j'aimerais bien savoir pourquoi. Et au fait, bailli, est-ce que tu as remarqué qu'il n'y avait aucune trace de sang, sur le sol ou sur les murs de la cellule, ni sur la porte ni dans le cloître : seul l'habit blanc de Wunbaldus était ensanglanté. »

Dorn hocha la tête. C'était une des nombreuses énigmes qui se présentaient à eux.

Melchior poursuivit : « Je crois que nous devrions aller faire un petit tour à l'église du Saint-Esprit, et aussi parler avec les autres maçons de Saint-Olav. Je repense toujours à cette espèce de cercueil que le malheureux Gallenreutter avait déterré. Et au fait, ce morceau de papier déchiré que j'ai trouvé dans la poche de Gallenreutter, tu te souviens ? Est-ce que ce n'est pas une étrange chanson pour la poche d'un bâtisseur ? »

Melchior sortit à nouveau le morceau de papier et le lut à haute voix. Dorn écouta en secouant la tête. Ce n'était pas tiré de l'Écriture, c'était quelque devinette, ou une chanson.

« *Quelqu'un apportera un protecteur à notre ville, plus haut que nous tous*, lut Melchior. *Quelqu'un danse autour de leurs noms*... Bon sang, si seulement j'arrivais à lire les mots qui sont écrits sous cette tache de sang ! *La chair garantira la promesse*... Tu as déjà entendu une chose pareille ? *Sept auront part au corps sacré.*

— Confus et stupide, fit Dorn. Une farce, faite par des hérétiques.

— Des hérétiques ? murmura Melchior. Intéressant.

— En tout cas, tout cela m'a donné soif, dit le bailli. Et j'ai faim, aussi. Je crois que je vais passer dans cette taverne derrière la porte de l'Argile, et engloutir une bonne soupe de harengs, personne ne la prépare mieux que la vieille de Kiruna qui est là-bas. La bière y est affreuse, c'est vrai, et avec Wunbaldus, Tallinn a perdu son meilleur brasseur. Bon sang, je me demande bien comment on va faire pour trouver son pareil.

— Oh, ce n'était pas seulement un brasseur de talent, fit remarquer Melchior. Mais qu'il repose en paix et que les frères prient pour le salut de son âme, même si pour le moment ils ont davantage à s'inquiéter de remettre leur prieur sur pieds.

— Qu'est-ce qui lui arrive, à ton avis ? Eckell a l'air bien malade, et il me semble aussi que ses pensées ne sont plus tout à fait claires. »

Melchior secoua la tête. « Il est malade, c'est vrai. Il a l'air épuisé, mais la saignée le remettra sûrement d'aplomb. Il est troublé, me semble-t-il. Il a un souci, quelque chose le tracasse de façon terrible, cela se voit.

— Et je me demande bien, une fois encore, ce que ce commandeur de Gotland a bien pu lui raconter de si terrible en confession, pour qu'après cela tout le monde se mette à mourir, un par un », grommela le bailli.

Ils s'immobilisèrent au coin de la place du marché, sur laquelle régnait l'agitation habituelle. Melchior prit congé du bailli, qui se hâta d'aller manger sa soupe de harengs. L'apothicaire, lui, résolut de chercher le boucher qui préparait ces excellentes saucisses au gruau, et de les faire griller par Keterlyn, avec de la choucroute, pour le repas. Mais il ne faisait que penser à Wunbaldus, à Eckell, et au poison qui avait abrégé la vie du malheureux convers. Devant ses yeux apparut la grimace mortuaire de Wunbaldus, son visage déformé par la douleur et l'asphyxie, un visage dans lequel semblait se lire l'étonnement de devoir mourir de cette façon. Pourquoi Eckell leur avait-il demandé de venir au couvent ? Le prieur était troublé et effrayé, c'était certain, il semblait vouloir une confirmation de ce qui était une évidence, que Wunbaldus était mort empoisonné, et il semblait vouloir montrer à l'apothicaire et au bailli quelque chose qu'il n'osait pas dire avec des mots.

21

Sur l'échiquier
18 mai, en milieu de journée, après le repas

Le Conseil avait l'habitude de se réunir de temps en temps à l'église du Saint-Esprit, qu'on appelait parfois, pour cette raison, chapelle du Conseil. Il n'y avait pas de séance en ce jour, les conseillers étaient venus la semaine précédente et avaient débattu sur la teneur des lettres à écrire au commandeur de Turku et au comptoir de Novgorod, car tous ces gens s'accusaient mutuellement de piraterie. Les Vitaliens avaient, certes, disparu des mers environnantes, mais les seigneurs avides ne cessaient pas de piller les navires échoués sur des récifs, rejetant la responsabilité sur des pirates qu'ils poursuivaient toujours sans jamais parvenir à les capturer. Aussi longtemps qu'on transporterait des marchandises par la mer, la piraterie durerait. Mais à cette heure, l'église du Saint-Esprit était vide. Melchior entrouvrit doucement la porte grinçante et pénétra dans la fraîcheur de l'édifice. Le sacristain, Holte, vint à sa rencontre pour demander ce que désirait l'apothicaire, et il ouvrit des yeux ronds lorsque Melchior lui dit qu'il avait besoin de jeter un coup d'œil au confessionnal.

« Au confessionnal ? demanda le sacristain sans comprendre. Messire l'apothicaire désire se confesser ? Dans ce cas il lui faudra attendre monsieur le curé.

— Non, non, se hâta de répondre Melchior. Je voudrais juste regarder. Quelqu'un est venu se confesser ici, hier soir, tard ?

— En effet, confirma le sacristain. Il est venu quelqu'un – très tard, il faisait déjà nuit. Qui, je n'en sais rien. Messire Rode était seul ici, moi j'étais à la sacristie. »

Depuis, apprit Melchior, personne d'autre n'était venu se confesser, et personne n'avait même pénétré dans le confessionnal. Il s'y fit conduire et se livra à une inspection minutieuse, scruta le plancher et les parois, tout en poussant de petites exclamations.

« Personne n'a fait le ménage ici ? demanda-t-il au sacristain. On n'a rien nettoyé ? Des taches de sang, par exemple ?

— Des taches de sang ? répondit l'autre, interloqué. Il n'y avait pas la moindre tache de sang ! Messire apothicaire, c'est un confessionnal, tout de même ! »

Un peu plus tard, suivant la rue Longue en direction du port, il se rendit à l'église Saint-Olav. Sur le flanc sud, derrière le cimetière, là où l'on construisait la nouvelle chapelle, il y avait aujourd'hui beaucoup de monde, et une grande agitation. Des blocs de pierre extraits d'une carrière avaient été amenés par des charrettes, ainsi que des poutres et des planches, mais les charpentiers, maçons, terrassiers, porteurs, manœuvres et autres ne savaient pas quoi en faire, car leur chef avait été décapité le matin même et ses aides ne savaient pas quoi leur dire. Il faudrait sans doute que le Conseil engage un nouveau maître bâtisseur, mais qui se risquerait à accepter ce poste, avec le meurtrier de Toompea qui abattrait aussitôt sa hache ? Melchior prêta l'oreille, il entendit un compagnon forgeron parler d'une ancienne malédiction qui frappait tous les bâtisseurs de Saint-Olav, tandis qu'un charretier prétendait connaître l'endroit exact où le constructeur du clocher de l'église était jadis tombé mort. Melchior, lui, se fraya un chemin parmi cette masse de gens et s'intéressa aux fondations de la nouvelle chapelle. Il constata que le sol avait bien été soigneusement creusé sur tout le pourtour, et que les fondations et les poutres de la vieille église avaient été démantelées et rangées en tas. Au bout d'un moment, il aperçut au milieu d'autres ouvriers le compagnon maçon qui était venu à Saint-Nicolas le matin : il l'attira à l'écart et lui demanda de lui faire voir à quel endroit ce coffre avait été exhumé. Le garçon le lui montra : c'était sur le bord est des anciennes fondations, tous les gravats avaient déjà été entassés.

« Il y avait des os là-bas, expliqua un garçon, peut-être bien un crâne, aussi, je n'ai pas bien vu. Quelqu'un a dit qu'il faudrait enterrer tout ça ailleurs, mais maître Gallenreutter a dit qu'il s'en occuperait avec le curé, et il a emporté le coffre. »

Au milieu de tout ce tohu-bohu, Melchior finit par trouver le curé de Saint-Olav, mais celui-ci, brusque et acariâtre, déclara brutalement que Gallenreutter ne lui avait montré aucun coffre et ne lui avait jamais parlé d'ossements. Que d'ailleurs l'endroit avait jadis servi de cimetière, et que de toute façon, avec toutes ces guerres et toutes ces batailles, où qu'on plante sa pelle, on tombait toujours sur des os.

L'apothicaire se rendit ensuite aux écuries de la colline des Cordiers, et il échangea quelques mots avec le palefrenier qui s'était occupé du cheval de messire

Tweffell. Les écuries étaient contiguës au couvent des moniales ; elles avaient été construites récemment, quand les chevaux de la ville étaient devenus trop nombreux pour tenir tous dans les écuries des cours d'artisans, au pied de Toompea. On gardait ici aussi bien les chevaux des soldats que ceux des guildes, et le vieux Tweffell y laissait le sien parce que c'était plus tranquille. Deux chevaux avaient eu un membre brisé il n'y avait pas si longtemps, dans ces écuries du pied de Toompea où l'on travaillait sans relâche, fondant des canons, sciant des planches, et le vieillard craignait pour le sien. Il y avait plus de calme sur la colline des Cordiers, et on n'y avait encore jamais vu un cheval sain crever sans raison, comme l'expliqua le palefrenier. Le soir tout allait bien, le matin aussi, mais subitement il avait été comme ensorcelé, il s'était effondré, pris de crampes, la bouche écumante, et le palefrenier l'avait alors assommé d'un coup de masse, avec l'autorisation du marchand, afin de mettre un terme à ses souffrances. Les autres chevaux, eux, se portaient tous bien : ils avaient mangé le même foin et bu la même eau sans en ressentir le moindre mal.

Melchior ne se hâtait toujours pas de rentrer chez lui. Il bavarda encore quelque peu avec le palefrenier, s'intéressant à ce qui se racontait en général, et il ne s'en alla qu'au bout d'un moment. Au fil de la journée, on put voir l'apothicaire dans plusieurs débits de bière installés le long des remparts, on put le voir pénétrer chez les tanneurs, dans les ateliers des tailleurs de pierres, chez des cordonniers et des cordiers, posant à chaque fois des questions sur les marchandises, parlant de tout et de rien, jusqu'à ce que la conversation dérive vers le meurtrier de Toompea. Sur ce sujet, les rumeurs étaient très variées. Von Clingenstain, ce puissant chevalier de l'Ordre, avait été littéralement découpé en morceaux sur Toompea : on lui avait tranché la tête, les jambes et les bras. Ou alors on l'avait pendu par les pieds avant de le décapiter et d'accrocher sa tête à un clou. Ou encore on avait fiché cette tête sur un pieu planté dans la muraille de Toompea, ou on l'avait jetée dans la boue. De la même façon, il se disait tout et son contraire sur ce que le meurtrier de Toompea avait fait de la tête du pauvre Gallenreutter. Des ragots, ce n'était que cela – quelqu'un connaissait quelqu'un qui avait entendu dire par quelqu'un qui avait vu que… Mais tout le monde était d'accord sur un point : sur les deux cadavres, la tête avait été tranchée et exposée quelque part. Le meurtrier fou de Toompea rôdait en ville et cherchait ses prochaines victimes.

En arrivant à la maison, Melchior trouva quantité de marques détaillant les ventes que Keterlyn avait réalisées dans la journée, et il passa un bon moment à remplir son livre de comptes. Les affaires avaient bien marché, mais en ce jour Melchior n'arrivait pas à s'en réjouir. Il traça des colonnes sur le papier rêche et y inscrivit les chiffres et les symboles concernant les transactions opérées, comme son père le lui avait enseigné, car il ne servait à rien d'écrire des mots en entier – surtout quand on n'était pas certain de la manière correcte de les écrire : les signes et les symboles fournissaient une indication tout aussi claire. De plus, si un œil étranger venait à se poser sur tout cela, il ne comprendrait pas de quoi il s'agissait. Tout devait concorder dans le livre de comptes : il était impossible que de l'argent surgisse de quelque part comme par la grâce de Dieu, ou vienne à diminuer, sans qu'existe dans le livre, dans un cas comme dans l'autre, la trace correspondante. Tout avait une raison, et tous les événements s'accordaient les uns aux autres. Lorsque Melchior vit ses comptes tomber juste, son esprit s'allégea quelque peu. Mais, ramenant à nouveau ses pensées aux morts de Tallinn, il fronça les sourcils et serra plus convulsivement sa plume qui se mit à accrocher sur la page. Eux, c'était une tout autre histoire ; ce qui avait semblé tout simple au premier abord s'était compliqué, tandis qu'il regardait maintenant comme limpides des choses qui avaient commencé par lui paraître impossibles. Achevant ses comptes, l'apothicaire posa son regard sur un petit sac contenant les pièces d'un jeu d'échecs et un plateau en bois carré, posés sur une table dans un coin de la pièce. Keterlyn avait emprunté le jeu de sa généreuse voisine.

Melchior se versa une chope de bière et étala les objets devant lui. Passant la main sur les pièces de bois, il se souvint. Son père lui avait appris à reconnaître le *roi*, la *dame*, les *fous*, les *cavaliers*, les *tours* et les *pions* ; il savait que l'on gagnait une partie quand on avait mis le roi adverse dans une situation telle qu'il serait nécessairement capturé au prochain coup, ou quand on avait fait prisonniers tous ses défenseurs, c'est-à-dire toutes les autres pièces. Lorsque son destin était scellé, le roi pouvait aussi se rendre, et c'était de même une victoire pour son adversaire. Regardant les pièces noires et blanches, il lui revint involontairement à l'esprit l'habit des dominicains, blanc pour proclamer l'amour de Dieu et noir pour nous rappeler notre mortalité et le devoir de nous soucier du sort de notre âme. Il se souvenait avec précision de la disposition des pièces sur l'échiquier aperçu chez les dominicains : elles étaient peu nombreuses, et il les plaça de la même façon. Qui était en train de gagner ?

Les noirs ? Les blancs ? Wunbaldus ? Le prieur ? N'était-ce pas un moment étrangement choisi pour jouer aux échecs, au beau milieu de la journée, alors qu'aussi bien Eckell que Wunbaldus devaient avoir de multiples occupations ? Absorbé dans la contemplation du jeu, Melchior ne s'aperçut pas que la fière silhouette de Clawes Freisinger avait fait son apparition sur le seuil.

« Mille saluts ! lança enfin Freisinger, après avoir apparemment patienté un certain temps sans que Melchior ne le remarque. On ne travaille donc pas ici, aujourd'hui ?

— Messire Freisinger ? » L'apothicaire leva la tête. « Messire Tête-Noire !

— Je viens d'entendre de tristes nouvelles, Melchior, dit Freisinger en reprenant son sérieux. Mais c'est peut-être une maladie dont on ne trouve pas le remède ici. » Il entra et s'approcha du comptoir.

« Caspar Gallenreutter et le frère Wunbaldus, dans la même journée, répondit Melchior en chassant les échecs de son esprit. Puis-je être de quelque utilité à messire Tête-Noire ?

— Si seulement… soupira Freisinger. J'étais venu voir Kilian, mais il a disparu je ne sais où. Je voudrais qu'il vienne ce soir avec son instrument, parce que les musiqueux qui viennent jouer chez nous d'habitude accompagnent aujourd'hui le conseiller Herberstein dans son manoir. Du coup, j'ai eu l'idée d'entrer chez vous un instant… » Il se tut, puis secoua la tête et reprit, comme énervé contre lui-même : « Mais non ! Pourquoi tourner autour du pot ! Je cherchais Kilian, c'est vrai, mais je voulais aussi dissiper toutes ces mauvaises nouvelles en tâchant d'en entendre de meilleures. Que se passe-t-il à Tallinn, Melchior ?

Est-ce qu'on a lâché sur la ville une sorte de bourreau dément ?

— Je ne peux pas encore répondre avec précision, bredouilla Melchior. Mais vous avez mentionné la soirée… Est-ce que… ? »

Freisinger hocha la tête. « Oui, moi aussi j'ai commencé par penser qu'il valait mieux reporter la dégustation de bière, maintenant que le meilleur brasseur de la ville est mort, mais le prieur m'a fait dire qu'il ne fallait rien annuler sous prétexte du repos de l'âme de Wunbaldus, et que tout devait se dérouler comme d'habitude. J'en ai été très surpris, car la guilde de Saint-Olav a fait dire une messe à l'église pour maître Gallenreutter, et notre soirée aurait l'air d'une fête en temps de peste. Mais d'un autre côté, une fois qu'on a convenu de quelque chose, il faut s'y tenir. Nous ne pouvons pas laisser le meurtrier de Toompea assassiner nos bonnes habitudes.

— Bien sûr que non, murmura Melchior.

— J'ai entendu dire, au couvent, que vous êtes passé ce matin avec messire bailli examiner le cadavre de ce pauvre Wunbaldus. Il est maintenant à la chapelle, en attente de la décision du prieur. Le bruit court là-bas qu'il aurait bu de lui-même du poison. Melchior, dites-moi ce qu'il faut penser de ces rumeurs.

— Il faut nous conduire avec le plus de discernement possible, ne pas tenir pour vrai ce qui n'a pas été prouvé et ne penser en toutes choses que ce dont nous avons la certitude. Messire Freisinger, vous êtes peut-être le dernier à avoir vu Wunbaldus vivant ? » Melchior avait changé de sujet de façon si brusque qu'il en resta lui-même comme interdit. Sa question pouvait paraître déplacée à Freisinger, ou même impolie. Le marchand se contenta pourtant de hocher la tête d'un air sérieux : l'apothicaire remarqua son regard limpide, pénétré d'un éclat de tristesse.

« Je crois bien avoir été l'un des derniers, acquiesça Freisinger. J'avais à faire au couvent : Hinricus et moi devions faire nos comptes, car il semblait y avoir une erreur quelque part – il fallait acheter des cierges pour notre autel, mais nous ne tombions pas sur les mêmes chiffres. Nous sommes descendus au magasin pour compter les cierges, et là nous avons trouvé Wunbaldus qui s'affairait auprès des balances à grains, occupé à peser le nécessaire pour un nouveau brassin.

— Ses pensées allaient donc à la fabrication de la bière, pas à la prise de poison ? insista Melchior.

— Seigneur, comment pourrais-je savoir à quoi il pensait ! Nous avons échangé quelques mots avec lui, tandis que nous marchions du magasin jusqu'au dortoir ; je lui ai parlé de ce soir, j'ai demandé s'il serait très abattu si la bière des Têtes-Noires surpassait celle des moines, mais il m'a répondu que dans ce cas ce serait la volonté du Ciel.

— Après cela il est allé se confesser à l'église du Saint-Esprit, ajouta Melchior.

— C'est ce que j'ai entendu dire ; moi, je l'ai vu se diriger vers sa cellule.

— Et il n'avait nullement l'air grave, ou souffrant ?

— Souffrant, certainement pas ; grave, il l'était en permanence. Je ne l'ai jamais vu rire – tout ce que je veux dire par là, c'est que nos moines ne sont pas des exceptions, et que quand ils boivent de la bière il leur arrive bien de plaisanter.

— Bien entendu, acquiesça Melchior. Même le prieur rit de temps à autre de bon cœur, personne ne peut le nier. Pas ces derniers temps, cependant. Il a l'air vraiment malade. »

Freisinger en convint et ajouta qu'au fil de ses visites au couvent, il avait constaté que le prieur Eckell s'affaiblissait à vue d'œil. À ce moment-là, son regard se posa sur le jeu d'échecs.

« Messire apothicaire se met-il à jouer aux échecs ? demanda-t-il. Ce jeu se pratique de plus en plus, et maintenant, à ce que j'entends dire, les vassaux de Harju aiment mieux pousser le bois que lancer les dés.

— Non, je ne sais même pas jouer, se défendit Melchior. Je voulais juste essayer de me rappeler ce que mon père m'en avait appris.

— C'est ce que je vois, dit Freisinger en se concentrant un instant sur la position.

— Messire Tête-Noire sait-il jouer aux échecs ? demanda Melchior.

— Plus ou moins. Je n'oserais certainement pas jouer pour de l'argent contre les vassaux de Harju, mais de temps en temps, pour le plaisir… J'ai joué quelques parties contre le prieur Eckell.

— Ah bon ? murmura Melchior. Et contre Wunbaldus ?

— Oh lui, c'était un vrai maître, il battait régulièrement le prieur, dit le marchand comme en passant, et il plissa les yeux pour examiner l'échiquier. Dites donc, Melchior, il y a un problème ici. Je ne vois pas comment on pourrait déboucher sur cette position dans une partie.

— Comment cela ? »

Le marchand expliqua, en s'échauffant quelque peu.

« D'abord, où sont passés les pions ? Ensuite, au coup suivant le pion noir prend ce cavalier blanc, ici. Blanc n'a plus que le roi, la reine et ses deux tours, là. Le roi blanc sera mis en échec au bout de deux coups : la reine ne peut pas lui venir en aide, parce que son adversaire a lancé contre elle ses deux cavaliers, sa tour et son fou. La seule chance du roi blanc est d'amener une tour pour sa défense, mais cela signifie probablement la perte de la reine. »

Melchior observait le jeu, et subitement ce fut comme si à la place des pièces figées sur l'échiquier noir et blanc lui étaient apparus des visages humains, comme si les figurines de bois sculpté avaient revêtu des habits ; il se mit à voir tout autre chose que ce que lui expliquait Freisinger. Mais quoi exactement, il ne le comprenait pas encore, cela lui échappait tout en paraissant passer par moments presque à sa portée.

« C'est très intéressant, murmura-t-il. Il n'y a aucune chance que les blancs puissent gagner ?

— Gagner ? Seulement si les noirs renonçaient à gagner eux-mêmes, et s'ils sacrifiaient leur cavalier, ici, leur tour et leur pion. Alors, peut-être. Mais dans l'état actuel les blancs n'ont qu'un seul espoir, c'est que la tour défende le roi – ce qui signifie abandonner la reine –, et cela ne ferait que retarder la chute du roi blanc. Il faudrait que les noirs déposent leurs armes. Dans le meilleur des cas, le roi blanc demeurerait sous la protection de ses tours et dépourvu de reine : dans cet état il ne gagnerait ni ne perdrait, mais il faudrait pour cela que les noirs commettent bien des erreurs.

— Ainsi donc, il ne reste aux blancs que…

— Qu'à livrer le roi et à se reconnaître battus, ou bien à le défendre avec leurs tours, et à perdre la reine dans tous les cas. Alors personne ne gagnerait, mais ce n'est pas l'esprit du jeu, ce serait une partie ratée. »

Excité, Melchior se concentra sur la position. Une fois encore des êtres vivants et des visages s'immobilisèrent sur l'échiquier : la compréhension était si proche… Il se rappela les paroles de son père : *les cavaliers et les fous sont des armes, sers-t'en pour attaquer, mais les pions aussi, même s'ils ont au premier abord l'air faibles et sans défense, peuvent être des attaquants redoutables. Celui qui perd ses armes perd aussi la partie.*

« Pourquoi disiez-vous qu'il y a peu de chances pour qu'une telle position apparaisse au cours d'une partie ? » demanda-t-il, frémissant.

Le marchand haussa les épaules. « Habituellement une partie ne va pas jusque-là, il faut que les blancs aient joué de façon vraiment stupide, et il serait préférable d'abandonner plus tôt et de commencer une nouvelle partie. Vous voulez vraiment jouer aux échecs, Melchior ? » Il semblait que son propre intérêt pour le jeu soit retombé.

« Peut-être bien, dit Melchior. Ne dit-on pas que le jeu d'échecs est une métaphore du fonctionnement naturel de la vie humaine et des affaires du monde ? Mon père voulait que je sache jouer, mais hélas, j'ai tout oublié.

— C'est bien possible, acquiesça Freisinger, mais il arrive aussi qu'on entende dire dans les sermons que les échecs sont un jeu démoniaque, car on n'y trouve ni Dieu ni foi, et on ne peut pas les y trouver, car l'homme ne peut pas se prendre pour Dieu et jouer avec lui comme avec un pion. »

Melchior cligna brièvement des yeux. « Cela dépend de la façon de voir les choses, dit-il.

— Certainement, convint Freisinger. Après tout, les pieux moines y jouent bien, et au fond ce n'est qu'un jeu. Et nous autres, les Têtes-Noires, nous aimons toutes espèces d'épreuves et de jeux. »

Ils prirent congé, et Melchior promit d'être présent sans faute deux heures plus tard dans la salle de la guilde pour déguster la bière, car les traditions sont ce qu'elles sont et qu'il faut les respecter. Après le départ de Freisinger, l'apothicaire se concentra de nouveau sur le jeu d'échecs. Il l'observa longuement, jusqu'au moment où se forma sur son visage un sourire triste mêlé de surprise.

« Oh non, murmura-t-il tout bas. Je crois que la foi et Dieu sont bien présents ici. Et comment ! Juste Ciel ! »

22

La guilde des Têtes-Noires
Rue Longue
18 mai, le soir

Pour la deuxième soirée de dégustation de la bière, il y avait moins de monde à se presser dans la demeure de la guilde des Têtes-Noires, et les présents étaient au début plus silencieux et plus graves, comme s'ils s'étaient réunis pour des obsèques. Toutes sortes de bruits couraient dans la ville, entre autres que Wunbaldus avait lui-même attenté à ses jours – mais pour quelle raison, voilà ce qui ne se murmurait que d'ami à ami, ou de femme à mari : c'était certainement à cause de toutes les choses révoltantes qui s'étaient produites de tout temps derrière les murs du couvent, ou à cause de ses péchés, ou pour de l'argent. Quant au meurtrier de Toompea, on supposait qu'il rôdait dans la ville à la recherche de la prochaine tête à faire tomber, il n'en resterait sûrement pas là. On racontait bien des choses, de toutes sortes, et plus d'un racontar s'était invité à la fête. Cependant, au fur et à mesure que la bière coulait et que les serviteurs apportaient à manger, les conversations devinrent plus enjouées. Freisinger, dans son rôle de puissance invitante, prononça les paroles que l'on attendait de lui, conformément aux convenances, et le prieur Eckell lui-même, qu'une saignée avait ragaillardi, lui répondit comme il se devait : il releva le défi au nom des moines, invita les présents à déterminer qui avait brassé la meilleure bière et la plus goûteuse, pour que tous annoncent le vainqueur de par la ville et chantent sa louange, et rappela à tous l'interdiction de dire qu'une bière était meilleure si ce n'était pas la vérité. Le prieur prit place à la table de l'hôte d'honneur, disposée à deux pas de la table longue, pour y être servi spécialement par le maître des cérémonies. L'autre hôte d'honneur, le commandeur Spanheim, vêtu d'un strict scapulaire noir, s'assit au bout de la table longue sur un siège haut, et à sa suite prirent place les Têtes-Noires, les navigateurs étrangers, les marchands et tous les autres invités, qui eux aussi avaient revêtu en ce jour des tenues un peu plus sobres.

Melchior écoutait et observait. Il saisissait des fragments de phrases, des regards, des physionomies, en particulier aux moments où les gens avaient la certitude de n'être vus de personne. Après tout, il est possible de dissimuler ses sentiments et ses pensées véritables, et si quelqu'un est en réalité empli de haine, de crainte ou de réprobation, de mépris ou de dédain vis-à-vis d'une autre personne ou de quelque chose, cela peut ne pas se voir. Le ton de la voix, les propos tenus, le rire et les compliments, tout cela peut n'être qu'une feinte si l'on veut cacher sa nature véritable. On ne peut pas toujours se fier à la façon de parler ni aux paroles qui sont dites. En revanche, un regard furtif peut en dire bien plus long que de longues phrases, Melchior en était persuadé.

Le temps passait et les hommes devenaient plus joviaux, ils ne craignaient plus de laisser échapper par inadvertance quelque parole inconvenante ou allusion malencontreuse. Quand tous eurent abondamment goûté la bière brassée par les Têtes-Noires – et l'eurent louée avec enthousiasme, car elle le méritait –, le nom de Wunbaldus était déjà sur les lèvres. La bière des Têtes-Noires était bonne, mais face à celle de Wunbaldus elle ne l'emportait tout de même pas : c'était l'opinion qui revenait sans cesse, facilitée peut-être par l'absence du frère convers. Annoncer que Wunbaldus avait été, après sa mort, surpassé par les Têtes-Noires, cela aurait pu apparaître comme un manque de respect pour sa mémoire, même Freisinger semblait le reconnaître. Pour finir, le commandeur se leva et fit retentir à voix forte les paroles qu'il devait prononcer et que l'on attendait, et tous crièrent avec lui de façon unanime, proclamant la bière des dominicains, brassée par Wunbaldus, vainqueur de la dégustation : on jura de reconnaître durant toute l'année à venir la bière de Wunbaldus comme supérieure à celle des Têtes-Noires, sous peine d'une amende d'un mark pour ceux qui prétendraient le contraire. Lorsque cela fut dit, tout le monde complimenta à nouveau Freisinger pour la bière qu'il avait sélectionnée et reconnut qu'il n'y avait rien à lui reprocher. Le commandeur déclara même que les Têtes-Noires pourraient parfaitement se permettre d'en faire monter de temps à autre à Toompea, et ce d'autant plus que le meilleur brasseur de la ville était désormais passé… dans l'autre monde. Il reprit ensuite son sérieux et, remarquant les regards interloqués posés sur lui, il finit par exploser, déclarant qu'il n'entendait rien à tous les bruits qui couraient et qu'il lui semblait inimaginable que Wunbaldus ait de lui-même pris du poison.

Un silence de mort se fit dans la salle, que rompit la voix éraillée du prieur.

« Ce qui est vrai et ce qui est faux, seul le Très-Haut le sait.

— Certes, convint le commandeur immédiatement, mais une partie des vérités terrestres doit tout de même bien être accessible aux simples mortels. »

Le regard du prieur était fixé sur un point du plafond, son teint était blafard, et pourtant des gouttes de sueur lui coulaient sur le front. Il avait la voix prudente que l'on prend pour énoncer une vérité que tout le monde peut facilement pressentir, mais qui est trop effrayante pour qu'on l'explicite.

« Nos frères versés dans l'art médical ont examiné le cadavre de Wunbaldus. Leurs conclusions concordent avec celles de Melchior : on peut mourir de cette façon en ayant absorbé du poison, mais il peut aussi s'agir d'une maladie terrible et foudroyante. Laquelle des deux causes est ici en jeu, c'est... c'est un mystère, que nous ne parviendrons peut-être jamais à élucider. »

Au sein du murmure de mécontentement qui s'éleva, on distingua la voix rauque du marchand Tweffell, qui protesta que pour une petite ville il y avait eu ces derniers jours trop de décès et de mystères. Comme aucun conseiller n'était présent en dehors de Dorn, c'est à lui que l'on demanda des comptes.

« Le Conseil est sur ses talons, il ne s'échappera plus, déclara Dorn. J'ai dit ce matin aux conseillers que... » L'orfèvre Casendorpe l'interrompit :

« Justement ! Vous êtes sur ses talons, mais lui est en avance sur vous, avec son épée et sa hache, et il fait voler les têtes. Hier un chevalier de l'Ordre, aujourd'hui un bâtisseur d'églises, demain... Hein ? Qui donc, demain ? »

D'une seule voix, les marchands se mirent à se lamenter, disant que bientôt plus personne n'oserait apporter ses marchandises dans une ville pareille. Ce fut Tweffell, le maître de la Grande Guilde, qui résuma leur désarroi :

« Si une pareille réputation s'attache à la ville de Tallinn, si on se met à dire que c'est un endroit où l'on assassine les bâtisseurs, il n'en sortira rien de bon. Vous devez le capturer au plus vite, sinon les affaires en pâtiront. Et si les moines se mettent à boire du poison, cela ne vaut pas mieux.

— Vous n'avez pas le droit de dire une chose pareille à propos de Wunbaldus, répondit vivement Eckell. Cet homme pieux n'aurait jamais attenté à ses jours.

— Mais je ne dis rien de tel, plaida Tweffell. Ce que je dis, c'est que si d'aventure il en était ainsi, le couvent devrait veiller à ce que cela ne s'ébruite pas, et enterrer tout de même cet infortuné dans le cimetière des dominicains. Après tout, nous faisons de bonnes affaires avec vous, et si les gens apprenaient que… »

La voix du curé Rode s'éleva au-dessus des autres. Il se mit même debout et déclara que messire Tweffell tenait un discours impie. Les marchands s'irritèrent et Tweffell, se levant lui aussi avec l'aide de Ludke, s'écria :

« Je ne dis que ce qui est bon pour la ville de Tallinn. Et ce qui est bon pour la ville est bon pour les marchands : et si c'est bon pour les marchands, ça l'est aussi pour l'Ordre, pour les citoyens et pour l'Église !

— Si cet homme a réellement mis fin à ses jours, il faut faire traîner son cadavre par des chevaux à travers la ville et le pendre au gibet ! glapit Rode.

— Seuls l'évêque de Tallinn et le chapitre dominicain du Danemark peuvent en décider, messire Rode, déclara Eckell. Le frère Wunbaldus était un dominicain, il n'était pas citoyen de Tallinn.

— Mais c'était un convers ! Ce n'est pas la même chose qu'un religieux consacré ! »

Le clergé séculier de la ville et les dominicains se trouvent régulièrement des sujets de querelle, songea Melchior en bondissant à son tour sur ses pieds. Mais il vit que Freisinger en avait fait autant.

« Messires, messires ! s'écria Freisinger en levant sa chope de bière. Puisque je suis responsable de cette maison, je vous supplie de ne pas vous quereller ainsi sous le toit de la guilde, au risque d'en arriver à des querelles et des conflits. Nous ne sommes pas venus ici pour condamner qui que ce soit. » Puis il regarda dans la direction de Melchior et demanda :

« Messire apothicaire souhaitait dire quelque chose ? »

Melchior prit sa respiration, but une gorgée de bière puis se tourna vers Rode. « Noble messire Rode, existe-t-il quelque raison qui vous permette d'affirmer avec certitude que nous n'avons pas le droit d'inhumer le corps du frère Wunbaldus en terre consacrée ? Si c'est le cas, dites-la clairement ; sinon, buvons pour nous assurer que la vérité surmontera tous les racontars. »

Rode parut se troubler. Il écarta les bras et regarda autour de lui comme pour trouver de l'aide, mais tout le monde poussait des cris et exigeait de lui qu'il répondît.

« Même si je le savais… dit-il alors en bredouillant. C'est-à-dire, si je pouvais, je…

— Le révérend Rode a la langue entravée par le saint secret de la confession ! déclara alors le prieur Eckell.

— C'est juste, confirma Rode. Le frère Wunbaldus est venu hier à l'église du Saint-Esprit, c'est exact, mais sa confession est sacrée, elle relève du secret sacramentel, je ne peux rien en dire. »

C'était une surprise pour la majeure partie des présents, et même pour le commandeur, Melchior s'en rendit compte. Mais à ce moment le prieur Eckell leva la main, et les murmures bruyants s'éteignirent lentement.

« Vous le pouvez, messire Rode, car je vous dispense de l'obligation de garder le secret du saint sacrement de la confession, déclara le prieur. Oui, le droit canon me donne cette capacité. Le responsable de mon couvent à Lund m'en a donné le droit, et l'évêque de Tallinn lui obéit également. Je vous dispense du secret de la confession.

— Je ne sais pas si c'est le lieu et le moment convenables pour cela, s'exclama le commandeur. En vérité ? Messire Tête-Noire ? »

Il était inouï, il était stupéfiant d'assister ainsi à la levée du secret de la confession en pleine salle de la guilde. Melchior vit Hinricus s'approcher vivement du prieur et lui chuchoter quelque chose à l'oreille, mais le vieux dominicain se contenta de remuer la tête ; il était animé, il était surexcité, mais il était certain du bien-fondé de sa position. Après avoir discuté avec deux de ses confrères, Freisinger calma la confusion générale en déclarant :

« Au nom des Têtes-Noires, je permets qu'il en soit ainsi, et même, je le réclame. Si Wunbaldus peut, depuis la tombe, nous aider à démasquer le meurtrier, parlez, messire Rode, parlez ! »

Rode hésitait encore, reconnaissant qu'il n'était pas très au fait du droit canon, estimant que le Conseil et l'évêque avaient autorité sur lui, mais Dorn lui dit :

« Ne craignez rien, messire Rode, j'ai moi-même entendu, et je pense que le révérend prieur pourra le confirmer, que le secret de la confession n'est pas sacré lorsque celui qui se confessait a attenté à sa propre vie : dans ce cas, il n'a plus droit au sacrement divin, c'est bien cela ?

— C'est juste, c'est tout à fait juste, répondit un murmure unanime.

— Parlez, Rode, parlez et faites vite, car je vais bientôt devoir prier Hinricus de me mener à notre infirmerie, dit Eckell. Parlez et ne craignez rien, je vous libère du secret de la confession : j'en prends la responsabilité et je vous assure que Dieu fera bientôt jaillir toute la lumière sur la vérité, et que vous comprendrez tout. Parlez ! »

Rode se mit à prier, et le commandeur certifia que l'évêque de Tallinn confirmerait, au besoin, tout ce que le prieur venait de dire. Ce n'était pas la première fois qu'un prêtre était libéré de l'obligation du secret touchant à la confession.

Quand Rode eut enfin fini sa prière, il serra fortement une croix de bois entre les mains et se leva d'un air décidé, et l'on put déceler dans sa voix un net soulagement. Il avait certes l'air dubitatif quant à la légalité de ce qu'il faisait, mais cela lui ôtait visiblement un poids.

« Je vais parler, je vais parler, dit-il, et le silence se fit autour de lui. Et que tous les saints me soient témoins que je parle en étant clairement conscient de l'obligation du secret du saint sacrement de la confession, et animé de la conviction que l'homme qui est venu me trouver hier pour se confesser n'en était pas digne. Noble commandeur, prieur, messeigneurs : hier soir, tandis que je verrouillais les portes de l'église du

Saint-Esprit, un homme est entré, que j'ai reconnu comme étant le convers dominicain Wunbaldus. Il s'est écrié qu'il voulait se confesser, et il s'est dirigé en hâte vers le confessionnal – si vite que, lorsque je l'y ai rejoint, il était déjà assis et reconnaissait que le poids de ses péchés était lourd à porter. »

Au milieu du silence, on n'entendait que la respiration lourde du prieur. Tous les regards étaient rivés sur Rode, comme s'il avait annoncé à tout le monde une indulgence papale.

« Il m'a déclaré qu'il avait renié la parole de Dieu, et que l'avidité l'avait poussé à commettre des crimes. Il ne m'a pas laissé parler ni poser de questions. Il m'a dit qu'il avait tué deux personnes, qu'il leur avait coupé la tête, que l'une des deux était un haut responsable de l'Ordre et l'autre un bâtisseur… »

Les paroles de Rode furent couvertes par des cris de stupéfaction ; tous les convives se levèrent, renversant les chopes de bière, et deux chiens qui se trouvaient sous les tables s'enfuirent en glapissant et allèrent se blottir dans un coin. Seul Melchior demeura assis, comme s'il n'avait rien entendu d'étonnant, mais il n'en observait les autres qu'avec plus d'attention. Au-dessus du vacarme retentirent les exclamations puissantes et rageuses du commandeur :

« Wunbaldus ? C'était *Wunbaldus* ? Ce *brasseur de bière* ? »

Melchior s'aperçut que le prieur Eckell voulait dire quelque chose, qu'il agitait une main, mais personne ne faisait attention à lui ; seul Hinricus, qui se tenait auprès de lui, le soutenait tout en essayant de le retenir, mais le vieux moine se dégagea de l'étreinte du cellérier. Il voulait parler mais paraissait incapable de le faire, les mots semblaient lui rester entravés dans la gorge. Cependant, quand Freisinger eut réussi à faire revenir un peu de calme, Rode reprit :

« C'est ce qu'il a dit : qu'il avait tué deux hommes, qu'il avait fait ce qu'il avait à faire, tout en sachant que sa vie était perdue à cause de ce péché. Il a dit qu'il n'avait plus la force de vivre, qu'il sentait qu'il n'en avait plus le droit. Il ne m'a pas écouté, et il a ajouté qu'il ne lui restait plus qu'un pas à franchir. Qu'il devait boire le calice qu'il avait rempli lui-même par ses deux meurtres.

— Est-ce que ce scélérat a expliqué pourquoi il a tué Clingenstain ? s'écria Spanheim au comble de la fureur.

— Non, il n'a rien dit de cela. Il a plutôt parlé de la coupe de poison qui l'attendait… »

Le discours que débitait Rode fut à cet instant interrompu par une exclamation rauque :

« Tu as empoisonné ! Le poison ! Tu… ! »

C'était le prieur Eckell, dont les cris désespérés firent soudain place à un silence total. Hinricus, effrayé, s'était reculé de deux pas, et Eckell s'était dressé, saisi de tremblements. Melchior imagina tout d'abord que c'était sous l'effet de l'excitation que le prieur tenait à peine sur ses jambes, mais il réalisa tout de suite que ce devait être plus grave. Tout se passa à la fois très vite et très lentement. Eckell avait crié d'une voix perçante et s'était levé de table d'un bond, mais il tituba aussitôt et s'écroula sur la grande table de la guilde. Il n'arrivait pas à respirer et déchira sa tunique d'un geste convulsif, puis il arracha quelque chose d'argenté qui étincelait à son cou, le tirant avec une telle force que le cordon de cuir cassa, puis il le jeta… vers quelqu'un ? vers la table ? Melchior n'était pas sûr. L'objet tomba entre les bancs. Hinricus se

précipita pour soutenir le prieur, mais Eckell se dégagea et tendit une main vers la table en suffoquant :

« *Tu savais ! Tu...* » Mais ses paroles s'arrêtèrent là,
il était à bout de souffle. Il s'effondra et, dans sa chute,
heurta le commandeur, qui était le plus près de lui.
Comme pris de démence, il agrippa le scapulaire noir
de Spanheim et le déchira. Tous se dressèrent et virent
le vieux moine, les yeux injectés de sang et comme
révulsés en une grimace de douleur et de désespoir
sous l'effet de la rage, de la frayeur, de la folie ou de
quelque autre cause, battre l'air autour de lui, agiter
le scapulaire du commandeur comme une croix pour
éloigner les esprits mauvais, puis s'en recouvrir brusquement la tête, avant de s'effondrer sur le plancher.

Melchior se précipita vers lui et fut empêché par la
foule pressée autour du prieur, qu'il voyait se débattre,
en proie à des crampes et des convulsions, tandis que
de sa bouche s'échappaient des râles inhumains et des
gémissements de douleur ; puis recroquevillé sur lui-
même, le prieur se mit à vomir en râlant, ses entrailles
se lâchèrent soudain et la vie quitta ses yeux. Ces yeux
s'étaient-ils fixés sur quelqu'un à l'instant suprême,
Melchior n'était pas capable de le dire.

« Révérend père, révérend père ! » s'écria Hinricus. Quelqu'un rugit en demandant qu'on appelât
le médecin de la ville, un autre cria au poison. Une
voix retentit : « Seigneur, il est en train de mourir ! »
et subitement, comme si un archange avait enjoint à
tous les présents de faire silence pour que le mourant
soit en paix au moment de quitter cette terre... tous se
turent un instant. Debout, chacun regardait à ses pieds
le vieillard secoué de crampes, dans les yeux de qui
la flamme de la vie s'était déjà éteinte. Son corps seul
persista encore à vivre le temps d'un soupir, puis de ses

lèvres souillées d'écume et de vomissures s'échappa un dernier gémissement. Mais le prieur Baltazar Eckell ne pouvait plus l'entendre. Baltazar Eckell, prieur des dominicains, était mort.

« Il est mort. Sainte Catherine, sainte Mère de Dieu, il est mort. Notre cher prieur est mort ! » murmura Hinricus en tombant à genoux auprès du corps. Il pleurait.

Tous les convives avaient maintenant compris.

Ils reculèrent et s'éloignèrent du cadavre, laissant Hinricus seul en prière à côté de lui. Sur le visage du jeune homme coulaient des larmes que laissaient passer ses paupières fermées. Le corps du prieur gisait recroquevillé au milieu de ses excréments, et sur son visage figé se lisaient la douleur et… la colère.

La colère ? pensa Melchior. Sans aucun doute, c'était de la colère, de la rage. Pendant les derniers instants de sa vie, le prieur avait compris la vérité, mais il l'avait emportée avec lui au royaume de la mort.

« Il a été empoisonné ! » murmura quelqu'un.

Du poison ? Naturellement. Le doute n'était pas permis. Melchior entendit autour de lui des voix fiévreuses, anxieuses, murmurer et chuchoter : *De quel poison parlait-il ? Qui l'a empoisonné ? Qu'est-ce qu'il a dit exactement ? Est-ce qu'on l'a empoisonné ?…* Tous reculèrent, des vapeurs empoisonnées pouvaient encore être présentes.

« Le prieur a dit que quelqu'un l'avait empoisonné », déclara soudain Hinricus à voix haute. Ses yeux étaient toujours fermés, et son visage trempé de larmes. Il s'adressait à tout le monde à la fois, et à personne. « Par sainte Catherine, c'est impossible ! Et ensuite il a… saisi le commandeur…

— Comment ! s'exclama Spanheim. Il s'est écroulé sur moi, sous l'effet d'une crampe !

— Oui, mais il a dit que quelqu'un l'avait empoisonné.

— Faites donc chercher le médecin ! » cria de nouveau un convive, mais alors retentit la voix sombre de Freisinger :

« Le médecin n'a plus d'utilité ici. Il faut plutôt faire chercher les dominicains, qu'ils rendent à son corps les derniers devoirs. »

Le Tête-Noire écarta de lui les convives effrayés et s'approcha du cadavre. Il s'agenouilla à côté de Hinricus.

« Dieu du ciel, il pensait qu'il avait été empoisonné ! murmura-t-il. Il pensait qu'il avait été empoisonné chez les Têtes-Noires ! »

Chacun prenait conscience de la situation. Le poison était une chose terrifiante, une arme insidieuse ; tout le monde en avait entendu parler, mais c'était toujours dans les pays lointains qu'on l'employait, chez les grands de ce monde, pas ici, dans cette bonne ville de Tallinn. Le poison n'avait pas sa place à l'abri des remparts protecteurs. Il lui était encore moins permis de frapper dans la demeure de la guilde des Têtes-Noires, à la table du sacro-saint *smeckeldach*, parmi les chopes de bière et les plats regorgeant de victuailles. Tous ces citoyens, marchands et maîtres artisans, fixaient maintenant d'un air effrayé la vaisselle dans laquelle ils venaient de boire et de manger.

« Il a dit que quelqu'un l'avait empoisonné, répéta Freisinger d'un ton accablé. Messires, commandeur, ce n'est pas possible !

— Je dois me hâter, je dois… il faut que je prévienne les frères, au couvent, que je leur annonce cette terrible nouvelle, il faut… bredouilla Hinricus en se relevant.

— Bien entendu, cours, moine ! » grommela le commandeur.

Hinricus commença à s'affairer à toute vitesse. Subitement, les pensées et les paroles se pressaient. « Oui, je dois y aller. Au couvent… Je dois prévenir le responsable des aumônes que le prieur est mort, et qu'il doit se mettre à distribuer des aumônes aux citadins, je dois me dépêcher… » Il s'éloignait à pas de plus en plus rapides, et quand il atteignit la porte il courait déjà. Personne ne faisait attention à lui. Ce fut Dorn qui, au milieu de toute cette confusion, finit par suggérer qu'il faudrait prévenir les bourgmestres.

« Nous ne savons pas encore bien quel message leur porter, estima Melchior.

— Comment, quel message ? Mais il est mort, empoisonné, il l'a dit lui-même ! répondit le bailli, interloqué.

— Oui, mais qu'a-t-il dit exactement ? » L'apothicaire avait parlé suffisamment fort pour que les autres se taisent et lui prêtent l'oreille. « Il voulait parler, c'est sûr, il avait beaucoup à dire, mais le souffle lui a manqué et il n'a pas pu s'exprimer clairement.

— Je l'ai entendu distinctement, dit Freisinger. Il a dit : "Tu as empoisonné."

— Mais à qui le prieur pensait-il ? A-t-il accusé quelqu'un ? » demanda Melchior, et personne ne put lui répondre. Quelques-uns jetèrent bien des coups d'œil hésitants en direction du commandeur, ce dont Melchior s'aperçut, mais Spanheim lui-même ne s'en rendit pas compte. L'apothicaire se fraya alors un chemin et se pencha sur le corps du prieur. Sa mort n'avait pas été belle, ce n'était pas celle d'un saint homme ; Eckell avait péri dans les souffrances, et en regardant son cadavre méconnaissable Melchior sentit sa gorge se nouer. Il se pencha davantage et regarda attentivement, tâta les membres, souleva une main inerte, examina les doigts et les ongles, écarta les cheveux plaqués sur les tempes, toucha le visage, renifla la bouche. Petit à petit, l'étonnement se marqua sur le visage de l'apothicaire. Comme s'il ne croyait pas ce qu'il voyait, il observa la touffe de cheveux gris qui lui était restée entre les doigts. Les autres l'entouraient, mais personne n'osait s'approcher du cadavre.

« Le prieur pensait qu'il avait été empoisonné, mais comment a-t-il pu le savoir ? murmura Melchior pensivement. Il a souffert, mais il était vieux et malade, et il éprouvait des douleurs depuis longtemps. J'ai bien peur que l'infirmier du monastère ne soit pas des plus habiles pour administrer des saignées.

— Vous avez raison, Melchior : comment le prieur pouvait-il savoir qu'il avait été empoisonné ? déclara soudain Freisinger. Je peux jurer par tous les saints que ce n'est pas possible ! Ce n'est tout simplement pas possible ! Je peux jurer, je peux jurer que personne n'a versé de poison dans nos cuisines…

— C'est ridicule ! Ce serait pure folie ! s'écria un des serviteurs. J'ai moi-même acheté toute la viande et les autres denrées. »

Cependant, une idée subite venait de bouleverser le maître des Têtes-Noires. Il s'approcha de la table séparée à laquelle avait pris place le prieur et saisit la chope de bière du mort.

« Nous avons tous mangé la même nourriture et bu la même bière, s'écria-t-il. Il est tout simplement impossible que le prieur seul ait absorbé du poison. Regardez, voici son assiette, qu'on a servie au même plat que pour tout le monde. Et sa coupe, dont la bière provenait du même tonneau. » Puis il prit dans l'assiette un os de volatile, sur lequel le prieur avait rongé la viande.

« Messire Tête-Noire, ne touchez pas à cela ! s'exclama Melchior, mais Freisinger avait déjà pris sa décision.

— Le renom des Têtes-Noires et leur honneur sont pour moi la chose la plus importante au monde. Au nom de la vérité et de la justice, je vous prends tous à témoin ! »

Sur ces mots, Freisinger mordit le pilon qu'il tenait à la main, but de la bière dans la chope d'Eckell et avala un morceau de pain trempé dans la sauce. Il but la bière jusqu'à la dernière goutte. Quelqu'un poussa un cri de frayeur.

« Ne jouez pas avec la mort, Freisinger ! » C'était la voix de Tweffell.

Freisinger, debout, reposa la chope sur la table, à l'envers.

« Soyez tous témoins que chez les Têtes-Noires, on ne donne pas de poison à boire aux convives ! s'écriat-il. Voyez ! La nourriture du prieur n'était pas empoisonnée, sa bière pas davantage ! Je vis, je respire, et si Dieu le veut, je respirerai encore demain matin.

— Si c'était de l'arsenic, et je pense que c'en était, dit Melchior sur un ton grave, les douleurs devraient débuter au bout de quelques instants. L'arsenic n'agit pas de façon immédiate, mais tout de même assez rapidement.

— De l'arsenic ? Tu as dit "de l'arsenic" ? » C'était la voix de Spanheim.

« Oui, c'est bien ce que je dis, répondit Melchior. Tout ce que je sais de l'art des apothicaires me porte à croire que c'est de l'arsenic qui a tué Wunbaldus, et de l'arsenic aussi qui a mis fin aux jours du prieur Eckell.

— De l'arsenic ? Ce poison terrible ?! Vous êtes sûr ? s'exclama Kilian.

— Oui. C'est ce que j'ose affirmer, sur la foi de ce qu'écrit magister Ardoyn dans son *Livre des venins*, lui qui tenait sa science des Maures et des Romains. Tout apothicaire doit connaître les poisons, et il n'en existe peut-être dans le monde aucun d'aussi redoutable que l'arsenic. Celui-ci est incolore, il n'a pas d'odeur, il n'a aucun goût. Il n'est ni âcre, ni sucré, ni amer, mais lorsqu'il pénètre dans les veines il cause des douleurs effroyables et il tue à toute vitesse. Les symptômes qui permettent à l'apothicaire de diagnostiquer un empoisonnement à l'arsenic sont peu nombreux, et pour la plupart, comme l'écrit magister Ardoyn, ils sont similaires à ceux que provoque une nourriture avariée ou le choléra. Mais lorsque j'observe le corps du malheureux prieur, je vois…

— Arsenic ou pas, me voici en vie et en bonne santé, et il est impossible qu'il y ait eu la moindre parcelle d'arsenic dans ce que le prieur Eckell a mangé ou bu, dit Freisinger. Et quiconque prétend que le prieur des dominicains a été empoisonné chez les Têtes-Noires, celui-là est un menteur !

— Vous êtes un homme courageux, Freisinger, murmura l'orfèvre. Peut-être trop courageux ?

— Qu'est-ce que tu cherches au juste, Melchior ? » demanda enfin Dorn.

Melchior releva lentement la tête. « Quand j'observe ce cadavre et que je me remémore ce qu'Ardoyn a écrit sur ce poison, je suis certainement porté à croire que cet homme est mort d'un empoisonnement à l'arsenic. Regardez, ses cheveux se détachent. Et voyez, des raies blanches se sont formées sur ses ongles. Ce sont là des indicateurs certains de l'arsenic, encore que…

— Encore que quoi, Melchior ? demanda Dorn.

— C'est bien de l'arsenic, et c'est un mystère. Je n'y comprends rien... Les cheveux qui se détachent du crâne, les raies qui apparaissent sur les ongles, et encore tout ce que je sais sur les derniers jours du prieur Eckell – les douleurs dont il se plaignait, sa digestion difficile, ses essoufflements, ses étouffements, ses crampes douloureuses, et ces propos étranges qu'il tenait par moments comme s'il n'avait plus toute sa tête : tous ces symptômes indiquent un empoisonnement à l'arsenic, mais un empoisonnement *pendant une longue période.* »

Personne ne comprit pour commencer ce qu'il voulait dire. On lui demanda des éclaircissements, et Melchior poursuivit :

« Les cheveux ne se détachent pas du crâne immédiatement, en une demi-heure. Les raies blanches n'apparaissent pas sur les ongles au bout de dix minutes. Comme l'écrit Ardoyn, tous ces signes, de même que les faiblesses et les douleurs, indiquent que l'arsenic a pénétré en petite quantité et sur une longue durée. Comme s'il en avait avalé chaque jour une dose minuscule. L'arsenic empoisonne lentement, imperceptiblement pour commencer, quand on l'administre à une personne petit à petit. On dit qu'une boulette de la taille d'un pois suffit à tuer un homme rapidement, mais... Non, je ne comprends pas. Il s'échappe de sa bouche une légère odeur d'ail, et cela aussi est caractéristique de l'arsenic, mais...

— Alors, est-ce qu'il a été empoisonné, oui, ou non ? Qu'est-ce que tu veux dire ? lui demanda-t-on.

— Oh oui, c'est bien de l'arsenic, confirma Melchior avec conviction. Mais il était déjà présent depuis longtemps dans l'organisme du prieur. Celui-ci n'a certainement pas bu de poison ce soir chez les Têtes-Noires.

— Cela ne fait aucun doute ! s'exclama Freisinger. Vous voyez bien que je me porte au mieux !

— Cela est vrai : comme nous l'a montré l'intrépide messire Tête-Noire, cette nourriture ne peut pas avoir été empoisonnée, dit Melchior, pourtant toujours aussi dubitatif.

— Alors comment a-t-on empoisonné le prieur ? demanda Kilian.

— Il faut donc que cela se soit passé plus tôt, peut-être chez les dominicains ? » suggéra Dorn.

Rode, le curé, s'exclama alors : « Wunbaldus ! C'est sûrement Wunbaldus qui a empoisonné le prieur. Cet assassin !

— C'est possible, bien entendu, mais pourquoi alors Wunbaldus a-t-il avoué en confession le meurtre de deux personnes seulement ? demanda Melchior. Est-ce que l'empoisonnement du prieur n'aurait pas dû lui peser davantage encore sur la conscience, alors qu'il avait décidé de se donner la mort, au mépris de la parole de Dieu et des devoirs d'un chrétien ? Je ne comprends pas. D'ailleurs, comment de l'arsenic aurait-il pu pénétrer dans le couvent ? Le prieur m'avait assuré, et messire bailli l'a entendu lui aussi, qu'ils n'en avaient pas. C'est un mystère. »

Le commandeur Spanheim interrompit les réflexions de l'apothicaire. Il fit place nette autour de lui avec brusquerie et déclara que si la mort du prieur était un mystère, on savait au moins qui avait tué Clingenstain et le maître bâtisseur. Si le Conseil l'informait que Wunbaldus avait été reconnu coupable de ces meurtres et si la chaîne dorée était restituée à l'Ordre, tout le monde pourrait oublier ces événements tragiques et prier Dieu de ne pas permettre que de tels criminels s'insinuent à l'avenir dans le couvent.

En entendant les paroles de Spanheim, Melchior se remémora les derniers instants du prieur. Eckell avait déchiré ses vêtements, il n'arrivait plus à respirer, il avait arraché quelque chose à son cou et l'avait jeté… vers la table. Pendant que les autres se pressaient autour du commandeur pour le féliciter de sa déclaration, Melchior se mit à regarder sur le plancher et sous la table ; il se baissa, rampa sur le sol et finit par trouver ce qu'il cherchait. Il le montra aux autres.

« On dirait un objet en argent, peut-être une image de saint ? Il étouffait, il s'en sera débarrassé… dit quelqu'un.

— C'est une simple amulette, j'en ai vu beaucoup de semblables, déclara Kilian.

— De l'argent, en effet, mais c'est un vulgaire travail d'apprenti. Rien de précieux », remarqua Casendorpe.

Personne ne comprenait l'excitation qui avait pris Melchior lorsqu'il avait présenté aux autres cette amulette d'argent suspendue à une cordelette de cuir. Mais lui savait ce que c'était, comme l'aurait su n'importe quel apothicaire. Spanheim aussi devait avoir compris, car son visage s'était assombri lorsque Melchior avait brandi sa trouvaille. L'amulette se présentait comme une petite boîte ronde, qu'il était possible d'ouvrir par le côté. Quelque chose était gravé sur le dessus, mais le texte était usé et terni ; l'apothicaire réussit à déchiffrer deux ou trois mots latins, de toute évidence des fragments d'une prière. On devait trouver des amulettes semblables au cou de nombreux nobles et autres personnes d'importance, qui les portaient pour se protéger des malveillances, dans certains cas de l'empoisonnement. Contre le poison, on mettait dans l'amulette de la peau de vipère séchée et réduite en poudre, ou par exemple une pierre précieuse, mais ici il ne s'agissait pas d'une défense contre l'empoisonnement, car le poison était déjà présent. Melchior ouvrit la petite boîte avec prudence, le couvercle se souleva plus facilement qu'il ne s'y attendait.

« Le prieur et moi avons eu récemment une conversation sur la peste, dit Melchior avec animation. Le révérend Eckell disait qu'à son avis il existait à coup sûr des remèdes contre elle, que l'homme était certainement capable de s'en préserver.

— Une amulette ! Bien sûr ! s'exclama subitement Kilian. J'ai vu les mêmes à Milan, la Grande Mort y sévissait sans pitié, justement. Beaucoup de gens portaient de ces amulettes.

— Oui, c'est étonnant que je n'y pense que maintenant, dit Melchior. Les médecins sont pourtant nombreux à avoir écrit là-dessus. Porter une amulette d'argent contenant de l'arsenic protégerait, paraît-il, de la peste.

— En effet, moi aussi, il me semble avoir entendu dire quelque chose de semblable », confirma le commandeur.

La petite boîte contenait une poudre blanche. Les spectateurs effrayés s'éloignèrent de l'apothicaire, laissant celui-ci seul en face du cadavre.

« De la poudre blanche, dit Melchior d'un air grave. C'est ce que je pensais.

— Mais il avait ça autour du cou, non ? demanda Spanheim. Comment cela a-t-il pu se retrouver dans son organisme ? »

Melchior respira profondément et referma la boîte. Ses mains tremblaient. « Comme l'écrit magister Ardoyn, l'arsenic est un poison si puissant qu'il suffit de demeurer suffisamment longtemps à proximité ou de le respirer pour en mourir. Lentement, douloureusement ; les cheveux tombent, on ressent des douleurs, l'esprit se trouble, des raies blanches font leur apparition sur les ongles. C'est le prieur Eckell en personne qui s'est empoisonné ainsi. Eckell lui-même, et certainement pas ce Wunbaldus, quelle qu'ait pu être sa véritable identité. »

23

La boutique de Melchior
19 mai, la nuit

Cette nuit-là, Melchior ne trouva pas le sommeil :
trop de choses s'étaient passées pendant la journée et
la nuit précédente. Trop de pensées s'étaient pressées
dans sa tête, trop de questions auxquelles il ne savait
pas répondre, et des questions trop effrayantes, auxquelles il ne voulait peut-être pas répondre. Trois morts
violentes avaient ponctué cette journée, et même pour
un apothicaire c'était trop.

D'ailleurs, il n'osait pas dormir, sans doute. Il s'était
certes efforcé de repousser dans un recoin de sa mémoire
le souvenir de la malédiction qui l'avait assailli la nuit
précédente, mais celui-ci était toujours présent, vivant,
acéré, douloureux. Juste au moment où il commençait à
croire secrètement que ses prières et celles de Keterlyn
avaient porté leurs fruits, que les saints avaient écouté
sa supplication, et qu'enfin il était débarrassé du fléau
de sa lignée… Non, il n'en était pas libéré, le mal était
revenu, plus douloureux que jamais, comme à chaque
fois plus impitoyable que lors des crises précédentes.
Tous les Wakenstede qui en souffraient le savaient : la
malédiction ne s'adoucissait jamais, elle se faisait toujours plus douloureuse, plus perfide, plus cruelle.

La veille, c'était le souvenir de la douleur qui avait suivi la mort de son père et qu'il avait enfouie dans sa mémoire. La fois précédente, la détresse que lui causaient sa condition mortelle et ses péchés, parce qu'il n'avait reçu aucune assurance que ceux-ci soient rachetés. La prochaine fois, ce serait peut-être la peur d'une chambre obscure, comme cela se produisait pour son grand-père. Cela revenait toujours, sous des formes diverses, jusqu'à ce qu'il ne reste de Wakenstede qu'une épave misérable, démente, possédée par une rage inextinguible, incapable de trouver le moindre soulagement dans quoi que ce soit sur terre. Depuis des siècles déjà cette malédiction se transmettait d'homme à homme, sans que le renouvellement du sang par les femmes, les pèlerinages, les dons aux monastères, les jeûnes, les confessions, les remèdes n'y changent rien. Seul un péché plus grave encore pouvait apporter un soulagement. *Un Wakenstede doit se choisir la femme qui convient.* Seule la femme pouvait sauver l'âme du damné, mais au prix de la sienne propre. Un jour, quand les crises de son époux commençaient à se répéter, de plus en plus fréquentes et douloureuses, la femme succombait, elle n'en pouvait plus, elle perdait toute tranquillité, devenait incapable de supporter ce qui pour elle aussi devenait de plus en plus douloureux, jusqu'à l'intolérable. Une épouse Wakenstede fidèle et forte mourait avant son mari ; faible, elle fuyait s'enfermer dans un couvent, incapable d'aimer un homme dans les yeux duquel brillait une lueur de folie. Un Wakenstede condamnait son âme ou celle de sa femme, tel était son destin.

Depuis des siècles, les Wakenstede étudiaient la science des remèdes, à la recherche de celui qui vaincrait leur malédiction, mais comme le disait le père de

Melchior, il était impossible de trouver un remède à un mal dont on ne connaissait pas la cause. Et si son père à lui avait soupçonné la cause première qui avait donné naissance à ce fléau, s'il en avait même parlé, le père de Melchior, lui, n'en avait rien dit à son fils, car ce mal l'avait épargné, il avait bénéficié d'une faveur – mais son fils n'en avait été que plus cruellement accablé.

À cet instant, Melchior était penché sur ses écritures ; devant lui, sur la table, se trouvait un flacon rempli d'un mélange qu'il venait de préparer en suivant les indications de magister Ardoyn, et la couleur du liquide indiquait sans équivoque ce que feu le prieur Eckell avait porté au cou. Avec beaucoup moins d'équivoque encore que le vieux matou qui passait de temps à autre devant la boutique et miaulait pour quémander quelque chose à manger.

Melchior sursauta en entendant des pas du côté de la porte ; il se redressa et posa un regard soucieux sur Keterlyn, qui se tenait derrière lui, une chandelle à la main.

« Savoir écrire est vraiment une malédiction pour certaines personnes, dit-elle avec douceur. Qu'est-ce qui te retient ici en pleine nuit ? Toujours ta carte du ciel ? Tu ne cherches plus le meurtrier de Toompea, pourtant ? C'était bien ce Wunbaldus, comme tu l'as dit toi-même ? »

Ils n'avaient pas parlé de la nuit précédente, ils ne parlaient jamais de cela. Mais les paupières de Keterlyn devenaient avec chaque crise un peu plus sombres.

« Oui, c'était Wunbaldus, il n'y a aucun doute. Je m'en doutais déjà depuis quelque temps, dit Melchior en caressant la main de sa femme. Ce qui ne veut pas dire que tout soit clair à propos de ces crimes. »

Il montra sa liste d'éléments étranges, à laquelle il venait d'ajouter quelques points qui le tracassaient. Son écrit se présentait maintenant ainsi :

Une monnaie de Gotland fourrée dans la bouche de Clingenstain

Kilian prétend que Clingenstain portait la chaîne d'or après s'être confessé

Le revirement de Clawes Freisinger

Wunbaldus a reconnu en confession avoir tué deux personnes

Gallenreutter avait un artig de Tallinn dans la bouche

L'habit des dominicains est noir et blanc

Du dortoir, on entend tout ce qui se passe dans le bas-côté nord de l'église, près de l'autel des Têtes-Noires

Keterlyn lut et haussa les épaules.

« À mon avis, il n'y a là rien de bien curieux. Wunbaldus a déclaré en confession qu'il avait tué deux personnes, et il y a en effet deux personnes qui ont été tuées.

— Ces derniers jours, dans la ville de Tallinn, en effet, murmura Melchior.

— Alors qu'est-ce qui t'étonne ?

— Que ça ne s'accorde pas bien avec le reste.

— Je ne comprends pas, reconnut Keterlyn. Quel reste ? Deux hommes ont eu la tête tranchée : Clingenstain, et ce bâtisseur étranger, qui travaillait à l'église Saint-Olav.

— Et dans la bouche duquel on avait fourré un artig de Tallinn. C'est une autre des énigmes de ma liste. Quel besoin avait donc Wunbaldus de lui mettre dans la bouche un artig de Tallinn ?

— Qu'un moine tue un bâtisseur occupé à construire une église, c'est insensé. Mais ce que moi je ne comprends pas, c'est pourquoi tu devrais te creuser la tête avec cette histoire alors qu'il a avoué lui-même.

— C'est justement ce que tu dis : parce que cela n'a aucun sens ! s'exclama Melchior. Et même si je crois deviner pourquoi il a tué Clingenstain…

— Tu penses que c'est pour cette chaîne en or ? demanda aussitôt Keterlyn.

— Non, non ! répliqua Melchior en agitant la main. La chaîne n'était même plus chez Clingenstain quand le meurtrier s'y est introduit : elle était déjà dans la poche du voleur, en route vers un lieu où elle se trouve encore à l'heure qu'il est. Clingenstain n'a certainement pas été tué à cause de cette chaîne, et c'est pour cette raison qu'il est étonnant qu'on ait tué Gallenreutter, le bâtisseur de Westphalie, de la même façon. Et en lui mettant dans la bouche la pièce de monnaie la plus courante qui soit à Tallinn. »

Keterlyn demanda alors pourquoi il avait été tué. Melchior poursuivit. Pourquoi des gens en tuaient-ils d'autres ? On tuait par avidité. Par peur. Par vengeance. Pour de l'argent. Par ruse. Gallenreutter avait déclaré, chez les Têtes-Noires, que même lorsqu'un meurtre n'avait eu aucun témoin, un homme astucieux pouvait deviner l'identité du coupable grâce à certains signes. Est-ce que Wunbaldus avait entendu cela et avait craint que Gallenreutter le démasque ? Mais pourquoi le tuer, puisque après cela le meurtrier était allé se confesser, avait avoué son crime et s'était ôté lui-même la vie ?

Keterlyn secoua la tête, incapable de fournir une réponse. Elle aussi était confrontée à de nombreuses choses qu'elle ne comprenait pas, à commencer par l'obstination que mettait son mari à se tracasser pour ces affaires, alors qu'il avait ce talent, que Dieu lui avait donné, pour préparer les remèdes, qu'il avait son ménage à faire vivre, et ce mal terrible qui l'affligeait.

« Tu m'as demandé pourquoi on tue, continua Melchior. Je vais te le dire. On tue par peur et par bêtise. Ma chère épouse, j'observe chaque jour ce qui se passe chez nos voisins et je retiens mon souffle, en espérant que messire Tweffell ne fasse pas une chute malencontreuse dans un escalier et que les maux de la vieillesse ne lui provoquent pas une dysenterie qui le conduise au tombeau en moins de temps qu'il n'en faut pour le dire : en espérant que sa mort, lorsqu'elle surviendra, ait des témoins et soit conforme à la façon dont meurent les vieillards.

— Dieu du Ciel ! De quoi veux-tu parler ? s'écria Keterlyn, choquée.

— De ce qu'il faut être aveugle pour ne pas voir. Si le vieux Tweffell mourait et que Gertrud épousait Kilian…

— Arrête ces horreurs !

— Alors Kilian recevrait grâce à Gertrud le statut de citoyen de Tallinn en même temps qu'une bonne partie de la fortune de Tweffell, ce qui ferait de lui quelqu'un d'important à Tallinn, sans oublier bien entendu qu'il obtiendrait la jeune et jolie femme qui lui fait à ce point perdre la tête.

— Tu as sans doute raison, mais de là à croire que Gertrud songe vraiment à épouser Kilian… murmura Keterlyn.

— Et à quoi donc songe-t-elle, d'après toi ? Aux membres engourdis de son vieil infirme de mari ? À ses jambes pleines d'ulcères ? Tandis que Kilian lui fait de l'œil à longueur de journée et lui fait perdre la tête avec ses chansons ?

— Gertrud est une fille vertueuse, déclara Keterlyn sur un ton catégorique.

— Et Kilian est un garçon très rusé et intelligent. Au fait, il nous a volé une cuillère en argent, presque sans que je m'en rende compte.

— Une cuillère ? demanda Keterlyn stupéfaite.

— Oui, j'avais fait exprès de les laisser tomber par terre. Il en a glissé une discrètement dans sa manche en les ramassant. Mais Gertrud ? Oui, bien sûr qu'elle est vertueuse, qui irait croire le contraire ! Mais depuis quand la vertu a-t-elle empêché une femme de songer à son bonheur et à sa descendance ? Le vieux Tweffell, qui est un homme de bien et à qui Tallinn doit beaucoup, je t'en donne ma parole, ne l'a épousée qu'afin que sa vieillesse s'écoule de façon un peu plus agréable. Mais ce n'est pas pour rien qu'il garde chez lui ce jeune et lointain parent. Seul un imbécile permettrait, tout en étant marié à Gertrud, qu'un Kilian vive sous son toit. Mais messire Tweffell n'est point un imbécile, et c'est pour cela qu'il a ordonné à Ludke de garder l'œil sur son hôte. Voilà pourquoi je récite tous les soirs une prière pour que le vieux Tweffell ne fasse pas une chute néfaste dans l'escalier, pour que Kilian et Gertrud aient l'intelligence d'attendre, d'être patients et soumis. La patience est la meilleure amie de l'intelligence, saint Augustin déjà le disait. Si mon intuition ne me trompe pas, Tweffell doit déjà avoir fait son testament chez le notaire. Mais ma chère femme, voilà le genre de choses pour lesquelles on tue. C'est déjà arrivé, et cela se reproduira. Aussi innocents et vertueux que les gens puissent paraître. L'avidité et l'appel de la chair, depuis les temps bibliques, ont poussé l'être humain au crime.

— Je n'arrive pas à croire que tu puisses penser des choses pareilles sur Gertrud et Kilian, murmura Keterlyn.

— Ce n'est pas ce que je pense, je ne fais qu'observer, rectifia Melchior. Notre bailli est un brave homme, certes, mais il lui manque souvent un œil pour distinguer les petits détails et pour comprendre les gens, ce qui est donné à certains apothicaires. Il lui arrive fréquemment de ne pas remarquer des choses simples et évidentes, alors qu'il sait rendre limpides des choses compliquées. C'est lui, par exemple, qui a eu l'idée qu'avec son histoire d'énigme, Gallenreutter avait pu causer lui-même sa propre perte. Wentzel Dorn est mon ami et je dois l'aider. Voilà pourquoi tu me trouves assis ici à réfléchir.

— Tu réfléchis au fait que les couleurs des dominicains sont le noir et le blanc ? s'étonna Keterlyn quand Melchior lui relut sa liste.

— Oui, acquiesça son mari. Je ne peux pas m'ôter de la tête le sentiment que les couleurs des dominicains, noir et blanc, sont la clé de toute cette énigme. Le blanc qui symbolise la pureté de l'âme et l'amour de Dieu, et le noir qui représente la mort qui nous attend tous, et le devoir qu'a chaque mortel de s'y préparer. Ces couleurs se retrouvent sur l'échiquier, mais à vrai dire, ce qui est significatif c'est que les dominicains portent un manteau noir, mais que le prieur Eckell ne l'ait pas porté au moment de sa mort tragique, ce soir, chez les Têtes-Noires. Le temps est doux et il ne l'avait pas pris, il ne portait que sa tunique blanche. Les frères convers portent presque le même habit, mais avec un scapulaire noir et non pas blanc, tout en ayant la même tunique blanche et le même manteau noir.

— Tout le monde sait cela, Melchior. Ce n'est pas un secret.

— Précisément ! Et c'est cela que notre bailli n'a pas remarqué, alors que cela pourrait bien être la clé du mystère. »

De nouveau, Keterlyn secoua la tête. « Tu ne crois pas que tu as trop de clés, et trop de mystères ?

— Si ! » Melchior hocha la tête avec conviction. « Il me semble que toute cette histoire est beaucoup plus simple lorsqu'on la regarde sous le bon angle, mais il me manque la vraie clé, la clé unique qui expliquerait toutes les autres.

— Je ne te comprends toujours pas. » Avec tendresse, Keterlyn ébouriffa les cheveux de son mari et lui pinça l'oreille. Melchior posa la main sur la sienne, mais il continua à parler. La parole semblait l'aider à trouver le bon sentier dans le fouillis de ses idées, même si ce sentier ne paraissait à première vue mener nulle part.

« Et il y a encore ce bas-côté nord de l'église des dominicains, avec l'autel des Têtes-Noires : tout ce qui s'y passe s'entend très bien depuis le dortoir. Est-ce que ce n'est pas une coïncidence remarquable et curieuse – et que notre bailli n'a pas notée –, que tous les fils de cette histoire paraissent converger vers les dominicains ? »

Keterlyn eut un sourire exténué. « Dans ce cas, tout devrait être clair, dit-elle. En plus de ce qui l'est de toute façon. Wunbaldus a tué le seigneur de l'Ordre, et comme on entend dans le dortoir tout ce qui se passe dans le bas-côté nord, il a tué aussi le maître bâtisseur, qui construisait cette maudite église Saint-Olav, dont tous les bâtisseurs meurent les uns après les autres, et pour cette raison aussi le prieur Eckell est mort empoisonné par le poison qu'il portait dans une amulette autour du cou, comme tu l'as dit. Il me semble que tout s'explique ! Et maintenant, ta chandelle va s'éteindre et… »

Elle se pencha vers la chandelle, mais Melchior lui saisit le bras.

« Non, attends un peu, ma chérie, attends, arrête ! »
Il attira sa femme sur ses genoux et se mit à l'embrasser dans le cou. Mais lorsque Keterlyn tourna la tête pour répondre à ses lèvres, il s'était déjà remis à parler.

« Ce poison, en fait, ce n'est pas du tout du poison…

— Le poison n'est pas du poison ? demanda Keterlyn.

— Non. Ce qui aurait dû être du poison n'en était en réalité pas du tout. Ce que portait le prieur, cette amulette, aurait dû contenir de l'arsenic, car il y a une vieille croyance, selon laquelle l'arsenic protège de la peste, et c'était aussi son avis, et il la portait au cou parce qu'il avait trop vu la peste durant sa vie et qu'il en avait une peur terrible.

— Mais ce n'était pas du poison ?

— Non, je crois que c'est de la farine de blé tout à fait ordinaire. Une poudre incolore, inodore, sans saveur. Au début j'ai bien cru que c'était du poison, et cela *aurait dû* en être, mais pas du tout ! J'en ai donné à ce vieux matou qu'on voit parfois couché devant la boutique, et il est toujours en vie. J'ai fait quelques essais avec cette poudre, en suivant les indications que magister Ardoyn donne dans son livre, car le secret de l'arsenic ne date pas d'hier, déjà Albert le Grand en avait résolu l'énigme et il avait enseigné aux apothicaires ce qui se produit lorsqu'on le dissout dans un certain liquide et qu'on le fait chauffer. Non, cette poudre que le prieur portait au cou n'était pas de l'arsenic, c'était de la farine ordinaire.

— De la farine ! Et comment de la farine a-t-elle pu tuer cet homme ?

— *Il y a eu* du poison dans l'amulette, à un moment donné, déclara Melchior d'un air entendu. Ce qui m'intéresse, c'est justement de savoir depuis quand elle ne contenait plus du poison, mais de la farine. En d'autres termes, quelqu'un a fait l'échange. »

Keterlyn réfléchit un moment. « Melchior, mon chéri, je ne vois tout de même pas ce qui te tracasse, dit-elle ensuite. Si Wunbaldus a pris du poison, pour échapper aux remords après ses crimes, il a bien fallu qu'il fasse l'échange.

— Moi aussi j'y ai pensé, et cela me ramène au fait que tout ce qui se passe dans le bas-côté nord s'entend parfaitement depuis la cellule de Wunbaldus, dans le dortoir. Attends, tu as dit quelque chose… quelque chose que… quelque chose sur quoi je voulais t'interroger. » Melchior dévisagea sa femme avec intensité, il lui prit tendrement le visage entre les mains. Puis il secoua la tête et plissa les yeux : quelque chose venait de lui traverser l'esprit, Keterlyn connaissait bien cette physionomie.

« Qu'est-ce que tu viens de dire. À propos de l'église Saint-Olav ? demanda Melchior. Tu as dit "cette maudite église, dont les bâtisseurs meurent tous les uns après les autres". Pourquoi dis-tu cela ?

— J'ai dit ça ? » répondit sa femme, étonnée, sans comprendre ce qui excitait tant Melchior. Puis elle se souvint. « Ah oui, bien sûr ! Je pensais à cette vieille légende que l'on raconte : on dit que Saint-Olav est maudite, tu sais bien ! Il n'y a pas grand monde qui y croie, mais c'est ce que l'on racontait autrefois. C'est mon père qui me l'a racontée. Toi aussi, tu as sûrement dû l'entendre.

— Pour l'instant, cela ne me dit rien. Raconte ! C'est très intéressant. Il y a généralement un fond de vérité dans les légendes, même si nous ne savons pas toujours la reconnaître.

— Viens, je te dirai ça au lit. De quoi j'aurais l'air, à te raconter ces vieilles histoires dans la boutique ? »

Melchior fut obligé de la persuader, et Keterlyn finit par céder, bien que ses yeux se ferment à moitié et qu'elle ait du mal à soutenir sa voix. Mais l'étreinte de son mari lui insuffla la force nécessaire pour rester éveillée, et elle se mit à répéter l'histoire que lui avait racontée son père, qui avait été tailleur de pierre à Tallinn, et de souche estonienne.

« Cette histoire est celle du bâtisseur qui a édifié l'église Saint-Olav… commença Keterlyn, mais son mari l'interrompit aussitôt.

— Attends un peu… mais… on ne sait pourtant rien de lui ?

— Justement ! C'est là-dessus que porte la légende. Et si tu m'interromps encore une fois, je m'en vais tout droit me coucher et je t'emmène avec moi, de force s'il le faut.

— Alors vas-y, parle ! »

Keterlyn reprit : « Donc, on raconte que dans le temps, quand Tallinn était une ville encore jeune et avec peu d'églises, on ne la connaissait guère, au loin, dans les pays allemands, et les marchands avaient du mal à trouver le chemin pour venir ici, car il n'y avait pas beaucoup de repères sur la terre pour indiquer la route. C'est alors que le Conseil avait eu l'idée d'élever une église très haute, qui se verrait de loin, plus haute que toutes les autres églises qui se trouvent sur cette terre consacrée à Marie et dans les pays alentour. Il se trouvait bien des gens pour dire qu'une église doit être la maison de Dieu, que l'orgueil et la supériorité ne devraient pas être les sentiments qui poussent à la construire, mais bien l'humilité et la piété. Cependant le dernier mot resta à ceux qui disaient qu'elle devait être plus haute que toutes les autres, et ensuite… »

Elle sentit Melchior sursauter. Vivement, l'homme tendit la main vers la table, tourna la page sur laquelle il venait d'écrire et cria presque :

« Les anges ! Ce sont les anges ! *Les anges donnent à notre ville un défenseur, plus haut que nous tous…* Par saint Victor, continue ! »

Keterlyn raconta comment on avait décidé que la nouvelle église devrait être plus haute que toutes les autres, et que l'on s'était mis à la recherche d'un maître bâtisseur pour la construire. On avait cherché dans le voisinage comme au loin, sur cette terre et au-delà des mers, et il s'était présenté plusieurs maîtres, qui avaient posé des fondations mais, quand ils avaient commencé à élever cette haute tour, ils étaient tous morts, un par un, comme des pommes qui tombent de la branche. De nouveau, beaucoup de gens avaient dit que c'était le châtiment de cette arrogance, et qu'il fallait construire la maison de Dieu avec un esprit d'humilité et un cœur pur. Mais au moment où Tallinn commençait déjà à perdre espoir, au terme de longues recherches et de proclamations, un étranger avait fini par se présenter et avait promis d'achever la construction, la seule condition étant que personne ne devait connaître son nom. Il ne l'avait révélé à personne et cela devait rester un secret pour toujours. Il avait ajouté que si par malheur quelqu'un l'apprenait, cela n'apporterait que désastre et infortune à la ville, et que son église ne resterait pas debout longtemps. Aussi longtemps que le secret de son identité serait préservé, l'église durerait. Mais si ce nom était connu des citoyens, alors s'ouvrirait une ère de malheurs, d'incendies, d'épidémies et de catastrophes. Le clocher de l'église ne durerait pas, et Tallinn ne serait jamais la ville importante, célèbre et riche que ses habitants désiraient.

Keterlyn aimait dire des histoires. C'étaient son père et sa mère qui les lui avaient racontées, et la plupart remontaient à l'époque où les Estoniens possédaient cette terre ; elles parlaient de choses que Keterlyn ne comprenait pas très bien, et plus d'une aurait pu être considérée comme impie ou hérétique. Mais elle connaissait aussi les légendes que les compagnons de la guilde de Saint-Olav, à laquelle son père avait appartenu, se racontaient en buvant de la bière, et celle-ci en faisait partie. Melchior écoutait, le corps tendu, la trace d'un sourire de triomphe sur les lèvres. Sa femme n'avait pas le souvenir de l'avoir déjà vu aussi passionné à l'écoute d'une légende qu'elle lui aurait racontée.

« Ensuite, continua-t-elle, le bâtisseur dit que si quelqu'un parvenait tout de même à connaître son nom, bravant l'interdiction, il n'accepterait pas de paiement pour la construction de cet édifice. Et il se mit à la construction, avec ses compagnons étrangers, et le clocher s'élevait, s'élevait, et il commençait à être visible de si loin qu'on l'apercevait même de la mer, à bonne distance. Les gens de la ville, eux, voyaient souvent aux côtés du bâtisseur un étranger vêtu d'un manteau insolite, qui paraissait vieux comme Hérode et qui parlait avec une voix cassée et désagréable ; bientôt, on commença à dire que si ce bâtisseur d'églises était capable d'élever une tour plus haute que les autres ne savaient le faire, il fallait que le diable soit de la partie. Il ne manquait pas non plus de gens à qui l'avarice faisait dire qu'il faudrait découvrir le nom du bâtisseur de l'église, afin de ne pas avoir à lui payer les dix mesures de pièces d'or qu'il avait réclamées. On envoya un espion au campement des étrangers, mais l'homme rôda pendant des mois sans réussir à découvrir ce nom. Jusqu'au jour où le clocher se trouva achevé et qu'il ne resta plus au bâtisseur qu'à y poser la girouette, comme le veut la coutume. Mais à ce moment, l'espion eut de la chance. Il entendit par hasard une conversation entre des compagnons étrangers, et… »

Melchior sursauta et s'écria soudain : « C'est vrai, je m'en souviens ! Oui, bien sûr, j'ai entendu une partie de cette histoire, certes avec quelques différences, mais c'est toujours le cas avec ces légendes populaires. L'espion a entendu que le nom du bâtisseur était Olev, et…

— Si c'est ainsi, je n'ai plus grand-chose à raconter. Son nom était Olev, et lorsque quelqu'un dans la foule cria ce nom, ce fut comme si le diable lui-même avait tiré l'homme par le pied : il tomba de la tour et mourut sur le coup, comme tous les autres bâtisseurs avant lui. On dit qu'un crapaud et un serpent lui sortirent de la bouche, et que ses membres se changèrent sur-le-champ en poussière. Ses compagnons ramassèrent ses restes, l'enterrèrent à l'insu de tous et disparurent de la ville ; on ne revit que l'homme au manteau, qui s'étouffait de rire. Cependant l'église Saint-Olav est toujours debout. Voilà l'histoire, Melchior, et maintenant, si tu ne viens pas te coucher tout de suite… »

Mais l'homme ne la laissa pas souffler la chandelle. Et Keterlyn connaissait assez son mari pour comprendre qu'elle avait commis une grave erreur, car toute trace de sommeil avait maintenant disparu des yeux de l'apothicaire. Plus exalté encore qu'auparavant, il retourna à ses écritures, et sa femme n'eut plus qu'à lui poser un baiser sur le front et à aller retrouver seule son lit.

Lorsque Melchior fut seul, il saisit un papier sur la table et relut ce qu'il y avait écrit :

« C'est l'aube, à l'orient pointe le jour,
Ô mon ami, nos sept frères, au carrefour,
N'attendent que de te guider vers le Temple du Seigneur,
Refermant leur main sur la truelle et le compas.
Aide-les à s'abreuver de la lumière qui brille au-dessus de la tombe :
Toutes les promesses, aussi anciennes que la science de Salomon,
Unies, tendent leur bouclier aux sept maîtres.
Sur celui qui marche en tête la Mort étend son manteau.
Favete linguis et memento mori.
Rugissant, la relique appelle au loin son propre sang,
Et hier est plus proche du sang du Christ, qui coule sur les murailles. »

« Une histoire ancienne, sans doute, mais celles-là aussi ont quand même toutes une origine », murmura-t-il avec excitation. Puis, saisissant sa plume, il écrivit à la suite des lignes précédentes :

Intrépides, les anges donnent à notre ville un défenseur, plus haut que nous tous.

Il reposa la plume et demeura un instant à regarder devant lui fixement.

« Miséricorde ! Par saint Côme et sainte Catherine, comment ai-je pu ne pas voir cela tout de suite ! C'est une strophe et une seule, une énigme et une seule ! J'aurais pourtant dû… Oh, par le Ciel ! » murmura-t-il.

Seuls trois mots, dont le sang de Gallenreutter avait masqué les premières lettres, demandaient à être complétés. Cela ne présentait plus de difficultés. Les mains de Melchior tremblaient lorsqu'il remplit les espaces vides ; il relut toute l'énigme et se versa de sa précieuse liqueur d'apothicaire.

Sans relâche, la Mort danse autour de leurs noms.
Invisible, le secret éternel est gardé par le serment de
la chair du premier,
Nul autre que les sept n'y a part, comme au corps
sacré.

Tout cela était-il vraiment si simple ? Avait-il maintenant tout compris ? Était-il capable de discerner les mobiles qui poussaient l'homme à tuer ? La miséricorde divine n'avait-elle pas suffisamment donné au monde pour retenir les hommes de commettre des folies en son nom ?

Il but son breuvage puissant jusqu'à la dernière goutte et jeta un coup d'œil dans la rue par la fenêtre. Il faisait noir, et aucun garde n'était en vue. Sa décision prise, il se leva, souffla la chandelle et se dirigea vers la porte. Il y avait encore certaines choses à régler, quelques âmes innocentes à sauver et d'autres qui appelaient sur elles à grands cris la damnation éternelle. Il suffisait qu'il fasse peu de choses, un simple miracle. Il suffisait de se glisser jusqu'au puits, de chercher, derrière une pierre branlante de la margelle, une chaîne d'or qui devait se trouver là, et de permettre à un miracle de se produire dans la ville de Tallinn.

Mais le lendemain matin, Melchior avait à faire chez les dominicains.

24

Rue du Puits
19 mai, au matin

Keterlyn était seule dans la boutique. Le soleil pénétrait par la porte ouverte et, dans la pièce, l'air tiède du
printemps caressait les murs de pierre sur lesquels l'hiver avait accumulé l'humidité et la moisissure. Keterlyn venait tout juste de finir le ménage et elle disposait
sur le comptoir les confiseries et les biscuits, tout en
faisant disparaître le désordre laissé par les médita-
tions nocturnes de Melchior. Même au matin, après
quelques heures de sommeil, son mari ne lui avait pas
dit ce qui l'avait mis dans un tel état d'excitation, ni
pourquoi ces vieux racontars à propos de Saint-Olav
revêtaient à ses yeux une telle importance. Il était
sorti en hâte de chez lui et avait de nouveau confié
à son épouse les affaires de la boutique. Keterlyn se
débrouillait, bien entendu : aux côtés de Melchior elle
avait appris un petit peu de son art, et elle savait même
préparer les remèdes les plus simples, pour lesquels
le visa du médecin de la ville n'était pas obligatoire
– sans mentionner le fait que ses ascendants, originaires de Viru, ne manquaient pas de connaissances
touchant aux plantes capables de soigner les maladies
des hommes, et qu'ils pouvaient certainement rivaliser

sur ce point avec les herboristes des monastères. Mais elle savait quand il convenait de se montrer discrète, pour ne pas irriter des gens plus haut placés qu'elle en étalant ses connaissances avec suffisance. Une suggestion discrètement placée çà et là, et Melchior ne réalisait même pas qu'il propageait dans la ville les connaissances des anciens de Viru.

Mais pour l'heure Keterlyn était seule et, ayant tout préparé pour que la boutique puisse recevoir des clients, elle alla s'asseoir au soleil sur la poutre de seuil. Il ne circulait pas encore grand monde rue du Puits ; seul Kilian était avachi sur la margelle du puits, comme tous les matins, mais il paraissait cette fois-ci morne et sans entrain : il avait posé sa mandoline et restait figé, comme s'il venait d'apprendre de très mauvaises nouvelles. Peut-être était-il encore sous le choc de la mort affreuse du prieur, pensa Keterlyn, à moins que… Elle se rappela les propos de Melchior à propos de la maisonnée voisine, sur le maître de maison, sa femme et Kilian, et elle dut reconnaître que si l'on regardait les choses de ce point de vue, son mari semblait avoir raison.

Et justement, tandis que Keterlyn agitait ces pensées, dame Gertrud sortit de chez elle, avec Ludke sur les talons. Gertrud fit un signe à Keterlyn, qui lui répondit pareillement. Puis elle lança quelques mots à l'adresse de Kilian, mais le garçon ne parut rien entendre.

« Kilian, bonjour ! Tu as l'air bien maussade, comme si toutes les cordes de ton instrument étaient cassées ! Ou bien est-ce ta voix que tu as perdue ? » demanda de nouveau Gertrud, et cette fois-ci le garçon la salua, mais sans retrouver la moindre trace de bonne humeur.

Ludke, lui, s'approcha de Keterlyn et lui demanda si la boutique était ouverte, car messire Tweffell avait grand besoin d'un onguent pour ses os douloureux.

« Melchior devrait bientôt être de retour, répondit Keterlyn d'un ton jovial. Je ne peux pas te donner cette pommade pour l'instant. »

Ludke fit une moue perplexe. « Le maître souffre beaucoup, murmura-t-il.

— Tu peux rester attendre Melchior, déclara Gertrud, de loin. Il est bien obligé de sortir de temps en temps, lui aussi. Je file jusqu'au marché pendant ce temps-là. »

Ludke sembla encore plus désemparé. Il regarda la boutique, puis Kilian et Gertrud, se demandant ce qu'il devait faire, puis il bredouilla :

« Mais le maître a défendu d'aller seule en ville. Il a dit que tant que le meurtrier rôde dans la ville, et que cet incapable qui se prétend bailli n'arrive pas à le coincer… »

Gertrud poussa un cri, effarée : « Ludke, veux-tu te taire ! Tout ce qu'on raconte à la maison ne doit pas être répété à tue-tête de par la ville !

— Mais que faire ? Le maître avait très mal, il a besoin d'un remède tout de suite, et la maîtresse n'a pas la permission d'aller en ville toute seule.

— Enfin ce n'est quand même pas la guerre, en ville, déclara Gertrud. Mais c'est vrai que ce remède est une affaire urgente. Kilian ! Hé, Kilian, tu pourrais bien m'accompagner au marché, toi ? » s'écria-t-elle ensuite, pleine d'espoir.

Le garçon sembla alors reprendre vie et il se leva lentement de la margelle.

« Oui, je vous accompagnerai bien volontiers », dit-il. Ludke paraissait au contraire de plus en plus désemparé.

« Ce chanteur ? lâcha-t-il brutalement. Mais c'est une vraie mauviette ! Un chat errant lui ferait son affaire !

— Attends un peu, valet ! J'ai appris l'escrime en Italie ! » s'exclama Kilian, tandis que Gertrud riait d'une voix claire.

« Oh ! Ludke, quand donc apprendras-tu qu'il n'est pas poli de dire à haute voix tout ce qu'on pense ? » s'écria-t-elle. Ludke, lui, continuait à maugréer, en aparté certes, mais toujours d'une voix assez puissante pour que Gertrud l'entende :

« C'est sûr que ça, la maîtresse l'a bien appris…

— Qu'est-ce que tu marmonnes ? » Posant les mains sur les hanches, Gertrud déclara, sur un ton qui rappela à tout le monde qui était la maîtresse dans la maison de messire Tweffell : « Maître Mertin sait parfaitement que personne ne va s'en prendre, en plein jour et en ville, à la femme d'un marchand, ni l'assassin de Toompea ni personne d'autre. C'est dit : tu restes ici à attendre Melchior, et Kilian m'accompagne, s'il n'a rien d'urgent à faire. »

Cela n'était pas du goût de Ludke, nota Keterlyn, mais il n'osa plus protester. Gertrud allait se mettre en route, accompagnée par Kilian, lorsqu'un appel retentit soudain au loin :

« Kilian ! Maître chanteur ! Tu as déjà entendu les nouvelles ? Un miracle ! Un miracle a eu lieu… »

Keterlyn tourna la tête et vit, courant vers eux en toute hâte depuis la porte de la Côte longue, Birgitta, la fille d'un marchand, une des jeunettes que l'on voyait souvent escorter Kilian. Elle paraissait pressée et surexcitée, et elle faillit bousculer deux armuriers qui se dirigeaient vers les écuries. Lorsqu'elle atteignit le puits, elle remarqua la présence de Gertrud et se troubla quelque peu, mais elle se reprit rapidement :

« Dame Gertrud, je vous salue. Mais j'ai vu, de loin j'ai vu Kilian, j'ai voulu lui annoncer la nouvelle. On dit qu'il s'est produit un vrai miracle à l'hospice de l'église du Saint-Esprit, un vrai miracle ! »

Keterlyn s'approcha, curieuse. Les miracles n'étaient pas chose courante à Tallinn.

Birgitta, ce faisant, s'était lancée dans une explication véhémente à grand renfort de mouvements de mains : « Ce miracle, quand je l'ai entendu, et ensuite quand j'ai vu Kilian, j'ai tout de suite pensé que c'était le genre d'histoire dont il pourrait tirer une chanson, comme il sait le faire à partir de toutes sortes de choses qui arrivent, sans avoir besoin de réfléchir…

— Enfin, raconte donc ce qui s'est passé là-bas ! intervint Keterlyn elle-même avec insistance.

— Le miracle, c'est… Là-bas il y a ce tronc pour les offrandes, n'est-ce pas, où tout le monde peut déposer quelque chose pour les pauvres de l'hospice et où quelqu'un met de temps en temps une pièce ou autre chose, et hier soir à ce qu'on dit il était complètement vide, il n'y avait pas une seule pièce dedans. Mais ce matin, il y avait dans le tronc une chaîne d'or pur, du genre que les seigneurs portent au cou, superbe, de grand prix ! »

Keterlyn ne manqua pas de remarquer la façon dont Kilian sursauta et se tint à la margelle, manquant de laisser tomber sa mandoline.

« Une chaîne ? Une chaîne en or ? balbutia-t-il.

— Parfaitement, en or pur, et si on la vend, il y aura de quoi nourrir et habiller les pauvres pendant un bon moment, et on dit que c'est un miracle authentique, que c'est le Saint-Esprit ou saint Victor qui l'a fait, et il va y avoir une messe d'action de grâces et… »

Birgitta continua à babiller ; personne ne semblait remarquer le saisissement de Kilian. Cependant, Gertrud haussa les épaules et interrompit la fille :

« Je n'ai jamais entendu dire que les miracles arrivent aussi facilement, et ce que l'on raconte en ville n'a pas grande valeur. S'il y a une chaîne, c'est que quelqu'un l'a déposée, et que le Ciel lui soit mille fois reconnaissant de se soucier des pauvres et des miséreux. Mais Kilian et moi nous préparions à aller au marché – n'est-ce pas, Kilian ? »

Cette dernière phrase fut dite sur un ton qui imposa le silence à Birgitta. Celle-ci salua Gertrud, quoique de façon un peu forcée et affectée. Kilian se hâta de hocher la tête et Gertrud et lui enfilèrent la rue Longue, tandis que Birgitta poursuivait son chemin. Ludke demeura planté devant la boutique comme une statue de pierre, à attendre Melchior.

Keterlyn, elle, alla se rasseoir sur la poutre de seuil et se mit à sourire. Elle croyait aux miracles, bien sûr, ou plutôt elle voulait y croire. Mais à sa connaissance ceux-ci s'étaient produits il y avait de cela bien longtemps, dans un pays lointain et étranger. Que quelque saint vienne à Tallinn offrir des chaînes d'or à l'hospice, voilà bien quelque chose qu'elle ne croyait pas une seconde. D'autant moins que son mari était sorti discrètement la nuit précédente, en pensant qu'elle ne l'entendait pas.

Mais que cette chaîne d'or soit plus utile, offerte à l'hospice, que pendue au cou de quelque maître de l'Ordre, Keterlyn en était convaincue.

25

Le couvent des dominicains
19 mai, en milieu de matinée

Quand Melchior arriva au couvent, la cloche de l'église Sainte-Catherine des dominicains sonnait, froide et lugubre, à la mémoire du prieur. C'était de nouveau ici un jour de deuil, mais plus douloureux et plus triste que la veille. La disparition du prieur laissait augurer des changements, cela voulait dire aussi qu'il faudrait présenter au chapitre général de l'Ordre un rapport détaillé à ce sujet. Pendant que le cadavre d'Eckell était lavé, cousu dans un sac de toile de lin et porté à la chapelle où l'on avait dit la messe des morts, les frères versés dans l'art de la médecine avaient discuté des causes du décès. Tout d'abord – comme Hinricus l'expliqua à Melchior –, on était arrivé à la conclusion que la mort était consécutive à l'ingestion de nourriture avariée, à une maladie de la vieillesse ou à un poison absorbé par les voies respiratoires ou avalé en même temps que la nourriture ou la boisson. Mais on se demandait toujours quoi écrire au chapitre, ajouta Hinricus. Melchior hocha la tête et lui rendit l'amulette du prieur.

« Il y avait du poison là-dedans, donc ? demanda Hinricus en prenant le médaillon avec beaucoup de précautions.

— Oh, il y a eu du poison là-dedans, sans aucun doute, répondit Melchior avec réticence, mais le jeune moine ne parut pas comprendre. Justement, je voulais te demander combien de personnes le savaient, dans le couvent.

— Personne, déclara Hinricus avec assurance. J'en ai parlé ce matin avec les frères, personne ne l'avait jamais vue. Contre la peste – comme le prieur Eckell nous le disait souvent –, c'est la tête de saint Roch qui nous garde, et le fait de mener une vie propre et méticuleuse. Je ne crois pas qu'il ait parlé de son amulette à quiconque.

— La tête de saint Roch », répéta l'apothicaire. Il se rappela le crâne fripé dans son reliquaire, qu'il avait fugitivement aperçu. La force des saints est immense, mais le prieur avait secrètement préféré quelque chose en quoi il avait davantage confiance. *Personne n'aurait pu le lui reprocher*, pensa Melchior.

« Cette relique peut certainement être utile, certainement, déclara-t-il. Et je comprends pourquoi le prieur n'avait pas voulu parler de son amulette : il ne voulait pas diminuer la foi des frères en la faculté miraculeuse des reliques. Mais il avait beaucoup vu la peste pendant sa vie, et il la craignait. Et peut-être avait-il raison à propos de l'arsenic, il est bien possible que cette substance protège réellement, mais lui, cela lui a plutôt apporté la mort… »

Avant que le moine ait pu ajouter quoi que ce soit, il lui demanda si l'on avait trouvé dans le couvent, le jour de la mort de Wunbaldus, des taches de sang.

« Non, Melchior, je peux vous le dire en toute certitude, il n'y avait nulle part la moindre trace de sang sur le sol, répondit le moine. Ni dans le cloître, ni dans l'église, ni ailleurs. Mais vérifiez vous-même, personne n'a nettoyé ici. »

Hinricus invita l'apothicaire à l'accompagner et ils retournèrent vers la cellule de Wunbaldus, passant par le cloître et les magasins, et le moine demanda à plusieurs frères s'ils avaient par hasard vu du sang quelque part, mais tous secouèrent la tête d'un air étonné. Malgré la mort du prieur, les travaux de construction n'avaient pas été interrompus, et des hommes transportaient du côté sud du cloître des pierres et de la chaux, tandis que les charpentiers montaient des échafaudages.

Hinricus expliqua à Melchior que la communauté commençait à se trouver à l'étroit dans le monastère, que l'église était trop exiguë, et que l'on procédait à des travaux d'agrandissement en utilisant tout l'espace disponible dans la clôture. Mais, ajouta-t-il, si quelque chose se dévaluait en ce monde, c'était bien la vie humaine.

« Très juste, soupira Melchior.

— Nous ne pouvons pas avoir au couvent autant de frères que nos obligations le nécessiteraient, c'est la raison pour laquelle nombre d'entre nous doivent remplir plusieurs fonctions. J'étais à la fois cellérier et responsable du dortoir, et parfois même sacristain, car le frère Humbertus, dont c'est l'emploi, est déjà vieux et fatigué », dit Hinricus en conduisant Melchior jusqu'à la cellule de Wunbaldus. Grand et mince, il semblait plus voûté encore qu'à l'ordinaire, et les cernes sombres sous ses yeux montraient qu'il n'avait pas dû beaucoup dormir la nuit précédente.

« Et de ce fait, des hommes comme Wunbaldus doivent être spécialement bienvenus, avec leurs multiples dons naturels et leurs compétences variées ? demanda l'apothicaire.

— Avec la bière brassée par Wunbaldus, nous espérions pouvoir rembourser toutes les dettes contractées pour la construction du nouveau cloître, c'est vrai. Le monde repose sur des nécessités matérielles, hélas, et le couvent est situé au sein du monde matériel. Nous devons trouver nous-mêmes l'argent nécessaire à notre subsistance, quelque fort que puisse être notre désir d'être des prêcheurs, comme le prévoit notre règle. Moi aussi je préférerais passer mon temps au scriptorium, ou en ville à prêcher aux gens du peuple, mais je consacre hélas le plus clair de mes journées à faire des additions et à payer le salaire des constructeurs, déclara Hinricus en soupirant.

— Bien entendu. D'après ce que m'a dit ma chère femme, et comme je l'entends d'ailleurs à ta façon de parler, tu es toi aussi de souche estonienne ? »

Hinricus hocha la tête. Il ouvrit la porte de la cellule de Wunbaldus et ils entrèrent : les outils du frère convers se trouvaient toujours sur la table. Il traînait encore dans la pièce une odeur désagréable. Hinricus indiqua une chaise et s'assit lui aussi ; il titubait légèrement. Il expliqua qu'il était né à Harju, le quatrième fils d'un vassal de souche estonienne. Son cœur le portait à prêcher et à répandre la parole de Dieu dans le pays, car c'est à cela qu'on l'avait formé.

« Les fermiers de Harjumaa peuvent bien faire des affaires avec l'Ordre et avec Tallinn, poursuivit-il, il n'empêche qu'ils ne comprennent pas la parole de Dieu. Et les vassaux leur donnent trop de droits. Oui, mon cœur m'appelle à aller prêcher dans les campagnes, pourtant mes obligations me retiennent entre les murs du couvent. Mais ce n'est pas cela que vous êtes venu me demander, Melchior. »

Melchior secoua la tête. Il n'avait pas demandé à être conduit dans la cellule de Wunbaldus, mais il comprenait que Hinricus l'avait amené là parce que c'était réellement, en ce moment, le seul endroit du couvent où ils pouvaient parler sans être dérangés.

« Wunbaldus m'intrigue, dit Melchior. Je voudrais savoir pourquoi il a tué Clingenstain, qui il était, d'où il venait, quand il est arrivé.

— Bien sûr, répondit Hinricus. Je m'en doutais. En clair, vous voulez voir notre matricule. Je vais la chercher au scriptorium, je vous l'apporte tout de suite. »

Il laissa Melchior seul dans la cellule de Wunbaldus. L'apothicaire promena son regard dans la pièce sombre et remarqua deux ou trois flaques d'eau sur le sol, dans des fentes de la pierre. On avait lavé Wunbaldus dans cette pièce, mais il se rappelait distinctement que les taches de sang se trouvaient uniquement sur la tunique du frère convers, et nulle part ailleurs. Sous la table de bois brut, dans un coin, il aperçut quelque chose de clair et, se baissant pour regarder, il découvrit une boîte avec des pièces de jeu d'échecs, celles-là même avec lesquelles le prieur et le convers avaient joué. Il resta un instant songeur puis ouvrit la boîte, choisit attentivement certaines pièces et les disposa sur l'échiquier, dans la même disposition que messire Freisinger lui avait si obligeamment commentée. Puis il demeura à attendre Hinricus. Le frère revint peu de temps après, tenant sous le bras un registre relié en cuir, avec des fermoirs métalliques.

« Tout ce qui concernait Wunbaldus, vous auriez dû le demander au prieur, dit-il après s'être assis. C'est le prieur Eckell qui l'avait admis au couvent et qui a été son responsable en toutes circonstances. »

Le regard du moine se posa sur le jeu d'échecs, mais il ne montra pas d'étonnement particulier.

« J'ai sorti les pièces sans y penser, marmonna Melchior comme en passant. Je les ai trouvées sous la table de Wunbaldus. Est-ce qu'on joue beaucoup aux échecs dans le couvent ?

— On y joue, en effet, confirma Hinricus. J'ai pourtant entendu dire que tout le monde ne voit pas cela d'un très bon œil dans notre ordre. Le prieur Eckell et Wunbaldus jouaient assez souvent.

— Et toi ?

— Je ne sais pas jouer. Wunbaldus gagnait toujours contre le prieur. Pour autant que je me souvienne, ils ont toujours joué et Wunbaldus a toujours gagné. Si je ne me trompe pas, le prieur avait toujours les blancs et c'est lui qui jouait en premier, c'était une facilité. Et il jouait parfois tout seul. Ou plutôt il ne jouait pas vraiment, il plaçait seulement les pièces ici et là sur l'échiquier. »

Melchior se força à l'indifférence, mais en même temps il serra fortement le poing et hocha discrètement la tête.

« Comme s'ils représentaient des personnes vivantes, n'est-ce pas ? demanda-t-il. On dit que le jeu d'échecs peut être une sorte de miroir de la vie.

— En effet. Le prieur aimait réfléchir à l'aide des pièces, quand il se trouvait face à une situation difficile. Il cherchait naturellement des réponses dans l'Écriture sainte et les livres pieux, mais parfois aussi il posait des pièces sur l'échiquier, comme à la recherche d'une indication exacte sur la conduite à tenir. Mais le prieur et Wunbaldus... J'avais l'impression qu'ils avaient dû se connaître quelque part à une autre époque : où ça, je n'en sais rien. Une seule fois, je m'en souviens, j'ai entendu sans le vouloir un fragment d'une de leurs conversations. »

D'une voix fatiguée, Hinricus expliqua que c'était arrivé dans les magasins. Un tonneau avait apparemment dégringolé, et Wunbaldus avait réussi à écarter le prieur, sans quoi celui-ci l'aurait reçu sur la tête. Quoi qu'il en soit, le prieur l'avait remercié et avait dit qu'il venait une fois encore de sauver la vie d'un dominicain. Que c'était déjà la quatrième fois. Le prieur avait fait allusion à trois frères, trois dominicains, qui seraient morts en martyrs sans le secours de Wunbaldus. C'est alors qu'ils avaient aperçu le cellérier qui se tenait à distance, et Hinricus n'avait rien entendu de plus à ce sujet.

« C'est vrai, marmonna Melchior. Le prieur a parlé de trois hommes pieux dont les vies avaient été sauvées, tandis que nous étions ici autour du cadavre de Wunbaldus. Je n'avais pas compris à quoi il faisait allusion. Mais Wunbaldus n'a jamais parlé de cela ? »

Hinricus sourit en ayant plus ou moins l'air de s'excuser.

« Vous savez, Melchior, nous autres dominicains, nous n'entrons pas au couvent pour nous raconter nos vies. Ou pour nous faire des sermons les uns aux autres. Nous sommes là pour annoncer la parole de Dieu, mais pas entre nous. Nous menons ici une vie silencieuse. Pour en revenir à Wunbaldus, c'est vrai, comme c'est moi qui tiens nos comptes, je dois reconnaître que depuis son arrivée nos rentrées ont crû régulièrement. Qu'il s'agisse de faire affaire pour des harengs, de vendre notre bière ou d'acheter du grain à la campagne, nous n'avons jamais eu d'aussi bon commerçant que Wunbaldus. »

Hinricus ouvrit ensuite le grand registre du couvent et se mit à en tourner les pages.

« Est-ce qu'on indique aussi d'où venait Wunbaldus quand il est arrivé ici ? demanda Melchior.

— À vrai dire… non, marmonna Hinricus, plissant les yeux et se penchant en avant pour déchiffrer ce qui était écrit. Il est simplement écrit qu'il *a séjourné jadis en Angleterre, chez les frères d'Oxford.* À l'époque j'étais encore simple novice. Mais je me souviens que Wunbaldus s'entendait déjà très bien avec le prieur Eckell. Là, dans le registre, c'est même le prieur en personne qui a inscrit de sa main son admission comme frère convers, et… il y a ici quelque chose de raturé. »

Melchior se pencha lui aussi. Il vit que devant le nom de Wunbaldus, deux mots avaient été barrés : « *Admettre dans notre couvent sans période probatoire frère...* Hmm, il y a là deux mots raturés et ensuite seulement le nom. Est-ce que c'est le prieur Eckell qui a écrit cela ?

— Lui et personne d'autre.

— Très curieux, fit remarquer Melchior. Comme s'il n'avait pas été sûr du nom de ce frère… et pourtant ils s'étaient déjà rencontrés dans le passé ? »

Hinricus haussa les épaules.

« Et le prieur était en quelque sorte le garant de Wunbaldus ? insista Melchior.

— Oui : je devrais peut-être ajouter qu'aucun autre frère ni convers n'avait de relation si étroite avec le prieur. Ce dernier avait même attribué à Wunbaldus cette pièce séparée, où il pouvait travailler et dormir sans être dérangé. Mais comme je l'ai dit, frère Wunbaldus a rendu de grands services à notre couvent.

— Le registre n'indique pas dans combien de couvents il avait été avant celui-ci ?

— Il lui est arrivé de faire allusion à la vie conventuelle qu'il avait menée ailleurs, mais jamais de façon précise. Mais oui, j'avais cru comprendre, et les autres frères également, qu'il avait déjà servi comme convers dans d'autres monastères dominicains. Et comme je le vois dans ce livre, donc, en Angleterre. Mais où il est né et dans quels autres couvents il est passé, seul le prieur Eckell devait le savoir. Par exemple, frère Wunbaldus connaissait l'Écriture sainte et le droit canon mieux que nos autres convers, et peut-être même mieux que notre sacristain.

— Et par ailleurs, il connaissait les principes de la médecine ?

— Mieux que notre infirmier, pour sûr. »

Ils se turent, comme si la conversation avait atteint un point qu'aucun des deux ne voulait formuler et qu'ils auraient été heureux d'éviter tout à fait. Cependant, Melchior finit par dire :

« Et malgré tout cela, un beau jour, cet homme s'en va couper la tête de deux personnes, puis il va se confesser à l'église du Saint-Esprit et enfin boit une coupe de poison.

— Il s'est produit des choses plus étranges dans le monde, murmura Hinricus en fermant un instant les yeux.

— Est-il déjà arrivé par le passé qu'un dominicain aille à l'église du Saint-Esprit pour se confesser ?

— Si c'est le cas, nous ne pouvons pas le savoir, à cause du secret de la confession. Mais c'est très inhabituel, en effet.

— Je ne connaissais Wunbaldus que de loin, mais toi, tu as vécu à ses côtés jour après jour, suggéra Melchior avec précaution.

— C'était simplement une personne qui portait l'habit des frères convers. Nous ne sommes pas tous capables de laisser le monde matériel à l'extérieur des murs du couvent. Cependant, j'ai toujours eu l'impression que, si certains d'entre nous sont tombés là un peu par hasard, Wunbaldus, lui, était dans ce couvent parce qu'il devait y être. Il ressentait peut-être l'appel de Dieu plus fortement que d'autres. En ce qui concerne les meurtres, s'il les a réellement commis, alors de nouveau c'était parce qu'il croyait devoir le faire.

— Est-ce que tous les meurtriers n'ont pas cette conviction ? demanda Melchior d'un ton grave.

— Je ne peux pas vous répondre, je ne connais pas la vie intérieure des meurtriers. Mais Wunbaldus avait une grande force de volonté. Il accomplissait toujours ce qu'il croyait juste et nécessaire. Comme je viens de le dire, nous ne parvenons pas tous à abandonner notre vie antérieure à l'entrée du couvent. Nous avons beau nous y efforcer, il est toujours possible que la haine, la jalousie, l'avidité ou l'orgueil nous accompagnent. Nous pouvons tous apporter avec nous, de notre vie précédente, un péché, une haine, quelque chose que nous refusons d'apaiser, même avec la parole de Dieu. De plus, les dominicains ne doivent pas rester confinés dans l'enceinte du couvent. La vie profane devrait disparaître de nos pensées et de nos âmes, qui doivent être pures, alors même que nous la voyons tous les jours. »

Pendant qu'il parlait, la voix de Hinricus avait pris de l'assurance ; il se tenait penché en avant et une flamme passionnée brillait dans ses yeux fatigués. Melchior ne comprit pas tout de suite s'il s'agissait d'une plaidoirie pour Wunbaldus ou si le moine cherchait à exprimer ses propres pensées, ses doutes. Hinricus se tut subitement et regarda Melchior fixement, surpris, comme s'il n'en revenait pas d'avoir tant parlé d'une seule traite.

Melchior, lui, avait relevé dans les propos du moine quelque allusion que celui-ci n'avait peut-être pas osé formuler explicitement.

« Tu veux dire que Wunbaldus a pu éprouver quelque chose dernièrement, ici à Tallinn, qui l'a poussé à tuer, que ce n'était pas forcément lié à son passé ?

— C'est peut-être bien ce que j'ai voulu dire, répondit Hinricus. Les dominicains ne s'enferment pas derrière les murs de leur couvent, nous nous mêlons au peuple, nous prêchons, nous voyons les misères et les peines des gens… nous voyons aussi leur cruauté et leur injustice.

— Une injustice insupportable, qui demandait réparation – quelque chose de ce genre aurait pu induire Wunbaldus en tentation ? Un homme sûr de ses pensées et de ses décisions ? demanda Melchior.

— Mais nous n'en savons rien ! s'écria Hinricus. Il était difficile de le faire sortir de sa réserve, et si vous imaginez qu'une femme, par exemple, aurait pu l'induire en tentation, alors non, je n'y crois pas. Wunbaldus était ici parce qu'il voulait y être, il était convaincu que c'était là sa juste place. Tous les frères – et je ne parle pas seulement des convers – n'ont pas sa fermeté d'âme.

— Néanmoins vous passez tous beaucoup de temps à l'extérieur du couvent. Et les hommes changent avec le temps, frère Hinricus.

— Non, pas lui. Pas Wunbaldus, dit Hinricus, sûr de lui. Il a pu changer bien des fois au cours de sa vie, mais le dernier changement a été sa décision d'entrer au couvent.

— C'est curieux, fit Melchior. Et je crois que tu as raison. Mais maintenant je voudrais savoir plus précisément comment on verrouille le portail du cloître et comment on l'ouvre. À ce que je sais, il n'est pas fermé à clef dans la journée ?

— Oh non, bien sûr que non !

— Chacun peut entrer ou sortir sans que le portier s'en souvienne ?

— Johannes, notre vieux frère portier, ne se souvient peut-être même pas de son propre nom. Et si vous voulez savoir s'il est possible que Wunbaldus soit sorti de sa cellule en catimini pour aller tuer ce maître bâtisseur… oui, nous avons posé la question à Johannes. Il a fait le signe de croix et n'a su que répéter : "Pitié mon Dieu, pitié mon Dieu !" Autrement dit, l'armée du roi de Suède au grand complet aurait pu entrer et sortir sous ses yeux sans qu'il s'en rende compte.

— Et tout le monde le sait, poursuivit Melchior.

— Naturellement, ce n'est pas un secret. Il a verrouillé le portail à peu près à l'heure habituelle, comme il le fait toujours, après l'office du soir, quand tout le monde a été parti et que les moines sont allés se coucher. C'était un soir tout à fait ordinaire au couvent, Melchior.

— Un soir ordinaire, répéta lentement Melchior. Et il ne s'est rien passé de particulier. Même pas à propos des vêtements blancs d'un frère convers. Il n'en manque aucun, et aucun ne s'est trouvé souillé de traces de sang inexplicables ? »

Hinricus leva la tête comme s'il venait d'entendre quelque chose de surprenant. « Des vêtements ? demanda-t-il. Vous pensez à la tunique blanche des convers ? Oui, maintenant que vous en parlez, ce matin nous n'avons pas réussi à trouver une des tuniques de Wunbaldus. Chaque convers en possède deux, pour le cas où l'une serait sale, et pour l'enterrer, ou du moins jusqu'à ce que nous sachions où et comment l'enterrer, ou que faire de son cadavre… » Il s'inter-rompit et Melchior hocha la tête.

« Je comprends, dit-il rapidement.

— Oui, poursuivit Hinricus, il fallait que nous lui passions un vêtement propre, mais nous ne l'avons trouvé nulle part. Pourquoi demandez-vous cela ? Vous savez peut-être où elle est ? »

Melchior ferma un instant les yeux, pour cacher la joie de la victoire. Lorsqu'il les rouvrit, ils avaient recouvré une apparence terne et indifférente, et seules les commissures de ses lèvres frémissaient légère-ment, comme s'il avait cherché à camoufler un sou-rire de satisfaction.

« Où elle est ? répéta-t-il. Pas bien loin, je crois. » Il se leva alors. « Je te remercie de tout cœur, frère Hinricus, en mon nom et au nom du Conseil. Je crois que tu m'as aidé à faire un petit pas vers la solution de tout ce mystère. »

26

Près de la porte des Forges
19 mai, vers midi

L'orfèvre Casendorpe apprit le miracle du Saint-Esprit auprès de la porte des Forges, alors qu'il marchait en compagnie de sa fille Hedwig. Il sursauta et demanda au compagnon de la Monnaie qui avait répandu cette nouvelle de quelle bon sang de chaîne il s'agissait.

« Moi, je ne sais rien de plus. C'est ce que je viens juste d'entendre dire. Une chaîne d'or a été trouvée dans le tronc de l'hospice du Saint-Esprit. Comme si saint Victor en personne était venu faire une offrande. Messire l'orfèvre devrait aller à l'église du Saint-Esprit, voir par lui-même ce qu'il en est, répondit le compagnon avant de détaler.

— Je ne connais qu'une seule chaîne d'or qui devrait se trouver quelque part en ville, et que ce Wunbaldus a apparemment volée. Et je l'ai faite de mes propres mains ! Alors qu'est-ce que c'est que cette chaîne-là ? » grommela Casendorpe.

Il avait confié le travail pour une heure ou deux aux soins de ses compagnons et était sorti se promener en ville avec sa fille, afin de bien montrer que Hedwig ne souffrait d'aucune manière, que la jolie jeune fille était fraîche et florissante, que si quelqu'un osait prétendre qu'un Tête-Noire l'avait méprisée, ce n'était qu'un mensonge éhonté, et que quiconque répandait pareille calomnie mériterait d'avoir la langue arrachée. Au moment précis où il venait d'entendre parler d'une mystérieuse chaîne apparue spontanément dans le tronc de l'hospice, il tomba sur Clawes Freisinger.

Le Tête-Noire venait de franchir la porte de la ville, sans doute était-il allé derrière la chapelle Sainte-Barbara, ou dans une auberge qu'il fréquentait parfois, sur la colline Saint-Antoine ; il se pavanait avec son chapeau neuf, mais en apercevant l'orfèvre il s'arrêta et s'inclina courtoisement. La salutation s'adressait aussi bien à l'orfèvre qu'à sa fille, mais cette dernière détourna fièrement le regard.

« Ah ! Messire Tête-Noire, dit l'orfèvre d'un air pincé, vous parcourez déjà la ville à la recherche de nouvelles fiancées à séduire ?

— Non, messire Casendorpe, répondit poliment Freisinger. Je viens de la chapelle Sainte-Barbara, mais comme nous n'avons pas pu parler hier à cause de ce déplorable incident, je vous prie à présent d'accepter toutes mes excuses.

— Vos excuses ! aboya Casendorpe avec mépris.

— En vérité », dit Freisinger. Sa voix était ferme et claire, et un éclat triste brillait dans ses yeux. Il fit un signe discret en direction de la rue qui longeait le rempart, menant de la porte des Forges à celle des Troupeaux en passant au milieu de demeures misérables, et que jalonnaient plusieurs jardins abrités des regards indiscrets. « Je vous en prie, messire Casendorpe, ayez la bonté de m'écouter. »

Quelques instants plus tard, entre un bosquet de tilleuls et le rempart, Freisinger s'inclina de nouveau profondément devant Hedwig et déclara :

« Je vous prie d'accepter mes excuses, et en même temps l'assurance que je n'ai absolument aucune intention de me marier dans un proche avenir. Que la foudre m'abatte si je mens ou si je devais chercher une fiancée, à Tallinn ou ailleurs. Ce n'est en aucun cas mon intention, et s'il est vrai que je ne voudrais jamais forcer quelqu'un à se marier, je ne veux pas davantage me contraindre moi-même, alors que je ne me sens pas encore prêt à être un bon époux. Et encore moins s'agissant d'une jeune fille aussi charmante que Mademoiselle Hedwig. »

Hedwig étouffa un sanglot et Casendorpe s'écria avec colère :

« Cessez de tourner ma fille en ridicule !

— Je tiens réellement demoiselle Hedwig pour la plus vertueuse et la plus belle jeune fille de Tallinn, et ma félicité serait complète si je pouvais lui proposer ma main et mon cœur, mais je ne voudrais à aucun prix l'inciter à un mariage où elle ne trouverait pas le bonheur », déclara Freisinger.

Ses yeux, en cet instant, imploraient la compréhension et le pardon aussi ardemment qu'ils avaient espéré de Hedwig, quelques jours auparavant, une douce caresse. La jeune fille sentit qu'elle ne parvenait pas à retenir ses larmes. Pour cacher son émotion, elle s'écria :

« N'allez pas imaginer un seul instant que j'aurais pu trouver le bonheur en étant votre femme ! Si j'étais prête à vous épouser, c'était uniquement par égard pour mon père et ma famille. »

Freisinger hocha la tête tristement et se tourna vers l'orfèvre.

« Repensez à votre jeunesse, messire orfèvre. N'avez-vous pas senti le doute vous ronger le cœur lorsque vous

vous êtes avancé devant l'autel ? Ne vous êtes-vous pas demandé si l'amour, aussi beau et délicieux qu'il pût paraître, ne demandait pas, pour s'épanouir en félicité conjugale, davantage que ce que vous aviez alors à donner ? Ne vous êtes-vous pas dit : "J'aime cette fille, c'est un fait, mais saurai-je être pour elle un bon mari, un homme vraiment digne d'elle ?" Moi, je me le suis demandé. Et en scrutant le fond de mon cœur, j'ai répondu que non. Je ne suis pas encore digne de demoiselle Hedwig, qui, avec sa jeunesse, sa délicatesse et son innocence, est trop vertueuse pour vivre avec un homme comme moi.

— Autrement dit, répliqua Casendorpe avec irritation, vous ne voulez pas renoncer au mode de vie des Têtes-Noires, que plus d'un prêtre qualifierait de…

— Autrement dit, je veux rester honnête envers moi, envers mes amis et envers une jeune fille que j'aime peut-être réellement. Et que je respecte au point de ne pas vouloir la rendre malheureuse, non plus que sa famille. J'aurais voulu vous dire tout cela hier soir, et vous remercier d'avoir malgré tout accepté l'invitation des Têtes-Noires et de nous avoir honorés de votre présence. Je vous l'aurais dit si la mort horrible du prieur Eckell n'était intervenue. »

Hedwig était maintenant tout à fait incapable de retenir ses larmes. Elle agrippa le bras de son père et s'écria :

« Si vous osez affirmer que vous m'aimez, où est donc cette honnêteté envers vous-même, alors que vous projetez d'en épouser une autre ?

— Je vous assure, une fois de plus, que rien ne me rendrait plus heureux que de trouver en cet instant, au fond de moi-même, le courage de tomber à vos genoux et de vous proposer ma main et mon cœur,

dit Freisinger à voix basse. Je vous demande sincèrement pardon, demoiselle Hedwig. Je ne connais
aucune jeune fille, dans toute la Livonie, qui mérite
plus d'estime que vous, et j'implore tous les saints de
vous conduire à un fiancé qui soit plus digne que moi
de vos vertus.

— Et moi… moi, je préférerais épouser le valet d'un
tanneur, plutôt que de devenir votre femme !

— Votre bonheur est souverain, chère demoiselle,
répondit Freisinger abattu.

— Cesse de dire des sottises, ma fille ! dit Casendorpe avec dureté. Et d'ailleurs, il est temps de nous
en aller. En réalité, nous n'avions pas la moindre intention de rester à bavarder avec vous, Freisinger.

— Quant à moi, au contraire, je me félicite de vous
avoir rencontrés, déclara le Tête-Noire : mon âme est
tourmentée, et je demande pardon pour tout ce que
j'ai pu causer par mon inconséquence. Au revoir,
demoiselle Hedwig, je vous supplie d'inclure dans vos
prières quelque pensée pour moi, comme je le ferai
pour vous toute ma vie. »

Ils se séparèrent sur ces mots. Peu après, arrivé à la
rue du Roi, Casendorpe rencontra un employé du tribunal qu'on avait envoyé à sa recherche, et qui était
porteur d'un message insolite de Dorn, le bailli. Celui-
ci avait invité pour le soir même, à son office, plusieurs citoyens importants de Tallinn, susceptibles de
témoigner à propos de ces meurtres épouvantables et
à qui le Conseil de Tallinn déléguerait la responsabilité de décider si les obligations de la ville regardant
la remise du meurtrier à Toompea étaient remplies.
Messire Casendorpe, comme maître de la guilde des
Kanuts, se trouvait être l'un de ceux que le bailli avait
l'honneur de prier.

Casendorpe fit répondre qu'il viendrait sans faute. Il regarda longuement l'employé du tribunal qui s'éloignait et se dit qu'il s'agissait là d'une bien étrange invitation. Mais pour autant qu'il y comprît quelque chose, c'était sans doute davantage le souhait de Melchior, l'apothicaire, que celui du bailli.

27

Rue du Puits
La demeure de Mertin Tweffell
19 mai, l'après-midi

Le maître de la Grande Guilde, Mertin Tweffell, avait
la certitude de pouvoir se compter parmi les hommes
les plus riches de Tallinn ; quant à la question de savoir
si ces richesses – ou plutôt les aumônes qu'elles lui
avaient permis de faire à l'Église et les messes qu'il
avait fait dire – valaient quelque chose, cela lui serait
bientôt révélé, lorsqu'il quitterait ce monde. Il ne
doutait pas que l'instant fût proche, il sentait la force
vitale l'abandonner petit à petit et ses membres choir
l'un après l'autre comme des soldats sur le champ
de bataille. L'âme se préparait à prendre congé d'un
corps devenu vieux. Il se répétait qu'il était un bon
chrétien, mais il réalisait en même temps très clairement qu'il s'était conduit vis-à-vis de la sainte foi, sa
vie durant, de la même façon que s'il se fût agi d'une
transaction commerciale, d'un contrat. Ces derniers
temps seulement, pendant les ultimes mois de sa vie,
il s'était demandé s'il avait de son côté rempli avec
exactitude toutes les obligations prévues au contrat. Il
se rendait compte qu'il allait plus souvent à l'église,
qu'il faisait davantage l'aumône, écoutait les sermons

avec plus d'attention, guettait les indices montrant que son contrat se déroulait comme il fallait et que la marchandise serait délivrée en temps voulu, c'est-à-dire qu'il irait au Ciel. Mais lorsqu'il évoquait tout cela avec des prêtres, ceux-ci se mettaient à lui parler des dangers qui guettaient l'homme à l'heure de sa mort. Ils lui disaient qu'il ne fallait pas être trop sûr de soi ni trop impatient, qu'il convenait d'être soumis, patient, empli d'espérance. L'impatience était une tentation, et c'était une des ruses de Satan que de détourner l'homme de la juste façon de mourir.

Ces réponses n'étaient pas du goût de Tweffell.

En réalité, la seule chose qu'il souhaitait était de mettre tranquillement en ordre ses affaires terrestres tout en sachant qu'il n'avait plus à se soucier de rien du côté du Ciel. Que ses dons étaient enregistrés et son contrat en ordre.

Sur terre il lui restait encore quelques points à régler, et le droit d'agir ainsi, il en était convaincu, était donné par Dieu à l'homme en même temps que l'entendement. C'était le droit de discerner le bien du mal et d'agir en conséquence.

Un employé du tribunal s'était présenté chez lui vers midi et lui avait transmis le souhait du bailli de voir le commerçant à son office dans la soirée. Il réfléchit un moment, se demandant s'il ne devrait pas en toucher un mot au Conseil, puis il décida qu'il n'y avait pas de raison. Il n'avait rien à craindre *du Conseil* : le Conseil de Tallinn était peu ou prou identique à la Grande Guilde, et il aurait été averti si son voisin l'apothicaire, ce Melchior, était arrivé à quelque conclusion, à quelque chose d'important.

Mertin Tweffell était assis dans la pièce sur l'arrière de sa demeure et, bien que le temps soit doux, il avait fait allumer le poêle par Ludke : sa vieille carcasse demandait toujours plus de chaleur, et c'était au chaud que lui venaient toujours ses meilleures idées. Il s'était aussi fait porter par son serviteur une bouteille de vin épicé, ainsi qu'un livre pieux – une vie de saint – et un sermon sur un rouleau de papier, acheté à l'église Saint-Nicolas et qu'il avait même fait bénir. Enfin, Ludke avait dû lui apporter un crucifix.

En remarquant la mine surprise du garçon, il ajouta en souriant : « Espèce de chien, n'espère pas que je vais crever tout de suite ! Tout ce fatras est là pour toi ! »

Puis il se fit expliquer où chacun se trouvait, et Ludke déclara que dame Gertrud était en train de préparer le repas à la cuisine, que la vieille servante faisait la lessive dans la cour et que Kilian traînait peu de temps auparavant dans un jardin près de la porte des Troupeaux, occupé à gratter son instrument.

« C'est bien, marmonna Tweffell en tambourinant de ses doigts sur le plateau de la table. Très bien. Maintenant dis-moi, Ludke, sais-tu ce que signifie jurer par tous les saints ?

— C'est ce qu'il y a de plus sacré et de plus grave, et on n'a pas le droit de jurer un mensonge, sinon les saints se vengent », répondit le garçon promptement. S'il était effrayé, il savait le cacher derrière son air buté. Tweffell ne s'y trompait pas, bien entendu, sans quoi il ne l'aurait pas pris à son service. Derrière son apparence bornée et mal dégrossie se dissimulait une intelligence vive. Par le diable, l'animal jouait même aux échecs mieux que Tweffell !

« Et maintenant, sais-tu ce que signifie mentir à son maître ? » demanda ensuite Tweffell.

Ludke baissa les yeux et récita : « C'est bien pire que de mentir en jurant par tous les saints, c'est la pire chose qu'un serviteur puisse faire, car c'est le dernier mensonge qu'il fera dans sa vie.

— Exactement, grommela Tweffell. Prends maintenant ce livre sacré dans une main et ce crucifix dans l'autre, et penche-toi vers moi. »

Ludke fit ce qui lui était ordonné, et quand son visage se trouva à portée de la main de Tweffell, le vieillard lui saisit brusquement le menton de ses longs doigts raides, le pressant et le triturant de telle sorte que ses ongles s'enfoncèrent dans la chair et qu'un sursaut de douleur traversa le valet.

« Écoute-moi bien, maintenant, dit le vieil homme d'une voix contenue, j'ai une ou deux choses à te dire, car Dieu m'en est témoin, j'ai estimé jusqu'ici que tu étais digne de confiance. Écoute-moi attentivement ! Je suis déjà un vieil homme, je n'ai plus pour longtemps à vivre, et afin qu'après ma mort les choses se passent comme je considère qu'elles doivent se passer je t'ai confié plusieurs tâches, que tu me sembles avoir remplies convenablement. Mais si j'ai l'impression que tu me mens, alors, Ludke, alors on te chassera de Tallinn et tu n'auras plus le droit d'y mettre le pied, de ta vie – parce que tu seras toujours en vie, mais ce sera celle d'un gueux aveugle et muet, qui devra mendier à l'entrée des auberges, vautré dans la boue, de la seule main qui lui restera. Mais tu sais déjà tout cela, n'est-ce pas ! Maintenant, esclave, me jures-tu par tous les saints, et sur le salut de ton âme, que tout ce que tu m'as raconté concernant Toompea était la vérité, et rien que la vérité ? Car sinon on fera de toi un mendiant aveugle et muet, Ludke ! »

Il desserra l'étreinte de ses doigts sur le visage du garçon et but une gorgée de vin. Ludke parut se demander un instant comment manipuler de la façon la plus appropriée le livre saint et le crucifix, puis il posa le livre sur la table, étendit la main droite par-dessus et tendit en avant la gauche avec le crucifix.

« Je jure par tous les saints, dit-il – et, compte tenu de l'importance de la situation, avec même une certaine indifférence et de la lassitude dans l'expression –, que tout cela était la vérité et rien que la vérité, et qu'aucune de mes paroles n'était mensongère. Tout ce que j'ai dit, je l'ai vu de mes propres yeux. »

Tweffell le dévisagea, dardant dans ses yeux son regard de rapace, et il décida pour finir que ce devait être la vérité. Tout au long de sa vie de marchand, il avait côtoyé le mensonge à de nombreuses reprises.

« Tout cela est bien vrai : tu es resté sur Toompea après mon départ, à surveiller Kilian ? demanda-t-il.

— Parole de Dieu, affirma le garçon.

— Et tu l'as vu chanter et boire avec les serviteurs de l'Ordre ?

— De mes propres yeux.

— Et tu as vu…

— J'ai vu qu'il est resté seul et qu'il s'est introduit en cachette dans la maison où demeurait ce chevalier, et qu'il en est ressorti très vite, qu'il est revenu vers l'église et qu'après il a continué à chanter avec les serviteurs.

— Et ensuite ?

— Ensuite je l'ai suivi quand il est redescendu vers la ville, sans que personne ne me voie, et je l'ai vu s'approcher du puits qui est devant chez nous et cacher quelque chose dans le muret, derrière une pierre qui ne tenait pas. Il était sûr que personne ne l'observait.

— Et *après* cela ? demanda Tweffell.

— Après cela j'ai fait exactement tout ce qui m'avait été ordonné, et le maître sait très bien que cet ordre a été exécuté.

— Oui, *cela* je le sais bien, maintenant, dit Tweffell. Nous pouvons le savoir, d'après la tournure qu'ont prise les affaires, et puisque justice a été faite, mais… »

Il se plongea dans ses réflexions et Ludke demeura debout devant lui, une main sur le livre et l'autre tenant le crucifix. Tweffell songeait et fronçait les sourcils. Kilian avait un peu de sang de sa lignée, et cela comptait, Kilian était de la famille. Et la famille était aussi importante que la guilde. Kilian était de son sang, il devait hériter ce à quoi il avait droit. Mais Kilian était sujet à la tentation, il était faible et cela présentait un danger pour son sang, cela pouvait entraîner un jour la perte de tout. Il fallait que Tweffell lui parle, il était encore jeune, il pouvait changer. Mais maintenant, *quelqu'un d'autre savait*.

Tweffell ne croyait pas aux miracles, ou s'il y croyait, du moins pas à ceux qui se produisaient durant les derniers mois de sa vie et sous ses fenêtres, et qui pouvaient très bien en réalité être l'œuvre d'êtres de chair et d'os.

Quelqu'un d'autre sait, pensa-t-il, et il sentit soudain qu'il avait peur. Peut-être tout ce que messire Tweffell avait minutieusement préparé, concernant le monde terrestre après sa mort, pouvait-il se briser en mille morceaux. Qu'est-ce que ce quelqu'un pouvait encore savoir ? Connaissait-il *toute* la vérité ?

28

L'office du bailli
En bordure de la place de l'Hôtel-de-Ville
19 mai, le soir

Il n'avait pas été difficile à Melchior de persuader le bailli qu'on avait déjà vu dans la ville – et que le droit de Lübeck prévoyait – que dans des affaires juridiques capitales la ville pût réunir des citoyens importants et demander leur avis avant que les conseillers se forment en tribunal et prennent leur décision. Le bailli pouvait certes rendre justice où qu'il se trouve, à condition qu'il porte la médaille symbolique de sa fonction et qu'il ait tiré son épée, mais pour l'instant les choses n'en étaient pas encore au point où l'on pouvait accuser quelqu'un, et les conseillers n'avaient personne à soumettre à la torture ou à l'épreuve du feu.

« C'est pourquoi, avait déclaré Melchior au bailli, il serait bon que nous convoquions à cette réunion, selon la vieille coutume allemande, tous ceux qui détiennent une information sur cette affaire. C'est une histoire compliquée – et très simple en même temps –, et il y a besoin de l'avis de gens plus qualifiés que moi pour décider quelle conduite serait la plus utile pour la ville. Il faudrait qu'un conseiller et le greffier du Conseil soient présents, car ce qui est dit en présence d'un conseiller a plus de valeur, et si un conseiller et le bailli ont été témoins de quelque chose, alors c'est leur parole qui, en droit de Lübeck, a le plus de poids.

— Et de quoi le conseiller et le bailli devraient-ils être témoins ? demanda Dorn.

— De la façon dont la vérité se manifeste et dont le mensonge se dissipe. Nous sommes à vrai dire en présence d'une affaire où *en réalité personne n'a menti*, si on regarde les choses de ce point de vue. Du moins pas à moi ni au bailli, si l'on excepte une personne – mais celle-là, nous pouvons réellement l'excepter. »

Dorn demeura un moment à dévisager Melchior et à froncer les sourcils. « Par tous les saints, grommela-t-il pour finir, tu couves quelque chose ! Mais je suis d'accord, il faut organiser cela. Moi non plus je ne suis pas satisfait, il y a trop de morts et on ne sait par quel bout prendre les choses. Quel besoin avait Wunbaldus de tuer ce bâtisseur, et pourquoi le prieur pensait-il que quelqu'un l'avait empoisonné ?

— Je crois savoir tout cela, répondit Melchior. Mais ce que je sais compte pour peu. Si je me présente devant le tribunal et que je raconte tout comme je le vois, on va me ridiculiser. » Il s'arrêta un instant, l'air songeur, comme si une idée inattendue lui était venue, puis il ajouta avec excitation : « Tu sais, bailli, c'est comme si nous jouions une partie d'échecs. L'adversaire croit qu'il est bien protégé et que rien ne le menace, mais nous, nous devons le prendre au piège astucieusement, et pour cela sacrifier quelques pièces. Ensuite il faut lancer une attaque surprise et faire donner tous les canons à la fois, pour capturer son roi.

— Je ne savais pas que tu jouais aux échecs, remarqua Dorn.

— Je suis en train d'apprendre, répondit Melchior d'un ton jovial. C'est le jeu d'échecs qui m'a donné la bonne clé dans cette affaire, ou plus exactement la façon dont messire Freisinger m'a expliqué le jeu.

— Moi, je n'aime pas trop ce jeu, grogna Dorn. Si tu me donnes des dés je jouerai, mais aux échecs, non. Toutes les pièces bougent différemment, ce n'est qu'un grand fatras. Mais attends un peu… » Il attrapa Melchior par le bras et le fixa d'un air sérieux.

« Tu as parlé d'adversaire. Nous avons encore un adversaire ?

— Un très dangereux adversaire, confirma Melchior. Il a joué ses coups avec une grande habileté, à tel point que nous n'avons pas compris du tout contre qui nous jouions. Mais si tu mets en pensée les bons visages sur les pièces, alors la clarté se substitue à la confusion. Au fait, est-ce que je t'ai dit que la présence du commandeur serait nécessaire ?

— Le commandeur ? demanda Dorn en interrompant son ami. Ce serait comme un conseil commun de la ville et de l'Ordre ?

— Il est indispensable que le commandeur soit là. Et Hinricus, le moine. Oh, et encore plusieurs personnes, qui ne sont pas vraiment des citoyens, mais sans qui nous n'arriverons à rien. »

Melchior énuméra tous les noms, et les employés du tribunal passèrent l'après-midi à rechercher tous ces gens à travers la ville, de sorte que se retrouvèrent en cette soirée de mai, sur le bord ouest de la place de l'Hôtel-de-Ville, là où se trouvait l'office du bailli, ceux qui, présents au dernier *smeckeldach* chez les Têtes-Noires, avaient assisté à la mort du prieur, mais aussi Ludke, le serviteur de Mertin Tweffell, maître de la Grande Guilde, le pensionnaire de l'hospice Rinus

Götzer, deux chanoines de la cathédrale, le vicaire de Saint-Nicolas, le compagnon maçon de Saint-Olav, trois employés du tribunal, le greffier du Conseil, et enfin le conseiller Detleff Bockhorst.

Le bureau de Dorn se trouvait sur l'arrière d'une ancienne demeure construite sur deux niveaux ; sur le pourtour de la salle étaient disposés de longs bancs, au centre se trouvait une barrière ornée des armes de la ville et auprès de laquelle s'avançaient les personnes appelées, tandis que les sièges des invités de marque, en l'occurrence le conseiller et le commandeur, étaient disposés à droite et à gauche du bailli. C'était là que ce dernier rendait d'ordinaire la justice, lorsque les délits étaient mineurs et qu'il n'était pas nécessaire de réunir le Conseil. Ce soir, toutefois, les nombreux présents discutaient entre eux et se demandaient quel curieuse réunion allait se tenir là, alors qu'il n'y avait semblait-il personne à juger, puisque le meurtrier était lui-même mort et que personne d'autre n'avait été accusé d'empoisonnement. On jetait donc des regards à la dérobée en direction du bailli ainsi que du conseiller, et Dorn essayait de donner au moins l'impression qu'il savait exactement ce qui allait être débattu et de quelle façon : lorsqu'enfin les paroles de bienvenue que la ville présentait au commandeur furent prononcées et que le conseiller Bockhorst proclama à voix forte que les débats pouvaient commencer, Dorn se leva et déclara, avec il est vrai quelque hésitation :

« En effet, il s'avère que si nous voulons que le tribunal éclaircisse cette affaire en toute sincérité et selon le droit de Lübeck – et que Dieu nous vienne en aide dans cette entreprise –, le conseil a estimé nécessaire que moi-même en tant que bailli, ici même aujourd'hui, en présence des vénérables conseillers et du noble commandeur, délibérions, puisque ces décès concernent tant la ville et les dominicains que l'Ordre, qu'en toute sincérité nous sachions vraiment qui faire comparaître devant le tribunal, et qu'aucun dommage ne résulte ni pour les marchands, ni pour les Têtes-Noires, ni pour les dominicains, de toutes ces choses en lesquelles aucun d'entre eux n'est coupable... »

Le bailli s'arrêta alors pour de bon, et il se mit à feuilleter un épais recueil de lois pour cacher son embarras. Melchior promena son regard sur l'assistance. En comptant le greffier, les employés du tribunal et les deux chanoines, il pouvait y avoir dans la salle une vingtaine d'hommes. Tous étaient empreints d'une réserve respectueuse, ils avaient l'attitude de disponibilité et d'expectative que l'on rencontre toujours dans les tribunaux, et la même physionomie se lisait aussi sur le visage de celui qu'il croyait être le meurtrier. Le regard de cet homme était clair et sans trouble, quelque peu humble et réservé, il pensait n'avoir rien à craindre.

Lorsque Dorn eut fini, ce fut au commandeur de prendre la parole pour déclarer que l'Ordre attendait de la ville qu'elle lui livre le meurtrier. « Et s'il est mort, comme nous savons tous que c'est le cas, dit Spanheim, alors donnez-nous au moins son cadavre.

— Sans aucun doute, sans aucun doute, assura le conseiller. Celui qui est coupable, nous livrerons son cadavre. Le noble commandeur a prononcé des paroles pleines de justesse, et c'est là un excellent point de départ pour notre discussion. De fait, qu'allons-nous faire du cadavre du convers Wunbaldus, et le conseil doit-il le déclarer coupable ?

— Bien sûr qu'il doit le faire, nous savons tous qu'il a tué Clingenstain et ce bâtisseur, et... lui-même par-dessus le marché, s'exclama Spanheim, et les chanoines hochèrent la tête d'un air important.

— Sachez maintenant, dit Dorn, que Melchior Wakenstede, l'apothicaire de Tallinn, qui a également occupé ces derniers jours la charge temporaire d'adjoint au bailli, avec la permission des nobles conseillers, souhaite révéler au nom de la vérité et du droit quelques faits qu'il a découverts. Je lui donne la parole. »

Melchior se leva et s'avança lentement jusqu'à la barrière portant les armes de la ville, sentant les regards curieux posés sur lui, et il pria à voix basse saint Nicolas de lui donner courage, force et succès. Un murmure parcourut l'assistance et messire Tweffell éternua même avec irritation. Melchior toussa et déclara :

« Noble commandeur, messieurs les chanoines, vénérable conseiller, chers concitoyens. Nous croyons que le frère convers dominicain Wunbaldus a assassiné le chevalier de l'Ordre Clingenstain et le maître bâtisseur Gallenreutter. Mais savons-nous pourquoi il a fait cela ? Et voulons-nous que les hauts responsables de l'Ordre sachent toute la vérité à ce sujet, ou la ville se contenterait-elle de permettre à l'Ordre de pendre le cadavre de Wunbaldus, en même temps que nous demeurerions ignorants du détail et des causes de tout ce qui s'est passé ? »

Le commandeur fit un geste brusque de la main et s'écria :

« Par Dieu, Melchior, si tu sais quelque chose, parle ! »

Le conseiller Bockhorst ajouta : « Au nom du tribunal et avec la permission du Conseil, si notre apothicaire Melchior Wakenstede, que vous connaissez tous, est prêt à jurer devant le tribunal et par tous les saints qu'il a des réponses à toutes ces questions, nous le prions de parler.

— Je parlerai, dit Melchior. Mais pour commencer je poserai moi-même une question : combien de meurtres avons-nous ici, combien de suicides et combien d'accidents ? S'agit-il de deux meurtres, d'un suicide et d'une mort accidentelle, ou… ou bien de quatre meurtres ? »

Un vacarme de surprise s'éleva, et le curé Rode bondit sur ses pieds, agita les bras et s'écria : « Melchior, enfin, par le Ciel ! Ce scélérat, ce convers a tout avoué !

— Ah oui, cette confession à l'église du Saint-Esprit ! Je voulais y venir tout de suite, justement, répondit Melchior, et il attendit que le conseiller fasse taire les hommes et que le brouhaha s'éteigne. Mais pour commencer au commencement, selon le conseil de saint Augustin, essayons de tout énumérer point par point. Voilà quatre jours, quelqu'un a tué sur Toompea un haut responsable de l'Ordre en provenance de Gotland, qui se rendait à Marienburg et qui avait passé quelques jours comme hôte du commandeur de Tallinn. Oh, nous pouvons être tout à fait sûrs qu'il s'agissait d'un homme vigoureux et dans la force de l'âge, d'un homme intrépide, d'un soldat qui bouillonnait de rage et de haine à l'encontre de Clingenstain, et qui l'avait certainement déjà rencontré. Cet homme devait très bien connaître Toompea, et son apparition là-haut n'a étonné personne. Il a dû avoir le temps de découvrir où Clingenstain logeait, et comment il se rendait de la citadelle à sa demeure. Il lui a fallu le temps de voler une épée dans la forge de la citadelle. Nous savons, de la bouche même du noble commandeur, que cet homme ne pouvait pas être l'un des résidents de Toompea. Il a donc épié Clingenstain près de sa demeure, puis il a pénétré brutalement dans la maison et lui a coupé la tête. »

Il se tut un instant et savoura même peut-être l'attention que tous prêtaient à ses paroles. Puis il reprit : « Comme moi, vous avez tous entendu à travers la ville toutes sortes de racontars à propos de la mort de Clingenstain. Certains disaient qu'il avait été découpé en morceaux, les bras et les jambes détachés du tronc et que sais-je encore. Bien que le commandeur ait interdit de bavarder sur la manière dont le cadavre de Clingenstain avait été traité, certaines choses ont néanmoins fini par transpirer. Sans doute quelqu'un a-t-il parlé, un serviteur à un valet, un valet à un mitron, et ainsi de suite. *Mais aucun des racontars ne mentionnait au début le fait que la tête du chevalier avait été fichée sur un clou.* Cela a été révélé par le commandeur lui-même, chez les Têtes-Noires, au cours de la dégustation de la bière, à la suite de quoi le bruit s'en est répandu dans toute la ville. Et s'est répandu avec une rapidité surprenante, car le seigneur commandeur n'y avait fait qu'une allusion fugitive, et seulement par mégarde.

— Par le diable ! J'ai vraiment dit cela ? demanda le commandeur brutalement.

— Je crois que de nombreuses personnes l'ont entendu, répondit Melchior. Mais il y a un point *qu'aucune rumeur ne mentionnait* et à propos duquel le commandeur avait ordonné le silence, bien qu'un serviteur de l'Ordre en ait malgré tout parlé au bailli : c'est que le meurtrier avait fourré dans la bouche de Clingenstain *une pièce de monnaie.* »

Quelqu'un poussa un cri indistinct, puis un silence de mort régna dans la salle.

« C'est la vérité, poursuivit Melchior. Messeigneurs, je lis la surprise sur vos visages, et de fait il n'y avait que peu de personnes à savoir cela. Cette pièce était un vieil ŏŏr de Gotland, une pièce que l'on ne rencontre de nos jours que très rarement à Tallinn. Ce point est essentiel.

— Attends un peu, Melchior, ordonna le commandeur. J'ai peut-être bien, sous l'effet de la bière, raconté que la tête avait été clouée au mur, mais qu'est-ce que tu entends quand tu dis que ce bruit s'est répandu avec une rapidité surprenante ?

— Quelqu'un a propagé la rumeur, répondit Melchior promptement. Mais j'en reparlerai. Revenons pour l'instant au meurtre de Clingenstain. Nous savons que le meurtrier s'est enfui et qu'il a réussi à s'échapper à temps par la porte qui sépare Toompea de la ville, avant que les gardes viennent la fermer pour la nuit. L'épée que l'assassin avait volée sur Toompea, il s'en est débarrassé en franchissant la porte. Pourquoi a-t-il fait cela ? Pour commencer, quel besoin avait-il de prendre cette épée avec lui ? Je crois que c'est parce que si son crime avait été découvert, il aurait pu s'en servir pour se défendre. Cela montre qu'il était prêt à se battre jusqu'à son dernier souffle, et que c'était un combattant, un soldat. Pourquoi ensuite jeter l'épée ? À l'évidence parce qu'*il n'en avait plus besoin*. Sinon, s'il avait voulu tuer Gallenreutter, le maître bâtisseur venu de Westphalie, il aurait pu aller le tuer lui aussi. Mais il ne l'a pas fait. »

Le commandeur fit un signe de la main et Melchior se tut. Spanheim promena son regard sur l'assistance et déclara : « Tout cela est sans doute vrai, personne n'en doute. Et nous savons tous que le meurtrier était Wunbaldus. Mais pourquoi Wunbaldus l'a-t-il tué, Melchior ? Hein ? »

L'orfèvre Casendorpe attendit que le commandeur se soit rassis, puis il demanda : « Et qu'est devenue la chaîne d'or que j'avais vendue à ce Clingenstain ? En dehors du fait, bien entendu, qu'elle se trouve maintenant à l'hospice du Saint-Esprit ?

— Où elle est arrivée, miraculeusement, après la mort de Wunbaldus, remarqua messire Tweffell.

— Je n'ai jamais vu un seul miracle de mes propres yeux, dit le commandeur d'un ton irrité. Et cette chaîne… au diable cette chaîne, je ne vais sûrement pas la réclamer au Saint-Esprit au nom de l'Ordre, mais comment un voleur *mort* a pu la déposer là-bas, voilà qui m'intéresse diablement.

— La seule solution – si nous ne croyons pas aux miracles – est que quelqu'un ait volé la chaîne et en ait fait don à l'hospice, de telle sorte que ce vol ne puisse pas lui être reproché au jour du jugement, déclara Melchior.

— Et tu dis que ce "quelqu'un" n'était pas Wunbaldus ? demanda le commandeur.

— Le vol est un péché. Mais le voleur s'est déjà repenti de son péché et il a donné la chaîne à l'hospice. Et comme cela ne pouvait pas être Wunbaldus, c'était forcément quelqu'un d'autre.

— La paix avec cette chaîne ! rugit le commandeur. Je voudrais savoir pourquoi Wunbaldus a tué Clingenstain, si ce n'était pas pour la chaîne.

— L'avidité ! Il a dit que c'était l'avidité qui lui avait fait commettre son crime, cria le curé Rode surexcité.

— L'avidité ? répéta Melchior songeur. Mais peut-on parler d'avidité lorsqu'un meurtrier prend d'une main et donne de l'autre ? Je pense à cette pièce de Gotland déposée dans la bouche de Clingenstain. Et avant tout : pourquoi le meurtrier a-t-il bien pu faire cela ? Nous en arrivons à cette confession à l'église du Saint-Esprit. Messire Rode, vous avez dit que le convers dominicain Wunbaldus était venu vous trouver. Il

s'agit d'un événement sans précédent : un dominicain venu se confesser à l'église du Saint-Esprit ! En
réalité, si c'était l'acte d'un homme en pleine confusion mentale, qui venait de tuer et projetait d'attenter
à ses jours, alors peut-être en effet n'a-t-il pas osé aller
trouver ses frères, qui l'auraient sans doute dissuadé
de mettre son dessein à exécution. »

Le curé se leva, le visage écarlate et les mains légèrement tremblantes.

« J'ai dit cela parce que c'était la vérité, dit-il avec
assurance.

— Messire Rode, vous avez déclaré avoir reconnu
en cet homme le frère convers Wunbaldus ? demanda
Melchior avec insistance.

— C'était Wunbaldus, oui, c'était bien lui.

— Vous a-t-il dit son nom ? »

Rode parut se troubler. « Non, marmonna-t-il. Bien
sûr que non, mais je l'ai reconnu.

— Donc, il n'a pas dit son nom. Vous avez vu son
visage, peut-être ?

— Non, il avait rabattu sa capuche : je n'ai pas vu
son visage. Mais…

— Mais si vous l'aviez vu ? Est-ce que vous l'auriez reconnu ? insista Melchior, impitoyable.

— Qu'est-ce que vous me demandez là ! s'exclama
Rode scandalisé. Je ne vous comprends pas. Je vous
dis que Wunbaldus est venu à l'église du Saint-Esprit
se confesser. Je l'ai reconnu. »

Melchior se tut un instant et attendit que Rode se
calme. Puis il déclara :

« Messire Rode, je me trouvais au couvent lorsque
vous y êtes passé après avoir entendu dire que Wunbaldus était mort. Vous êtes venu dans la cellule,
vous avez vu son cadavre et vous avez demandé :

"Est-ce que cet homme est Wunbaldus ? Est-ce qu'il est mort ?" Le bailli et moi avons répondu que c'était lui, et qu'il était bien mort. Et vous, messire Rode, vous avez observé son visage et vous avez dit : "C'est vraiment Wunbaldus ?" Messire Rode, vous avez examiné le cadavre de Wunbaldus de très près, vous avez observé son visage et pourtant vous n'étiez pas sûr que ce soit lui, car vous ne connaissiez pas le visage de Wunbaldus. »

Personne ne sembla tout d'abord saisir l'importance de cet argument, hormis Dorn.

« Oui, messire Rode, dit lentement le bailli tout en se remémorant cet épisode au couvent, et il hocha la tête. Vous ne connaissiez pas le visage de Wunbaldus, et cela signifie que vous ne pouviez nullement être sûr que ce soit lui qui était venu se confesser.

— Je le connaissais… c'est-à-dire, il demandait l'aumône et… bredouilla Rode confus.

— Mais vous ne connaissiez pas son visage, dit Melchior. Et chez les Têtes-Noires, à la dégustation de la bière, Wunbaldus se tenait assis discrètement dans l'ombre, contre le mur, et vous lui tourniez le dos. Je vous demande, messire Rode, ce qui vous permet d'affirmer en toute certitude que c'est bien le convers Wunbaldus qui est venu se confesser à vous.

— Mais cela ne pouvait être personne d'autre !

— À quoi l'avez-vous reconnu ?

— Seigneur ! s'écria Rode. Combien de convers bossus y a-t-il chez les dominicains ?

— Précisément ! dit Melchior d'un ton triomphal. Vous avez reconnu la bosse, vous avez reconnu l'habit blanc d'un convers dominicain, et peut-être sa haute taille. Mais vous n'avez pas vu son visage. Vous avez reconnu sa voix, peut-être ? »

En pleine confusion, cherchant de l'aide, Rode regarda autour de lui. Mais des regards exigeants le dévisageaient, et nul ne semblait prêt à lui venir en aide. « Non, non… je ne connais pas sa voix, dit Rode vaincu. Je ne l'ai jamais entendu parler, ou alors de très rares fois… Il parlait très bas et sourdement, comme s'il avait perdu la voix…

— Ah ! s'exclama Melchior. Il parlait sourdement, comme pour déformer sa voix ! Mais pourquoi aurait-il dû agir de la sorte, puisque vous ne la connaissiez pas, cette voix ? Et d'ailleurs, j'avais parlé la veille avec Wunbaldus, il s'exprimait sans aucune difficulté. Le prieur Eckell l'avait vu le jour même et savait qu'il se portait bien, ce qu'a confirmé messire Freisinger. Pourquoi alors aurait-il dû déguiser sa voix ? Il n'y a qu'une réponse possible : sans cela vous auriez reconnu en l'entendant *la voix de quelqu'un d'autre*, que vous connaissiez ! »

Le conseiller Bockhorst leva la main pour faire taire la salle.

« Voici des faits inattendus pour le Conseil, dit-il d'un air grave. Qu'entend au juste par là notre apothicaire ?

— Je veux simplement dire que nous n'avons aucune preuve irréfutable que cet homme ait réellement été Wunbaldus, répondit Melchior. N'importe qui peut se fabriquer une bosse dans le dos et dérober la tunique blanche et le scapulaire d'un frère convers. Et le plus important, c'est qu'une tunique a en effet disparu du couvent. Le frère Hinricus pourra le confirmer.

— Dans ce cas, intervint Dorn, nous ne savons même pas qui a tué Clingenstain. Est-ce que c'est ce que tu veux dire ? »

Un sourire amusé passa sur le visage de Melchior. « Je n'ai pas dit cela. Je sais qui a tué Clingenstain, ce ne peut être qu'une seule personne.

— Vous voulez dire, celui qui était à l'église du Saint-Esprit revêtu de l'habit blanc de Wunbaldus ? s'écria Casendorpe.

— Non, je n'ai pas dit cela non plus », dit Melchior avec assurance, et ses propos confus firent froncer le sourcil au conseiller. Mais l'apothicaire poursuivit :

« Messeigneurs, je vous demande comment il se fait que Wunbaldus, dont l'habit blanc était taché de sang, n'ait pas laissé la moindre tache sur le banc du confessionnal. Messire Rode, vous confirmez bien cela ? »

Rode, fiévreux, hocha la tête avec conviction. « C'est vrai. Je n'ai pas vu que l'habit blanc de cet homme soit ensanglanté, et même s'il faisait sombre, il me semble… Et le banc du confessionnal n'était pas taché, il n'y avait pas la moindre trace de sang.

— En effet, je suis allé examiner le confessionnal le lendemain matin et il ne s'y trouvait pas la moindre trace de sang. Comment se peut-il qu'un homme qui, selon ses propres dires, venait juste de tuer, de couper la tête d'un maître bâtisseur, n'ait pas laissé la moindre trace de sang, alors que par la suite son habit en était couvert ? »

Il y eut quelques instants de silence, après quoi Kilian suggéra timidement :

« C'est possible si cet homme n'a pas commis ce meurtre. S'il a menti.

— C'est vrai, c'est encore une possibilité, acquiesça Melchior. Mais le bâtisseur est mort, pourtant. Il est donc possible que l'homme qui s'est confessé ait assisté au meurtre et qu'il ait menti, ou alors qu'il ait tué plus tard. *Après* s'être confessé. »

De nouveau des cris de stupéfaction retentirent, et par-dessus les autres on put entendre la voix courroucée du commandeur : « Ton histoire n'a pas une once de bon sens ! Pourquoi quelqu'un irait-il confesser ce qu'il n'a pas commis ? Et encore une fois, je veux savoir qui a tué Clingenstain, et l'assassinat de ce bâtisseur n'a rien à voir là-dedans. Était-ce Wunbaldus, oui ou non ? »

Melchior s'inclina devant le commandeur. « Une fois encore, quelle vérité dans les paroles du noble commandeur. Donc, qui a tué Clingenstain, haut responsable de l'Ordre sur Gotland ? Qui lui a coupé la tête et lui a fourré dans la bouche une pièce de monnaie, un vieil ørtug de Gotland ? Cette vieille pièce ne m'a pas laissé un instant de repos. Pourquoi le meurtrier devait-il faire cela ? Une vieille pièce de Gotland dans la bouche du commandeur de Gotland. La profanation, l'humiliation d'un cadavre… La vengeance, peut-être ? Ce genre de meurtre brutal évoque déjà, à lui seul, la vengeance. Mais encore une fois : d'où sortait cette pièce ? Elle est rare à Tallinn, les marchands ne la voient pas souvent passer. Mais maintenant, je vous rappelle que le même jour, Clingenstain avait acheté à l'orfèvre Casendorpe une chaîne dorée.

— Melchior, je ne comprends pas ce qui te tracasse, grommela le commandeur. La pièce appartenait peut-être à Clingenstain lui-même, il venait justement de Gotland… » Mais ayant dit cela, le commandeur se mordit les lèvres et demeura silencieux.

« Je vois que vous vous rappelez, vous aussi, dit Melchior en hochant la tête. Précisément. Le fait est que Clingenstain avait donné tout son argent à Casendorpe. Si quelqu'un avait ce soir-là de ces vieux öör en abondance, ce devait être messire Casendorpe. Vous pouvez le confirmer, n'est-ce pas, messire orfèvre ? »

L'orfèvre s'était levé, le visage blême, et il cherchait ses mots pour exprimer son indignation.

« Écoute-moi, misérable apothicaire, mélangeur de poisons ! finit par s'écrier Casendorpe en explosant. Est-ce que tu prétends que moi, *moi*, orfèvre de la ville de Tallinn et maître de la guilde des Kanuts, que j'ai, *moi*, tué ce chevalier pour trente malheureux marks ? Tu n'es qu'un fieffé menteur, et… »

De nouveau, Dorn fut obligé de s'interposer et de crier que Melchior ne l'avait pas formellement accusé, avant d'exhorter l'orfèvre, au nom du tribunal, à se conduire correctement.

« Je ne fais pour l'instant que vous demander de me confirmer qu'il en était bien ainsi, dit Melchior, sur le visage de qui passa cependant comme une ombre tandis qu'il regardait l'orfèvre. Vous m'avez dit que vous étiez convenus pour cette chaîne d'un prix de soixante marks, mais que Clingenstain avait marchandé. Et qu'ensuite il avait vidé sa bourse, qui contenait de ces vieux öör de Gotland pour une valeur de dix marks de Riga. Est-ce exact ?

— Répondez, messire Casendorpe, demanda le bailli. Et personne ne vous accuse de quoi que ce soit. »

Casendorpe prit une inspiration profonde et lança à Melchior un regard noir, mais il hocha ensuite la tête. « Oui, dit-il. C'est exact. Il n'avait plus un sou et a envoyé son serviteur sur son navire, et celui-ci est revenu avec ces vieux öör, ou ørtug, et d'autres pièces encore, et lorsque je les ai pesées cela représentait environ trente marks. Ce qui était ridiculement peu pour cette chaîne.

— Ainsi, Clingenstain avait avec lui sur Toompea de vieux ørtug de Gotland, dit Melchior. Et tous ceux qu'il avait, il les a utilisés pour payer messire Casendorpe. Dès que j'ai entendu cela, j'ai commencé à comprendre qui avait dû tuer le chevalier Clingenstain.

— Continue, Melchior, ordonna Spanheim impatiemment. Qu'est-ce qui s'est passé avec ces pièces ?

— J'ai bien entendu passé en revue les personnes qui s'étaient trouvées à Toompea ce jour-là et qui auraient pu éprouver de la haine envers le chevalier. Et je me suis naturellement demandé si cela pouvait être messire l'orfèvre, à qui l'Ordre venait d'extorquer cette chaîne pour la moitié de son prix. Et j'ai évidemment pensé à messire Tweffell, le marchand, qui éprouvait depuis longtemps de la rancœur contre Clingenstain à cause d'un bateau…

— Hé, Melchior, tout Tallinn sait que ce Clingenstain de Gotland m'a volé, remarqua Mertin Tweffell.

— Messire marchand, ce n'est pas tout à fait exact, intervint Spanheim.

— Il m'a volé, et rien d'autre ! s'écria Tweffell d'une voix plus forte. C'est la vérité ! Même les nourrissons le savent, à Tallinn, que ce Clingenstain a volé toute la cargaison d'un de mes navires pour recouvrer certaines de ses créances. Et j'ai proclamé partout que je ne souhaitais pas sa mort, car dans ce cas le grand maître de l'Ordre n'aurait plus pu exiger de lui qu'il me restitue mon bien, mais la mort qu'il a connue était bien méritée. Je n'ai rien à craindre, je suis déjà un vieillard et chacun sait que je ne suis pas capable de tenir une épée, que je suis trop faible pour venir à bout d'un homme dans la force de l'âge, même ivre mort comme l'était ce chevalier.

— Oh non, je n'ai jamais imaginé que vous ayez pu vous-même venir à bout de Clingenstain, dit Melchior. Mais vous avez un homme de confiance, messire Tweffell, un fidèle serviteur qui n'a pas son pareil dans tout Tallinn, pour ce qui est de la force physique. Vous avez Ludke, qui a disparu de la ville aussitôt après votre visite à Toompea, et que personne n'a revu ce jour-là. Il était, à ce qu'il dit, parti chercher des sangsues. Ce qui, sans aucun doute, est peut-être vrai. Comme il est vrai aussi que Ludke a servi la ville comme soldat et qu'il sait parfaitement se débrouiller avec les armes. Et je ne connais pas, dans tout Tallinn, de serviteur plus digne de confiance, prêt à exécuter tous les ordres de son maître, aussi bien ceux qu'il formule explicitement que ceux que le maître n'a peut-être même pas besoin d'exprimer. Ludke est un soldat aguerri. Et il n'avait aucune raison particulière d'aimer Clingenstain. »

Tweffell fixa un moment Melchior, immobile, puis il eut un geste de découragement et grommela : « Je ne comprends pas tout ce que vous déblatérez là, Melchior. J'ai vraiment envoyé Ludke chercher des sangsues et recouvrer des créances. Vous pouvez aller enquêter dans ce village… si quelqu'un est encore en état de parler ou de se tenir debout, hé hé ! ajouta-t-il avec un rire mauvais. Ludke a la main lourde, et quand il sait que quelqu'un ne veut pas payer ce qu'il doit à son maître… » Il se tut soudain, comme effrayé par ses propres paroles.

« Précisément, messire Tweffell, précisément ! dit Melchior. Ludke sait tenir une épée, et il ne supporte pas ceux qui ont causé du tort à son maître. Et Ludke vous accompagnait sur Toompea.

— Arrêtez, Melchior ! croassa Tweffell. Vous ne voulez pourtant pas prétendre que…

— Je parle des idées qui me sont venues. Et j'en revenais toujours à cette chaîne dorée et à cet ørtug de Gotland. Est-ce que le mobile du meurtre était le vol de la chaîne ? Mais dans ce cas il n'était pas nécessaire de couper la tête de la victime, et encore moins de lui fourrer une pièce dans la bouche en guise de compensation. Et subitement, je me suis rappelé une chose qu'avait dite le vénérable commandeur Spanheim.

— Quoi donc ? Qu'est-ce que j'ai dit ? demanda le commandeur avec curiosité.

— Lorsque messire Dorn et moi nous sommes rendus à la citadelle, le noble commandeur nous a dit qui d'autre encore avait été présent la veille sur Toompea. Il s'est souvenu aussi du frère Wunbaldus, qui comme d'habitude – je répète : comme d'habitude – déambulait sur Toompea avec son panier de mendiant, et qui y a entre autres croisé Clingenstain.

— C'est exact, dit le commandeur.

— Frère Wunbaldus avait mendié à Toompea, poursuivit Melchior. Et grâce à messire Casendorpe, nous savons que Clingenstain n'avait dans sa bourse, au moment de l'achat de la chaîne, que de vieux ørtug de Gotland, pour une valeur de dix marks. D'où pouvait bien provenir cette vieille pièce, peu courante sur Toompea, sinon de Clingenstain lui-même ? » Et Melchior se mit à crier : « Seul le frère Wunbaldus possédait certainement un ørtug de Gotland. *Et c'est Clingenstain lui-même qui le lui avait donné !* N'est-il pas raisonnable de supposer que mettre cette pièce dans la bouche de la tête tranchée revenait à la renvoyer à celui qui l'avait donnée ? Par orgueil, par haine et vieille rancœur ? Qui était régulièrement présent sur Toompea, qui connaissait toutes les arrière-cours et les recoins de Toompea ? Qui n'éveillait plus là-haut l'attention par sa présence ? Wunbaldus était à Toompea une silhouette aussi familière que n'importe quel chevalier, personne ne devait lui prêter attention. »

Le conseiller Bockhorst fut de nouveau obligé d'intervenir, et il demanda en secouant la tête : « Melchior, enfin, vous venez juste de dire que ce n'était pas Wunbaldus qui avait reconnu le meurtre en confession, comment…

— Je n'ai pas dit *que l'homme qui s'est confessé avait menti*, reprit Melchior toujours plus exalté. Non, il a dit la vérité concernant le meurtre de Clingenstain. Que savons-nous de Wunbaldus ? Qui était-il ? Frère Hinricus m'a confié qu'au couvent personne ne le connaissait bien, hormis le prieur Eckell, qui l'avait reçu dans le monastère et pris sous sa responsabilité. Personne ne savait où il était né, ni dans quel couvent il avait été auparavant, à part Oxford en Angleterre. Mais c'était un homme vigoureux, arrivé ici voilà environ cinq ans. Le prieur l'avait déjà rencontré. Mais où ? Où avaient-ils pu se connaître ? Qui était en réalité le frère Wunbaldus, hormis le fait qu'il maîtrisait sept arts ? »

Personne ne sut quoi répondre à Melchior, mais c'est alors que le vieux marin Rinus Götzer se leva et osa prendre la parole devant toutes ces personnes importantes, sans avoir demandé la permission :

« Le fait qu'il maîtrisait sept arts ? demanda-t-il d'un ton exalté, et tous les regards se tournèrent vers le miséreux.

— C'était le cas. Messeigneurs, le prieur Eckell se trouvait autrefois au couvent de Visby, à l'époque où Gotland était sous la coupe des Frères Vitaliens. Eckell était présent lorsque l'Ordre chassa les Vitaliens et les extermina sur l'île. Et je me suis mis à me demander qui était Wunbaldus en réalité. Était-il possible que… » Il secoua la tête et tendit le bras en direction de Götzer. « Capitaine Götzer, si vous nous disiez ce que vous savez de magister Wigbold ? »

Magister Wigbold ! Un bruissement d'effroi traversa la salle. Tout le monde avait déjà entendu ce nom, qui produisait le même effet que si l'on avait mentionné le diable en personne.

« Oh, personne ne sait grand-chose de lui, personne ne sait… bredouilla le vieux marin. On dit qu'il était le plus malin de tous les meneurs des Vitaliens, rusé comme un vieux renard, et c'est pour cela que personne ne connaissait son visage, qu'il ne le montrait pas aux étrangers, et que ceux qui le voyaient signaient leur arrêt de mort. Il savait se tirer de tous les pièges…

— Mais on lui a pourtant coupé la tête, là-bas, à Hambourg ? » s'exclama Freisinger.

Götzer continua à parler, avec hésitation pour commencer, car il n'était pas habitué à prendre la parole devant des personnes si importantes, puis prenant petit à petit confiance et s'exprimant avec plus d'assurance. Certains pensaient qu'il n'avait pas été décapité, car pas moins de quatre hommes avaient reconnu être magister Wigbold, riant même tandis qu'on exécutait les Vitaliens. Certains pensaient que Wigbold avait réussi à s'enfuir, tant son habileté était grande. Et sa cruauté, même s'il lui arrivait d'avoir ses moments de clémence et s'il persuadait alors les autres de ne pas exécuter trop de prisonniers. Le Vitalien que l'on appelait magister Wigbold était le plus doué de tous, et on le surnommait Maître des Sept Arts. Les razzias les plus importantes et les plus audacieuses, c'était toujours lui qui les imaginait. « On disait, raconta Götzer, qu'il avait jadis été moine dans un couvent et à l'université, en Angleterre, où il avait acquis la connaissance des arts en question. On disait encore qu'il lui arrivait de faire entendre raison aux autres, mais que parfois il était lui-même comme Satan, maniant l'épée et faisant voler les têtes lorsque la rage le prenait. »

Lorsque le vieux marin se tut et essuya une larme du coin de son œil, Melchior déclara :

« Wunbaldus est arrivé au couvent il y a cinq ans, ce qui veut donc dire trois ans après que Wigbold fut prétendument décapité. Frère Hinricus a entendu une fois le prieur Eckell dire que Wunbaldus avait un jour tiré trois moines dominicains des griffes des pirates. Wigbold avait vécu dans le passé en Angleterre et dans un monastère. Wunbaldus a autrefois été convers à Oxford, en Angleterre. Eckell et Wunbaldus s'étaient déjà rencontrés. Le prieur traitait Wunbaldus avec une attention spéciale, presque comme son fils. Oui, je crois que l'homme que nous connaissons comme le convers Wunbaldus n'était autre en réalité que le Vitalien magister Wigbold ! »

29

L'office du bailli
En bordure de la place de l'Hôtel-de-Ville
19 mai, le soir

Les dernières paroles de Melchior retentirent comme un coup de canon dans l'office du bailli : tout le monde se dressa d'un coup, levant le poing, criant. Il était inouï, il était impensable que la ville de Tallinn ait offert l'asile à un homme pareil, que les dominicains aient accueilli dans leurs rangs cette incarnation de Satan. Le conseiller Bockhorst, aussi abasourdi que les autres, agitait les bras et criait pour obtenir le silence, mais il fut couvert par la voix du commandeur lorsque celui-ci s'exclama :

« Ce pirate ! Ce scélérat ! Comment un monastère a-t-il pu accepter en son sein pareil individu ? »

Le frère Hinricus lui répondit, criant lui aussi avec exaltation :

« Le couvent est un refuge. Le couvent peut donner asile à tous les pécheurs qui le réclament. Mais je jure qu'aucun de nous n'a jamais entendu dire que Wunbaldus aurait pu être ce Vitalien. »

Lorsque le conseiller et le bailli, aussi choqués que les autres par la révélation de Melchior, réussirent enfin à rétablir l'ordre, on redonna la parole à l'apothicaire.

« Quand j'ai observé le cadavre de Wunbaldus, dit-il, et le bailli m'en sera témoin, nous avons constaté que cet homme avait été un guerrier. Son corps était couvert de cicatrices causées par des armes. Il avait dû livrer de nombreuses batailles, et la dernière blessure, la plus douloureuse, lui avait été infligée par la hache du bourreau. Ce coup aurait dû lui emporter la tête, et comment il a pu y survivre, Dieu seul le sait. Quoi qu'il en soit, c'est ce coup qui l'a rendu bossu. Il n'a dû son salut qu'à un miracle, et je crois qu'un homme qui vient ainsi d'échapper à la mort doit remercier le Seigneur, réfléchir à son existence et se demander s'il n'y aurait pas dans sa survie comme un signe du Ciel. Wigbold, ou Wunbaldus, avait été par le passé dominicain, il avait connu la vie monastique. Le prieur Eckell disait que Wunbaldus était entré au couvent pour expier ses péchés, et je pense que c'était la vérité.

— Expier ses péchés ! rugit le commandeur. Ce vaurien ! Cet assassin !

— Les assassins aussi peuvent se repentir, dit Melchior. Après son salut miraculeux, Wigbold a cherché un refuge. Lui, le plus habile des Frères Vitaliens, lui qui avait plus d'une fois fait entendre raison à ses comparses, pour qu'ils ne massacrent pas tous leurs prisonniers. Je pense que c'est justement à Gotland que Wigbold a sauvé trois dominicains de la rage des Vitaliens, et que c'est pour cette raison que, fugitif et repentant, il est réapparu cinq ans plus tard devant le prieur Eckell. Et le prieur lui a donné l'asile au monastère. Oui, je crois que Wigbold s'était repenti.

— Melchior, êtes-vous sûr de cela ? demanda le conseiller. Ce serait une honte terrible pour la ville, si nous avions donné refuge dans notre couvent à un meurtrier et à un pirate recherché dans toute la Hanse.

— Donner l'asile ne fait honte à aucune ville ! déclara Hinricus. Le couvent donne l'asile selon la loi divine. Le couvent ne juge pas, il ne coupe pas les têtes.

— Ce couvent est situé dans la ville de Tallinn ! dit Tweffell d'une voix mauvaise. Si les autres villes de la Hanse apprennent qu'un meurtrier que tous pourchassaient était caché ici, à Tallinn…

— En admettant que Wunbaldus ait été ce Wigbold, remarqua Hinricus.

— Tous les indices le montrent, déclara Melchior. Jusqu'à ce qui était marqué au fer rouge dans sa chair, sur la nuque. Il y avait là des traces de brûlure : deux lettres, qui ressemblaient à un E et à un K.

— C'est la vérité, renchérit le bailli. Il avait été marqué au fer rouge, comme les criminels.

— En réalité, ces lettres n'étaient pas un E et un K mais un B et un K. Les boucles du B étaient traversées par la blessure, de sorte qu'il ressemblait à un E, mais cela devait être un B. B et K… »

Melchior fut interrompu par un glapissement de Rinus Götzer :

« *"Bunte Kuh !" La Vache bariolée !* C'était le nom du navire de Simon d'Utrecht !

— Vous avez raison, messire capitaine, confirma Melchior.

— Quand des Vitaliens étaient faits prisonniers, on les marquait du signe du navire qui les avait capturés, expliqua Götzer avec animation. Celui qui avait le plus grand nombre de prisonniers avec la marque de son navire recevait une récompense par tête.

— Et sur la nuque de Wunbaldus était marquée au fer la marque du vaisseau de Simon d'Utrecht, dit Melchior. Il avait été prisonnier à bord de la *Bunte Kuh*.

Magister Wigbold, le Maître des Sept Arts, qui avait pillé pendant dix ans les navires qui sillonnaient la mer Baltique, qui avait échappé à tous les pièges… Après avoir réchappé du vaisseau de Simon d'Utrecht, et de la hache du bourreau de la Hanse sur l'île de Grasbrook, le plus habile, le plus astucieux des Frères Vitaliens a rencontré sa fin dans la ville de Tallinn.

— Et quels étaient ces sept arts ? demanda Freisinger. Vous ne faites tout de même pas allusion aux sept arts libéraux, que l'on enseigne dans les monastères ?

— J'imagine, dit Melchior, que l'on n'appelait pas Wigbold Maître des Sept Arts parce qu'il avait réellement appris dans un couvent les sept arts libéraux, qui sont… Frère Hinricus, quels sont-ils exactement ?

— Il s'agit de la rhétorique, de la grammaire latine, de la dialectique, de la musique, de l'astronomie, de l'arithmétique et de la géométrie, répondit le moine. Mais je peux vous assurer que Wunbaldus n'entendait rien à la musique, et pas davantage à la dialectique.

— En revanche il possédait à coup sûr sept autres arts, et nous devrions bien connaître le plus important d'entre eux. Wunbaldus était un brasseur hors pair, il avait acquis ce savoir en Angleterre. Il connaissait aussi l'orfèvrerie, car c'était lui qui avait au couvent la charge d'entretenir les reliquaires. Il connaissait le droit, le droit canon, et cela fait déjà trois arts. Il connaissait encore bien l'Écriture sainte, comme le frère Hinricus peut en témoigner. Et de quatre. Wunbaldus était également connu dans le couvent comme un bon guérisseur, qui savait préparer des onguents et des remèdes. Il connaissait l'art médical.

— Vous en avez énuméré cinq. Quels étaient le sixième et le septième ? demanda le conseiller.

— Le sixième était le jeu d'échecs. Comme beaucoup le savent, Wunbaldus jouait aux échecs comme un maître. Et les échecs, à vrai dire, sont aussi ce qui m'a donné une piste sur le déroulement du premier meurtre. Messire Freisinger se souvient peut-être de la partie interrompue qui se trouvait sur la table lorsqu'il est entré par hasard dans ma boutique ? »

Freisinger se leva, surpris. « Oui, je m'en souviens, bredouilla-t-il. C'était une position bizarre, mais au nom du Ciel, comment cela a-t-il pu vous fournir une piste ?

— On dit que les échecs sont un miroir de la vie. Chaque pièce a une signification précise, et nous savons que le prieur et Wunbaldus jouaient souvent ensemble. Il est possible aux échecs de disposer les pièces de telle sorte qu'elles nous rappellent telle ou telle situation de la vie réelle. Lorsque nous nous sommes rendus au couvent, le bailli et moi, Wunbaldus – ou appelons-le déjà plutôt Wigbold – et le prieur semblaient avoir une partie en train. J'ai reproduit plus tard la disposition des pièces sur un échiquier, et messire Freisinger l'a vue par hasard. Il m'a dit que…

— J'ai dit qu'il était peu probable qu'on soit arrivé à cette position au cours d'une partie, coupa Freisinger. Mais tout de même – je ne comprends pas comment le jeu d'échecs a pu vous apprendre quelque chose sur un meurtre.

— Parce que ce n'était pas une partie en cours, en effet : le prieur Eckell avait discuté avec Wunbaldus en se servant du jeu. Le prieur était accablé par un souci pesant, et il a disposé les pièces de la façon dont il voyait la situation réelle. Il a représenté sur l'échiquier le meurtre de Clingenstain et son propre dilemme. Le prieur s'est représenté lui-même comme le roi blanc, Clingenstain était le cavalier blanc et le couvent, la sécurité de la maison de Dieu, était symbolisé par les deux tours blanches. Vous souvenez-vous, messire Freisinger ?

— Oui, je m'en souviens, marmonna Freisinger pris de saisissement. Mais je n'avais pas du tout vu la position de cette façon.

— Pourtant, ce problème était une représentation imagée du meurtre de Clingenstain. Le pion noir prend le cavalier blanc, c'est-à-dire Clingenstain, au coup suivant. Deux coups plus tard, Eckell est menacé d'échec, car la reine blanche ne peut pas se porter à son secours, et la reine blanche était la sainte Vierge Marie, ou la miséricorde divine, l'habit blanc des dominicains. La seule façon pour Eckell de sauver son âme était de faire intervenir les deux tours, ce qui voulait dire se retrancher derrière les murs du couvent et ne rien faire, mais en sacrifiant la reine, c'est-à-dire en trahissant sa foi. Eckell – les blancs – était en train de perdre. La position sur l'échiquier exposait ses pensées : si le pion noir tuait Clingenstain, alors Eckell devait renoncer à la miséricorde divine, il devait trahir ses convictions, se réfugier dans le couvent. S'il ne faisait pas cela – s'il essayait de préserver sa reine –, il devait lui-même tomber, se reconnaître comme battu. Messeigneurs, cette position montrait que les blancs ne pouvaient l'emporter que si le pion noir renonçait à son intention de tuer le cavalier blanc. Clingenstain tué, Eckell ne pouvait conserver la sainte miséricorde de Dieu qu'en abandonnant.

— Tout cela est bien confus, Melchior, fit remarquer le bailli.

— Oh non, pas du tout ! s'écria Freisinger au comble de l'excitation. Oui, je comprends, maintenant ! Bien sûr ! C'est tout à fait juste ! Mais cela veut dire que le prieur Eckell savait…

— *Naturellement*, il savait, dit Melchior d'un air sombre. C'était l'énigme qu'il avait disposée à l'aide des pièces du jeu de Wunbaldus lorsque nous sommes entrés. Il devait lui être difficile de formuler ses pensées par des mots, et il parlait avec Wigbold grâce à son sixième art.

— Le sixième ? Et quel était donc le septième, alors ? intervint Dorn.

— Le septième ? N'est-ce pas celui que nous devrions connaître le mieux ? demanda Melchior. N'est-ce pas pour cela que nous sommes réunis ici ? Quel art le magister connaissait-il mieux que *l'art de tuer* ? Pour les Frères Vitaliens ce n'était peut-être qu'une plaisanterie, mais pour des dizaines et des dizaines de malheureux sur les rives de la mer Baltique c'était un destin tragique. Oui, c'est sans aucun doute Wunbaldus qui a tué Clingenstain, et personne d'autre. Il était certes venu à Tallinn expier ses tortures et ses péchés, et remercier Dieu pour son salut miraculeux, mais un tueur reste un tueur… Clingenstain avait tué des dizaines de ses amis et de ses frères, il les avait écorchés vifs, brûlés, décapités et cloués au mur. Au moment où les armées de l'Ordre avaient pris Gotland et en avaient chassé les Vitaliens. Et voilà que soudain, plus de dix années après, Wigbold avait l'occasion de se venger ! Le boucher de Gotland se trouvait par hasard en face de lui, ivre mort, et la goutte qui fit déborder le vase fut pour Wigbold cette pièce de monnaie de Gotland, que Clingenstain lui donna. De sorte qu'il la fourra pour finir dans la bouche de son ennemi mortel. Wigbold connaissait chaque recoin de Toompea, et il y a rôdé plusieurs jours, dans l'attente du moment favorable, qui s'est présenté lorsque Jochen, l'écuyer de Clingenstain, était absent et que l'homme était tellement soûl qu'il ne pouvait plus opposer de résistance. »

Le conseiller hocha la tête, finalement, comme s'il avait maintenant l'impression de voir la lumière. Tout cela ne signifiait rien de bon pour la ville, mais le couvent restait quoi que l'on fasse un asile, et de plus cet homme effroyable était mort. Spanheim paraissait satisfait lui aussi, il hocha longuement la tête et déclara :

« Dans ce cas, et si c'est également la décision du Conseil, je réclame que le cadavre de ce Wigbold soit remis à l'Ordre. Exactement. Quant à la raison pour laquelle ce Wigbold ou Wunbaldus a tué le maître bâtisseur, que le Conseil se débrouille pour éclaircir la question…

— Oh, mais il ne l'a pas tué, dit Melchior d'un ton tranquille. Non non, ce n'est pas Wunbaldus, pas lui. »

Ce fut au tour du conseiller Bockhorst de sauter sur ses pieds, et il eut bien du mal à se retenir de crier à l'apothicaire de cesser une bonne fois de se moquer des dignitaires de la ville. Mais les vociférations allaient bon train, même sans que le conseiller y joigne les siennes. Lorsque Melchior put enfin poursuivre tranquillement, il déclara :

« C'est vrai, l'affaire de l'assassinat du chevalier Clingenstain à Tallinn est close. Maintenant s'ouvre, je le crains, une tout autre histoire. Je voudrais vous parler du chemin qu'ont suivi mes idées, en dehors de la question du meurtre de Clingenstain par Wunbaldus, à partir du moment où j'ai entendu dire que c'était justement Clingenstain qui lui avait donné cet ørtug de Gotland. Plus tard, quand Gallenreutter fut tué, je ne réussis pas à comprendre pourquoi on avait fourré dans la bouche du malheureux bâtisseur un artig de Tallinn. Si c'était Wunbaldus qui l'avait fait, pour quelle raison ? Il n'y avait pas la moindre explication raisonnable à cela. Wunbaldus, alias Wigbold, n'aurait pas dû avoir la moindre raison de se venger de Gallenreutter. Plus étrange encore, le bâtisseur avait tout d'abord été poignardé, et ensuite seulement décapité. Lorsque je fus convaincu que Wunbaldus était en réalité Wigbold – et c'est la marque du navire de guerre de la Hanse, portée au fer rouge sur sa nuque, qui m'en convainquit –, la question devint encore plus confuse. Wigbold avait tué pour venger ses frères et la perte de Gotland. Gallenreutter savait-il quelque chose et menaçait-il de démasquer Wigbold, comme le pensait Dorn ? C'est vrai, Gallenreutter nous avait présenté une énigme chez les Têtes-Noires, et l'on pouvait imaginer qu'il s'adressait ainsi au meurtrier, de manière indirecte. Mais pourquoi, dans ce cas, se confesser et boire du poison ? Pourtant, je vous rappellerai les paroles de messire Rode, après que le prieur Eckell l'eut relevé du secret de la confession. Messire Rode, pourriez-vous énumérer une fois encore les péchés que cet homme vous a confessés ? »

Rode répéta ses paroles. « Il a dit que l'avidité l'avait poussé à commettre ces crimes et qu'il avait tué deux personnes, il a dit qu'il leur avait coupé la tête, il a dit que l'une d'elles était un haut responsable de l'Ordre et l'autre un maître bâtisseur…

— Deux personnes ! s'exclama Melchior. *Deux* personnes. Deux seulement ? Dès que je compris que Wunbaldus était en réalité Wigbold, je sus que l'homme qui s'était confessé ne pouvait pas être Wigbold. Ce dernier avait tué non pas deux personnes, mais vingt, deux cents ! Messeigneurs, je vous le répète : l'homme en qui messire Rode a reconnu Wunbaldus n'était pas Wunbaldus. C'était quelqu'un d'autre.

— Mais qui… qui était-ce ? demanda Rode d'une voix faiblarde.

— Qui ? Mais l'assassin de Gallenreutter, bien sûr, l'assassin de l'homme qu'il connaissait comme Wunbaldus, l'assassin du prieur Eckell. Messeigneurs, quatre crimes ont été commis ces derniers jours à Tallinn, et un seul l'a été par Wunbaldus-Wigbold. Et l'homme qui a tué les trois autres est assis en ce moment parmi nous.

— Melchior, vous voulez accuser quelqu'un ? demanda le conseiller effaré.

— Oui, répondit Melchior. Mais pas tout de suite. Je voudrais tout d'abord vous rappeler la façon dont le prieur Eckell, chez les Têtes-Noires, a relevé messire Rode du secret de la confession. Eckell se sentait très mal, il devinait qu'il n'avait plus que peu de temps à vivre. Et dans ses instants ultimes, il a relevé messire Rode du secret de la confession. C'est là une chose qui demande l'approbation de hauts dignitaires de l'Église, une chose exceptionnelle. Et pourtant, il l'a faite.

— Oui, il a fait cela parce que le suicidé s'était lui-même privé du droit aux sacrements de l'Église », déclara Rode.

Melchior secoua la tête. « Oh non, pas pour cette raison. Il a fait cela parce qu'il savait que l'homme qui était venu se confesser ne pouvait pas être Wunbaldus-Wigbold. Il a fait cela parce qu'il savait que cette confession était une pure falsification. Quelqu'un d'autre s'est fait passer pour Wunbaldus, et ce n'était pas la confession de fautes réelles mais un pas dans

378

le déroulement du plan diaboliquement habile du meurtrier. Trop habile, car en confessant seulement l'assassinat de deux hommes, le criminel a fait une erreur. *Il ne savait pas qui Wunbaldus était en réalité.* Le prieur Eckell, lui, le savait. Mais il savait aussi avec certitude que Wunbaldus ne serait jamais allé confesser le meurtre de Clingenstain, et surtout pas à l'église du Saint-Esprit. Et il n'aurait jamais pu croire que Wunbaldus se soit suicidé. Oui, le prieur Eckell entrevoyait la vérité, et à l'instant de son dernier soupir il l'a vue… mais nous y reviendrons dans un instant. Pour le moment, laissez-moi vous dire que lorsque j'eus compris que le mystérieux auteur de cette confession devait être quelqu'un d'autre que Wunbaldus, ma première question fut bien entendu : pourquoi ? Pourquoi quelqu'un devait-il agir ainsi ? Et il ne peut y avoir qu'une réponse. Il l'a fait afin que le meurtre de Gallenreutter soit attribué lui aussi à Wunbaldus. Quelqu'un avait besoin de tuer le bâtisseur de Westphalie. Et le hasard, ou le destin, lui offrait l'occasion de mettre ce meurtre sur le dos de Wunbaldus. L'assassin imagina alors un plan diabolique. Il exécuta Gallenreutter en procédant de la même façon que le meurtrier de Toompea. Quand on prendrait ce dernier, tout le monde supposerait qu'il était coupable de deux crimes. Le seul écueil était Wunbaldus, qui aurait probablement deviné qui avait commis le second assassinat. Ainsi, Wunbaldus devait disparaître lui aussi. Même s'il n'avait pas de preuves, l'assassin ne pouvait pas permettre qu'on le soupçonne. Un mot pouvait faire naître des idées, les idées engendrer des questions. Quelqu'un serait arrivé tôt ou tard à la vérité. Ainsi donc, qui a tué maître Gallenreutter, qui construisait la chapelle de l'église Saint-Olav ? À qui sa mort était-elle nécessaire ? Un ennemi, quelqu'un avec qui il s'était querellé, quelqu'un qui le jalousait ? C'était possible, mais ce quelqu'un devait savoir que l'assassin de Clingenstain était précisément Wunbaldus. Et il devait savoir comment le chevalier avait été tué. Mes soupçons se sont portés sur un homme, mais je n'ai de prime abord pas trouvé la moindre raison pour laquelle il aurait dû vouloir la mort de Gallenreutter. Pas la moindre.

— Qui est-ce ? Qui accusez-vous ? demanda Freisinger.

— Oui, parlez, Melchior ! Qui ? croassa Casendorpe.

— Messeigneurs, du calme, s'exclama Bockhorst. Mais au nom du Conseil, Melchior, dites-nous qui est cet homme !

— C'est un homme qui savait comment était mort Clingenstain, répondit Melchior. Mais comment pouvait-il savoir que c'était Wunbaldus qui l'avait tué ? La solution est fort simple : on reconstruit en ce moment l'église des dominicains, et pour cette raison tout ce qui se passe dans le bas-côté nord de l'église résonne jusque dans le dortoir, et en particulier dans la cellule de Wunbaldus. *N'est-ce pas, frère Hinricus ?* »

Cette dernière question fut proférée sur un ton d'une sévérité inattendue – d'une sévérité telle que tous tressaillirent et dévisagèrent longuement sans rien dire Hinricus, assis à sa place. Le jeune moine sursauta et releva la tête ; il tenait contre lui ses mains jointes comme pour prier, et l'effroi brillait dans ses yeux.

« Quoi ? demanda-t-il. Oui, je crois bien. Oui, sans aucun doute. Le mur nord de l'ancienne église a été abattu, et on n'a construit jusqu'à présent que le mur est du cloître ; de ce fait, les bruits du bas-côté nord s'entendent dans le dortoir des convers, à vrai dire il n'y a pas de mur pour les séparer. Mais je ne comprends pas en quoi c'est important.

— Parce que si les bruits du bas-côté nord et de l'autel latéral des Têtes-Noires s'entendent dans le dortoir, *il en va exactement de même à l'inverse.* Autrement dit, il y a un endroit dans l'église des dominicains d'où l'on peut entendre tout ce qui se passe dans le dortoir des convers.

— C'est sans doute exact, dit Hinricus d'un ton dubitatif. Je ne vois pourtant pas comment...

— Moi non plus, je n'ai pas tout de suite compris, dit Melchior d'une voix dure et tendue, en dévisageant Hinricus. Mais il fallait que d'une façon ou d'une autre le meurtrier ait appris que Wunbaldus avait tué le chevalier Clingenstain. Et il a pu l'entendre quand Eckell et Wunbaldus en ont parlé par allusions, par exemple en jouant aux échecs. Cela explique bien des paroles d'Eckell, et aussi pourquoi il a été tué. »

Hinricus essuya la sueur qui perlait sur son front et dit en tremblant : « Maintenant que vous le dites, oui... je dois reconnaître... le prieur Eckell était en effet un peu étrange ces derniers jours, très abattu... C'était comme si lui-même avait éprouvé des regrets, et... Mais tout de même, Melchior, comment... Gallenreutter... Je ne comprends pas.

— Messeigneurs, voyez, tous ces meurtres étaient reliés au couvent des dominicains, s'écria soudain Melchior. Le meurtrier devait être comme chez lui au couvent, il devait savoir qu'Eckell portait au cou une amulette contenant de l'arsenic, il devait avoir entendu Wunbaldus avouer son crime à Eckell, il devait avoir volé sa tunique blanche. Il devait pouvoir entrer un soir de façon naturelle dans la cellule de Wunbaldus et boire avec lui une chope de bière, dans laquelle il avait versé de l'arsenic.

— Vous voulez dire que tout ceci s'est passé sous nos yeux, sans qu'aucun des frères ne remarque quoi que ce soit ? demanda Hinricus effrayé.

— Quelqu'un devait avoir la possibilité de dérober l'arsenic dans l'amulette du prieur Eckell et de le remplacer par de la farine, poursuivit Melchior, impitoyable, tout en continuant à dévisager Hinricus. Oui, le bailli le sait déjà : le soir où Eckell est mort, son amulette contenait de la farine et non de l'arsenic. Le meurtrier a opéré cette substitution parce que sinon le prieur se serait rendu compte que l'amulette était vide. Et à propos, rappelez-vous, c'est dans ces jours-là qu'est mort le cheval de messire Tweffell.

— Quoi ? Hein ? Ah, mon cheval, oui ! Il est mort comme si on l'avait ensorcelé, une bête forte, costaude ! Mais quel rapport ? demanda Tweffell.

— C'est que votre cheval semble avoir été la première victime du meurtrier. Tous les symptômes indiquaient un empoisonnement à l'arsenic. Le meurtrier savait où le prieur conservait le poison lorsqu'il l'ôtait de son cou pour dire la messe. Mais il n'était pas sûr que ce soit bien de l'arsenic, et il ne savait pas si la virulence du poison ne s'était pas déjà dissipée. Alors il a fait un essai sur le cheval, car on dit qu'une boulette de la taille d'un petit pois suffit à tuer un homme et un cheval. N'est-ce pas, Kilian ?

— Oui, c'est bien ce qu'on dit en Italie. Là-bas, l'arsenic est connu depuis les Romains, répondit Kilian prudemment.

— Qui est cet homme ? rugit soudain Tweffell. Amenez-le ici, et Ludke en fera de la bouillie. Mais il me paiera d'abord le cheval, avec la queue et les sabots !

— C'est l'homme qui a volé l'arsenic dans l'amulette d'Eckell, qui l'a fait boire à Wunbaldus-Wigbold dans sa bière, qui a volé son habit et s'est confessé à l'église du Saint-Esprit avant de tuer Gallenreutter, car ainsi seulement peut-on expliquer que l'habit dérobé n'ait pas été ensanglanté. Et il a aussi empoisonné le prieur. Mais avant cela, je vais vous expliquer le mystère de ces empoisonnements, et les secrets de l'arsenic. Il est très important que nous comprenions cela correctement, et il me semble que s'il s'est trouvé au milieu de nous un individu cruel et malveillant, saint Côme veillait et a envoyé aussi un apothicaire, un homme qui doit bien connaître les poisons. »

Dorn fit remarquer que si l'envoyé de saint Côme était capable d'expliquer le mystère de l'empoisonnement par la farine, ce serait une chose admirable. Le Conseil désirait à coup sûr savoir comment de la farine pouvait se révéler mortelle.

« De longues années durant, le prieur Eckell a porté au cou de l'arsenic, dont il a petit à petit inspiré les vapeurs, reprit Melchior. Ce n'est pas mortel en soi, mais au fil du temps se manifestent plusieurs symptômes d'un empoisonnement à l'arsenic : en particulier, les cheveux se mettent à tomber, des raies blanches apparaissent sur les ongles, l'individu a l'esprit quelque peu confus et ses membres deviennent douloureux. Tout cela, nous l'avons noté chez le prieur Eckell. Maintenant, cette inspiration continuelle de vapeurs peut à la fin causer un empoisonnement fatal, mais la mort devrait dans ce cas être elle aussi longue et douloureuse. Pourtant, le prieur est mort rapidement, au terme d'une crise aiguë, avec la certitude d'avoir été empoisonné. De sa bouche émanait une légère odeur d'ail, et cela aussi est la marque d'un empoisonnement à l'arsenic… *mais pas de l'absorption continuelle de vapeurs d'arsenic*, plutôt d'un empoisonnement par

voie orale. Les crises de douleurs fulgurantes entraî-
nant des crampes internes et des vomissements, tout
cela trahit aussi l'arsenic, mais encore une fois *pas
de l'arsenic respiré sous forme de vapeurs durant
des années*. Que devrait donc en déduire l'apothicaire ? Le prieur avait respiré de l'arsenic pendant des
années, et il avait également bu ou mangé de l'arsenic. Mais, nous le savons, pas ce soir-là chez les Têtes-
Noires, car notre nourriture et notre boisson n'étaient
pas empoisonnées, et pas davantage celles du prieur,
puisque messire Freisinger en a mangé et bu et qu'il
est, comme nous le voyons, toujours en vie.

— Grâce à Dieu, murmura Freisinger.

— Nous louons le Seigneur pour cela, renchérit Melchior. Mais cependant, qu'est-ce qui a tué le
prieur ? De l'arsenic ? Certainement. Pourtant, son
repas n'était pas empoisonné ? Et s'il avait auparavant avalé de l'arsenic, disons alors qu'il se trouvait
encore au couvent, il aurait dû mourir plus tôt, car ce
poison tue rapidement. Je me suis longtemps creusé
la tête sur ce point, sans parvenir à décider si le prieur
avait ou non été empoisonné. En réalité la réponse
est simple, je l'ai trouvée dans le livre de magister
Ardoyn et elle explique tout. Bien entendu, le meurtrier a empoisonné le prieur alors qu'il était encore au
couvent. Toutes les pistes, dans cette affaire, semblent
mener chez les dominicains.

— Melchior, par le Ciel et la Vierge Marie, qu'est-
ce que vous voulez donc dire ? demanda Hinricus.

— Ce que je veux dire ? répéta Melchior songeur.
Je veux dire que l'arsenic n'a pas agi aussi rapidement
qu'il aurait dû le faire. C'est que, pour en avoir respiré pendant des années, *les organes du prieur étaient
habitués à ce poison* : son organisme avait appris à

contenir la puissance de l'arsenic et à la combattre. Notre meurtrier connaissait la dose mortelle, c'est celle qu'il a administrée au prieur, et il s'attendait à ce que sa mort survienne beaucoup plus tôt, auquel cas personne n'aurait soupçonné un empoisonnement. Le prieur était vieux et malade, sa mort aurait semblé naturelle. L'assassin ne voulait certainement pas que sa victime meure chez les Têtes-Noires, où il était lui-même présent. Mais le prieur a résisté au poison plus longtemps que le meurtrier ne le prévoyait.

— Et cet homme était quelqu'un du couvent ? demanda le conseiller.

— Je me suis demandé si cela pouvait être un homme qui avait été présent lors de tous ces événements, mais à l'arrière-plan, occupé à couver son noir dessein. Je me demande s'il est possible que cet homme soit *toi*, Hinricus, toi qui accompagnais le prieur sur Toompea, mais de façon si discrète que personne ne t'a prêté attention », dit Melchior en pointant le doigt en direction de Hinricus.

Tout le monde se leva brusquement, mais les paroles de Melchior étaient si inattendues que personne ne trouvait rien à dire. Hinricus, blême, regarda Melchior et tomba à genoux.

« Pouvais-tu être celui qui, dans l'église, a entendu la conversation entre le prieur et Wigbold au cours de laquelle ce dernier a avoué avoir tué Clingenstain ? demanda Melchior avec violence. Pouvais-tu être celui qui connaissait l'existence de l'arsenic du prieur, qui l'a dérobé et qui a empoisonné Wigbold ? Je voudrais savoir si tu es celui qui, révolté que le prieur ait accueilli ce pirate au couvent, profanant pour ainsi dire sainte Catherine, a décidé leur mort à tous deux. Tu as été le dernier à te tenir aux côtés d'Eckell mourant, tu l'as soutenu : pourrais-tu être celui qui lui a fourré dans la bouche la dernière dose mortelle, en voyant que la quantité qu'il avait reçue au couvent n'agissait pas encore ? Pourrais-tu être celui qui s'est fait passer pour Wunbaldus ? Et qui, comme tout le monde au monastère t'aurait reconnu sous ton déguisement, est allé se confesser au Saint-Esprit, pour rejeter sur Wunbaldus tout ce qui concernait la mort de Gallenreutter ?

— Gallenreutter ? s'écria Dorn. Mais pourquoi ce misérable moine avait-il besoin de tuer le bâtisseur ?

— La question serait plutôt de savoir d'où lui est venue l'idée de lui mettre une pièce de monnaie dans la bouche », répondit Melchior.

Hinricus, terrorisé, était agenouillé sur le sol froid, en prière ; Dorn fit le geste de tirer son épée, pour donner aux employés du tribunal l'ordre de se saisir de lui.

« Messire Freisinger ? dit brusquement Melchior, et le Tête-Noire tourna un regard étonné vers l'apothicaire. Messire Freisinger, en dehors de moi et du bailli, vous étiez le seul homme dans la ville à avoir entendu parler de la pièce de monnaie qui avait été introduite dans la bouche de Clingenstain. Le serviteur de l'Ordre, contre les ordres du commandeur, avait bavardé imprudemment avec le bailli, et ce dernier l'avait mentionné dans ma boutique, en votre présence. Vous êtes souvent en visite au couvent : dites-nous, est-il possible que vous ayez parlé de cela à Hinricus ?

— Dieu du Ciel, Dieu miséricordieux ! » gémit Hinricus. Son visage n'était pas visible, il était recroquevillé sur le sol et priait. Le bailli s'approcha de lui, la main sur le fourreau de son épée.

« Par sainte Catherine, bredouilla Freisinger effaré. Est-ce que j'ai vraiment dit cela ?

— C'est la question que je vous pose, déclara Melchior.

— Je me rappelle, oui, que le bailli en a parlé, mais cela m'était sorti de l'esprit… » Freisinger était incertain, il creusait sa mémoire, puis la surprise se lut sur son visage et il sembla se souvenir de quelque chose : « Bien sûr ! s'exclama-t-il. Oui, cela me revient, je l'ai mentionné à Hinricus dans les magasins du couvent, alors que nous faisions nos comptes ; oui, je l'assure, par tous les saints !

— C'est faux ! s'écria Hinricus désespéré. Cet homme fait un faux serment, jamais il ne m'a dit une chose pareille ! »

Melchior se mit alors à parler à toute vitesse. « Seulement, Dorn ne savait pas encore que cette pièce de monnaie était un vieil ørtug de Gotland, et Freisinger ne pouvait donc pas le savoir. C'est pour cette raison que le meurtrier a glissé dans la bouche de Gallenreutter une pièce quelconque, sans savoir qu'elle avait une signification particulière. C'est ce qui l'a trahi, en me montrant que l'assassin de Gallenreutter était quelqu'un d'autre.

— Ce n'était pas moi ! glapit Hinricus. Je suis innocent, je n'ai tué personne ! Ce devait être quelqu'un d'autre !

— C'était l'homme que le prieur Eckell a accusé dans ses derniers instants. Et davantage encore : il ne pouvait plus parler, mais *il nous l'a montré*. Terrassé par une douleur subite, il a compris, compris tout ce qui s'était passé, il a su qui l'avait tué. Messeigneurs, le prieur lui-même nous a montré cet homme, dit Melchior avec animation.

— Qui ? Qui a-t-il montré ? » cria Dorn. Il désigna Hinricus.

« Était-ce cet homme-ci ?

— Melchior, ne jouez pas avec la patience du Conseil, ordonna Bockhorst. Est-ce que vous accusez le cellérier des dominicains, Hinricus, de ces crimes affreux, oui ou non ?

— Le vénérable prieur est mort sous nos yeux, et s'il avait désigné quelqu'un, nous l'aurions vu », déclara Rode.

Melchior leva la main et s'écria : « Je vous le demande encore une fois, qui avait besoin de tuer maître Gallenreutter, l'homme qui édifiait une chapelle à côté de l'église Saint-Olav ? Cela aussi nous devrions tous le savoir, car cela ne peut être qu'une seule personne. Tout ce qui se rapporte à ces crimes s'est déroulé sous nos yeux, et à portée de nos oreilles. Je vous demande encore ceci : quel est le nom du maître bâtisseur qui a construit l'église Saint-Olav, il y a de cela deux siècles ? Quel était le nom de cet homme, qui a édifié pour cette église une tour si haute qu'on l'aperçoit de loin en mer ? Comment s'appelait-il ? »

Le silence se fit dans la salle. Les présents se regardèrent les uns les autres, interloqués, et Tweffell se frappa le front de l'index.

« Vous pourriez demander au greffier du Conseil d'aller voir dans les registres ? Ou poser la question au curé de Saint-Olav, peut-être ? Enfin Melchior, quelle importance cela a-t-il en ce moment ? demanda Bockhorst.

— Je voudrais que vous vous remémoriez tous la première soirée de dégustation de la bière chez les Têtes-Noires. Peut-être ne l'avez-vous pas tous entendu, mais messire Gallenreutter a récité ce soir-là une chanson qui, comme Kilian l'a justement fait remarquer, ressemblait davantage à une devinette. C'était une chanson étrange, et personne ne l'avait jamais entendue. Même Kilian, qui en connaît pourtant des centaines. Gallenreutter nous a parlé de la construction de l'église, avant laquelle il était nécessaire de creuser sur l'emplacement des anciennes fondations. Puis il est passé à sa chanson, et j'étais déjà certain, à ce moment-là, que ce n'était pas fortuit, que cela n'arrivait pas par hasard dans son histoire, mais que le bâtisseur avait au contraire conduit son propos avec habileté, afin de se donner un prétexte pour présenter sa chanson. »

Melchior tira un papier de sa poche et le déplia devant lui, puis il lut à haute voix :

« *C'est l'aube, à l'orient pointe le jour,*
Ô mon ami, nos sept frères, au carrefour,
N'attendent que de te guider vers le Temple du Seigneur,
Refermant leur main sur la truelle et le compas.
Aide-les à s'abreuver de la lumière qui brille au-dessus de la tombe :
Toutes les promesses, aussi anciennes que la science de Salomon,
Unies, tendent leur bouclier aux sept maîtres.
Sur celui qui marche en tête la Mort étend son manteau.
Favete linguis et memento mori.
Rugissant, la relique appelle au loin son propre sang,
Et hier est plus proche du sang du Christ, qui coule sur les murailles.

Et maintenant, messeigneurs, poursuivit-il, voici encore quatre lignes, que j'ai trouvées dans la poche de Gallenreutter après sa mort. Il les avait écrites comme pour prouver l'authenticité de ce qu'il avait à vendre. Les initiales des premiers mots de cette strophe ont été recouvertes par le sang, mais il n'est pas difficile de les déduire du sens du texte et de les ajouter. Cette chanson – c'est toujours la même chanson – continue donc ainsi :

> *Intrépides, les anges donnent à notre ville un défenseur, plus haut que nous tous.*
>
> *Sans relâche, la Mort danse autour de leurs noms.*
>
> *Invisible, le secret éternel est gardé par le serment de la chair du premier,*
>
> *Nul autre que les sept n'y a part, comme au corps sacré.* »

Il fut accueilli par des regards stupides ; même Hinricus s'était relevé.

« Je me souviens de cette chanson, dit Casendorpe. Tous s'en souviennent, sans doute ; ce Gallenreutter a même dû dire qu'elle était originaire de Tallinn, de la première guilde à s'être implantée ici.

— Quelle a été la première guilde à Tallinn ? demanda Melchior. Messire Freisinger affirme que c'étaient les Têtes-Noires, mais il y a ceci d'étrange avec eux qu'il a fallu attendre l'arrivée de Freisinger, voici quelques années, pour que la guilde prenne vie, et si elle était présente auparavant, elle ne comptait que deux ou trois vieillards dont personne ne se souvient. Et messire Freisinger ne connaissait pas cette chanson, lui non plus.

— Melchior, je ne vous comprends plus, intervint Freisinger. Cette chanson absurde ne mentionne pourtant pas les Têtes-Noires. De quoi parlez-vous au juste ?

— C'est vrai, reconnut Melchior. De quoi parle donc cette chanson ? Et je prétends que ce n'est pas une chanson, mais un serment et une énigme. Réfléchissons donc. On nous parle ici de sept frères, qui montrent le chemin menant au temple du Seigneur, c'est-à-dire à l'église ; il est clair qu'il s'agit de maîtres bâtisseurs, et sans doute de constructeurs d'églises, qui forment une catégorie à part. On devine ensuite que ces maîtres sont les gardiens de serments remontant à l'époque de Salomon. Et comme on le dit, le temple de Salomon serait l'ancêtre de toutes nos églises. Je crois que ces lignes signifient encore que depuis le temps de Salomon, les constructeurs d'églises ont formé une confrérie qui veille sur ses secrets. *Sur celui qui marche en tête la Mort étend son manteau.* Qui marche en tête ? La Mort étend son manteau ? Il est mort, c'est ce qu'il semble que nous devions comprendre. *Favete linguis et memento mori ? Favete linguis* signifie "l'obligation du silence", et *memento mori* "le souvenir des morts". Donc : silence sur ceux qui sont morts, mais souvenez-vous d'eux ? Ensuite : *la relique appelle au loin son sang.* Sachant que Gallenreutter a trouvé au cours de ses excavations sous l'ancienne église un coffre contenant des ossements, ne s'agirait-il pas de ces reliques ? Et l'appel du sang… Si les restes d'un homme appellent leur sang, est-ce qu'il n'y a pas là une allusion à sa descendance ? À sa lignée ? *Hier est plus proche du sang du Christ, qui coule sur les murailles.* Je crois que je sais ce que cela veut dire. Le Christ a vécu il y a longtemps, et les anciennes connaissances des constructeurs sont plus proches de ses paroles.

— Attendez, Melchior, dit Bockhorst en l'interrompant. Je ne vois pas en quoi cette vieille énigme nous intéresse.

— Messeigneurs, je vous assure que tout va s'éclaircir sous peu. Rappelez-vous les quatre dernières lignes, celles que j'ai trouvées dans la poche de Gallenreutter.

Intrépides, les anges donnent à notre ville un défen-
seur, plus haut que nous tous.
Sans relâche, la Mort danse autour de leurs noms.
Invisible, le secret éternel est gardé par le serment de
la chair du premier,
Nul autre que les sept n'y a part, comme au corps sacré.

Qu'est-ce que ce défenseur de la ville, plus haut
que nous tous ? Qui, jusque loin sur la mer, montre le
chemin et conduit les navires au port, protège les marchands dans l'exercice de leur commerce, et montre
aussi son sommet, de loin, aux ennemis ?

— Seigneur, murmura Dorn, tu parles de l'église
Saint-Olav ?

— Gallenreutter savait que le coffre exhumé contenait des restes humains, et c'est dans ce même coffre
qu'il a dû trouver cette énigme. Et *lui* a compris, il a
tout compris. *Sans relâche, la Mort danse autour de
leurs noms.* Cela sonne comme une menace, ou comme
un avertissement. La Mort danse autour des noms de
ceux qui ont édifié Saint-Olav. Et les dernières lignes
ne laissent aucun doute. Qui était le premier, pourquoi
le premier ? Qu'est-ce que cela signifie ? Souvenez-
vous : *sur celui qui marche en tête la Mort étend son
manteau.* Qui marche en tête ? Qui a construit l'église
Saint-Olav ?

— Est-ce qu'il n'y a pas une légende populaire à
ce sujet ? demanda Tweffell. Il me semble me souvenir de quelque chose de ce genre. Ma vieille tête
n'est plus ce qu'elle était, mais on parle parfois d'un
bâtisseur, qui serait mort au cours de la construction.

— Chaque légende populaire renferme un noyau de
vérité, dit Melchior. Les contes parlent d'un homme
venu d'au-delà des mers, qui avait promis d'édifier
une église, à la condition que personne n'apprenne

son nom. Il avait encore déclaré que si quelqu'un, par malheur, venait à l'apprendre, il n'en résulterait que ruine et désastre pour la ville, et que l'église qu'il avait construite ne tiendrait pas longtemps debout. Tant que son nom demeurerait un secret, l'église qu'il avait construite durerait. Et la ville. Mais si son nom était révélé aux habitants de la ville, alors s'ensuivraient malheurs, incendies, épidémies et désastres. Et le clocher de l'église ne durerait pas, et Tallinn ne deviendrait jamais grande, fameuse et riche, comme le souhaitaient ses habitants.

— Moi aussi, il me semble avoir entendu quelque chose d'approchant, mais ce n'est sans doute qu'une vieille légende, déclara Freisinger. Rien de plus, c'est certain.

— Vous paraissez bien sûr de vous, messire Tête-Noire, dit Melchior. Et connaissez-vous aussi la suite de cette légende ? On dit que les habitants réussirent tout de même à apprendre que le nom du bâtisseur était Olev, et lorsque quelqu'un l'appela par son nom, le Diable en personne fit trébucher Olev et celui-ci tomba mort au pied du clocher. Alors ses compagnons enterrèrent ses restes là où personne ne pouvait les voir, et ils disparurent de la ville.

— Peut-être bien, répondit Freisinger en haussant les épaules. Quoi qu'il en soit, je ne vois pas… »

Melchior l'interrompit et se remit à parler avec animation.

« C'est peut-être un conte populaire, et bien des choses là-dedans sont sans doute des inventions, mais si nous le rapprochons de l'énigme de Gallenreutter et des lignes trouvées dans sa poche, alors… sur certains points les deux sont d'accord. En vérité, personne ne sait qui a édifié l'église Saint-Olav, car le nom de ce maître bâtisseur devait rester secret à jamais. Son nom n'était certainement pas Olev : Olev était le roi des Norvégiens et le saint qui a donné son nom à l'église, car à cette époque il y avait dans la ville de nombreux marchands norvégiens ou danois. Mais le constructeur de l'église est mort, et ses restes ont été enterrés en un endroit secret. La légende nous transmet un noyau de vérité, et le nom de cette vérité est : "secret". Mais que nous disent les dernières lignes de la strophe ? Ne nous expliquent-elles pas que pour que l'église dure il fallait que ce constructeur meure, que les maîtres prennent part à sa chair comme à la communion, au cours d'un rituel, et aussi que son nom doit rester secret à jamais ?

— Vous voulez dire que ce bâtisseur *a été mangé* ? s'écria Casendorpe.

— Je veux dire que le maître bâtisseur Caspar Gallenreutter, originaire de Warendorf en Westphalie, avait découvert ce nom, et qu'il devait mourir. Gallenreutter savait plus ou moins qui il cherchait : un habitant de Tallinn qui était ici le gardien de ces vieux secrets, voilà ce qu'il savait des constructeurs d'église, mais qui au juste… Il n'en savait pas plus, il a fait quelques tentatives prudentes, car il voulait de toute évidence qu'on lui achète son silence sur ce secret. Et la transaction s'est faite sous nos yeux à tous. Messeigneurs, rappelez-vous la dégustation de la bière.

— Je me souviens, s'écria soudain Kilian. Je me souviens de cette conversation, messire Melchior. Si vous me montriez un instant l'énigme, sur ces papiers ? Quelque chose m'a accroché l'oreille, mais… je n'en suis pas tout à fait sûr.

— Mais Melchior, Hinricus est resté tout le temps silencieux chez les Têtes-Noires, s'exclama Dorn.

— L'homme que le prieur Eckell nous a montré *n'était pas Hinricus* », dit Melchior d'une voix rude. Il parlait de plus en plus vite et de plus en plus fort, et dans ses yeux brûlait une lueur dure et impitoyable. « Ce n'est pas Hinricus qui a opéré cette transaction avec Gallenreutter. Rappelez-vous qui s'est saisi des strophes récitées par Gallenreuttèr et qui a marchandé avec lui devant nos yeux, à portée de nos oreilles ! Messire bailli, oui, maintenant je suis prêt à porter une accusation ! Messeigneurs, plaise à Dieu ! Je me tiens ici conformément aux prescriptions du droit de Lübeck, et je demande que le bailli tire son épée une première fois ! »

C'étaient là les paroles de la loi de Lübeck, paroles qui, prononcées en présence d'un conseiller et du bailli, signifiaient que quelqu'un réclamait un jugement et portait une accusation. Dorn tira son épée du fourreau, les employés du tribunal se placèrent derrière lui et il réintroduisit l'arme dans son fourreau. Dans la salle régnait un silence de mort.

« Messeigneurs, répéta Melchior, plaise à Dieu, je demande que l'épée du bailli soit tirée une deuxième fois ! »

Dorn tira son épée. « Je déclare, au nom du maître de l'Ordre, au nom du Conseil, au nom de la loi et au nom de l'accusateur, le tribunal ouvert ! cria-t-il. J'interdis tout trouble, une première et une deuxième fois. J'interdis que quiconque sorte d'ici ou interrompe l'accusateur. » Il repoussa l'épée dans son fourreau.

« Messeigneurs, s'écria à nouveau Melchior, selon le droit de Lübeck, je demande que le bailli tire son épée pour la troisième fois ! »

Dorn tira une troisième fois son épée étincelante. « Le citoyen Melchior Wakenstede a réclamé selon la loi de Lübeck que l'épée du bailli soit découverte. Qu'il parle, et que personne ne l'interrompe, sous peine d'amende.

— Messeigneurs, laissez-moi vous rappeler les paroles de messire Freisinger, au cours de cette conversation chez les Têtes-Noires : "Tallinn est une ville riche, et les Têtes-Noires n'ont jamais eu à redouter de manquer d'argent. Ils ont toujours eu les moyens nécessaires au maintien de leur rang et de leur statut, car ils constituent la plus ancienne guilde de Tallinn." Il a ajouté que "les Têtes-Noires avaient aidé à consacrer des demeures au Seigneur Jésus-Christ, et que si la mort dansait autour de la ville ils seraient les premiers à prendre les armes". Ce sont là ses propres paroles : *si la mort danse autour de la ville*. C'était le mot de passe adressé à Gallenreutter, qui sut alors qu'il avait trouvé un acheteur pour ce qu'il avait à vendre. Ce dernier a alors demandé si les Têtes-Noires étaient assez belliqueux pour prendre les armes immédiatement. Et Freisinger lui a répondu qu'un bon conseil et un tonneau plein de marks d'argent de Riga faisaient souvent plus que les hallebardes. Oui, c'était là bien ce marchandage, et il s'est déroulé aux yeux de tous. Gallenreutter a entendu là, pour la première fois, quelqu'un répondre à sa question. Quelqu'un admettait qu'il connaissait quelque chose de l'ancien secret de Saint-Olav. Quelqu'un reconnaissait les paroles de cette vieille chanson. Par la loi de Lübeck, c'est vous, messire Tête-Noire, Clawes Freisinger, qui avez tué l'ancien Vitalien Wunbaldus, le maître bâtisseur Caspar Gallenreutter de Westphalie et le prieur dominicain Balthazar Eckell ! Et maintenant, selon la loi de Lübeck, vous devez répondre de vos actes devant le Conseil ! »

Le bailli s'avança vers Freisinger en brandissant son épée étincelante, suivi par ses acolytes.

« Qu'avez-vous à dire contre cette accusation ? demanda-t-il.

— Est-ce une plaisanterie ? » demanda froidement Freisinger. Il se tenait droit et hautain, une grimace méprisante sur le visage, bras croisés sur la poitrine. « Cet apothicaire ne peut certainement pas jurer par tous les saints qu'il dit la vérité, ajouta-t-il.

— C'est la vérité vraie, par tous les saints : c'est vous que j'accuse de ces meurtres, messire Clawes Freisinger ! Et je vous ai accusé en pensée du meurtre de Gallenreutter depuis l'instant où j'ai trouvé dans sa bouche un artig de Tallinn. Car vous étiez *le seul individu* dans la ville, en dehors du commandeur, du bailli et de moi-même, à savoir qu'une pièce de monnaie avait été mise dans la bouche de Clingenstain, et que sa tête avait été clouée au mur. Mais vous ne saviez pas *de quelle monnaie* il s'agissait ! Et maintenant vous venez de commettre un parjure, en disant que vous aviez parlé de cela à Hinricus. Vous n'en avez parlé à personne. Le frère Hinricus n'a rien à voir avec ces meurtres. Et c'est vous, Freisinger, qui avez posé avant toute chose la question d'une récompense. Comme si vous saviez, ou pressentiez, qui avait tué Clingenstain. Et de fait, vous saviez qu'il s'agissait de Wunbaldus. Vous vous trouviez en effet, la veille au soir, auprès de l'autel des Têtes-Noires, où l'on entend tout ce qui se passe dans le dortoir des convers, là où le frère Wunbaldus a avoué son crime au prieur.

— Oui, j'étais là-bas, c'est vrai, mais je n'ai rien entendu, jeta Freisinger.

— Bien sûr que si ! Vous en avez au moins entendu assez pour savoir que Wunbaldus avait tué le chevalier.

Cependant, vous n'êtes pas venu révéler au Conseil ce que vous saviez, car vous attendiez que l'on annonce une récompense. Mais ensuite vous avez entendu parler, au cours de la dégustation de bière, de ce que Gallenreutter avait exhumé dans les fondations de l'église Saint-Olav. Alors s'est éveillé en vous l'homme que vous étiez en arrivant à Tallinn, l'homme que l'on avait envoyé ici. Et en vous s'est éveillé un meurtrier ! Ce que j'ai entendu était une authentique négociation. Gallenreutter pensait que l'un des invités des Têtes-Noires, le maître de l'une des guildes, était peut-être l'homme qu'il cherchait. Il a déclaré, avec hypocrisie, que Tallinn était une ville pauvre, et qu'il ne s'y trouverait sans doute personne pour acheter son silence. Et c'est vous, Freisinger, qui avez répondu qu'il y avait de l'argent en abondance, à Tallinn et chez les Têtes-Noires. Vous l'avez menacé, disant que les Têtes-Noires savaient prendre les armes, mais il ne vous a pas écouté. Vous lui avez, ce faisant, confirmé que vous étiez l'homme qu'il cherchait, et que vous aviez de quoi payer pour son silence. Et l'affaire était conclue ! Un tonneau de marks d'argent de Riga, et Gallenreutter promettait de se taire. Oh oui, et il s'est tu, mais pour toujours, car vous ne pouviez pas tolérer qu'il ait récité cette chanson et deviné le nom du bâtisseur. Les Têtes-Noires ont toujours été mystérieux, et on ne sait pas grand-chose de votre passé. Vous êtes arrivés un jour dans cette ville, mais vous vous êtes toujours tenus à l'écart, et camouflés. Maintenant, je suis porté à croire que vous êtes liés par quelque pacte immémorial avec la confrérie des constructeurs d'églises, dont les symboles sont la truelle et le compas et qui, de la même façon, ont constitué dans les villes allemandes des confréries retranchées derrière le voile du secret. Et selon ce pacte, vous devez veiller à ce que le nom du bâtisseur de Saint-Olav demeure secret. Gallenreutter devait mourir. Mais tout d'abord Wigbold, que vous connaissiez comme Wunbaldus. Vous êtes un visiteur quotidien du couvent, Freisinger, car les Têtes-Noires y ont un autel. Personne n'a vraiment prêté attention à vous lorsque vous vous êtes rendu chez Wunbaldus et que vous lui avez sans doute proposé de goûter cette exceptionnelle bière ambrée, dans laquelle vous avez versé de l'arsenic que vous aviez dérobé à Eckell. C'est dans ce but que vous aviez essayé l'arsenic sur un malheureux cheval. Le poison *était* mortel. Eckell parlait souvent de sa hantise de la peste, et à une occasion il vous avait révélé ce que recelait son amulette. C'est ce qu'il nous a dit à tous : "Tu as empoisonné !", ce furent ses dernières paroles. Après la mort de Wunbaldus, vous avez dérobé un habit dominicain. Vous l'avez enfilé et avez couru vous confesser, sachant que la confession d'un suicidé n'est pas sacrée. Ainsi, tout le monde apprendrait que Wunbaldus avait tué tant le chevalier que le maître bâtisseur ; puis est venu le tour de Gallenreutter. Vous aviez déjà volé la hache dans la cour de Saint-Nicolas, dans la journée, et vous l'aviez dissimulée à proximité du lieu de rendez-vous. Toutefois, vous avez commencé par poignarder mortellement votre victime. Le cimetière de Saint-Nicolas est un lieu ombreux et protégé des regards extérieurs, qui convenait bien au rendez-vous de deux conspirateurs, et Gallenreutter n'avait pas de raisons de se méfier. Puis vous avez répandu activement dans la ville le bruit que la tête du chevalier Clingenstain avait été clouée au mur. Ensuite ? Il ne restait qu'Eckell. Le lendemain vous étiez de nouveau au couvent, et vous avez mélangé de l'arsenic dans son repas ou sa boisson. Pourquoi ? Parce que tôt ou tard il serait parvenu à la vérité ; vous saviez que Wunbaldus et lui étaient amis et qu'il ne croirait pas à cette confession. Vous l'avez empoisonné en espérant qu'il mourrait au couvent, sans tarder, et que personne ne soupçonnerait l'empoisonnement, car le prieur était vieux et malade. Mais vous ignoriez qu'ayant respiré des vapeurs d'arsenic, l'organisme du prieur s'était habitué au poison. Il est mort, mais plus tard que vous ne l'auriez voulu. Il est mort, mais avant de mourir il a réussi à désigner son assassin. »

Freisinger avait écouté Melchior d'un air méprisant et en secouant la tête. Seul Dorn vit qu'une sueur froide perlait sur son front et que ses pommettes tremblaient légèrement.

« Ce ne sont que de stupides divagations, dit-il. Les apothicaires voient du poison partout ! Il a juré par tous les saints, alors je jure moi aussi par tous les saints que ce n'est pas la vérité. Oui, conduisez-moi devant le tribunal et déterminez, selon le droit de Lübeck, si la parole d'un apothicaire l'emporte sur celle d'un honnête marchand, lorsque celui-ci prête serment par tous les saints.

— Ne blasphémez pas les saints, et ne commettez pas de parjure en leur nom ! s'écria Melchior rageur. Vous vous êtes déjà parjuré, c'est vrai, lorsque vous avez promis à la fille de messire Casendorpe de l'épouser. Vous êtes arrivé ici célibataire, et c'est ainsi que vous êtes devenu maître des Têtes-Noires, comme le prévoit sans doute votre pacte avec les constructeurs d'églises. Et vous deviez demeurer célibataire. Mais vous êtes tombé amoureux de la belle Hedwig, et le secret de Saint-Olav semblait enterré pour jamais, aussi avez-vous petit à petit oublié pourquoi vous étiez venu ici. Vous avez voulu épouser Hedwig et devenir citoyen de Tallinn, et vous auriez renoncé à votre titre de maître des Têtes-Noires. Oh, sans doute aurait-on envoyé quelqu'un d'autre, et vous auriez été relevé de cette obligation. Mais la découverte de Gallenreutter a été comme un coup de tonnerre dans un ciel bleu. Un jour vous promettiez à Hedwig de l'épouser, et le lendemain vous lui racontiez peu ou prou que vous n'étiez pas prêt pour le mariage et que vous ne vouliez pas la rendre malheureuse. Vous avez repoussé l'amour d'une jeune fille pour la main de qui la moitié des jeunes orfèvres de la Hanse auraient tout donné, parce que vous aviez déjà scellé de votre sang un autre serment. Gallenreutter, Wunbaldus et Eckell devaient mourir, et vous demeurer messire Tête-Noire et le gardien du secret de Saint-Olav !

— Ce n'est que ta parole, apothicaire ! Tes contes et ton imagination, déclara Freisinger. Oui, que le droit de Lübeck dise ce que vaut la parole d'un apothicaire. Personne ne peut porter une accusation de meurtre sur la base de légendes et sous prétexte qu'on n'a pas épousé une fille. Les Têtes-Noires sont nombreux à Tallinn et dans d'autres villes, et ils se dresseront comme un seul homme pour prendre ma défense, car la parole d'un apothicaire…

— Ce n'est pas seulement la parole d'un apothicaire, dit Melchior en l'interrompant : nous avons tous été témoins des ultimes révélations du prieur Eckell. Il savait qui l'avait tué, comme nous le savons maintenant tous. Pourquoi avez-vous fait cela ? Peut-être tout simplement parce que… c'était si facile ! Verser dans sa boisson de l'arsenic, inodore et sans saveur, quoi de plus simple ? Et vous étiez déjà habitué à tuer. Un meurtrier est comme une mauvaise herbe sur une plate-bande, il recommence toujours car il croit qu'il en a le droit, qu'il doit le faire. Rappelez-vous les derniers instants du prieur : il n'était plus capable de parler, mais il a réussi à commander à son corps. Il a arraché de son cou l'amulette qui l'avait trahi et l'a jetée vers nous, pour nous montrer *d'où provenait le poison*. Il a accusé quelqu'un, il a désigné quelqu'un, mais qui exactement ? Oh, il nous l'a montré, il a attrapé le premier vêtement à sa portée et il s'en est couvert la tête. Il a réussi à poser sur sa tête le scapulaire noir du commandeur. Une tête noire ! Il nous a montré une tête noire et il a dit : "Tu as empoisonné !"

— C'est ridicule ! s'écria Freisinger. Ridicule ! Les crampes ultimes d'un moine dérangé ! Ah ! Il nous a fait voir une tête noire ! Votre apothicaire a perdu la tête !

— Ce qui était ridicule, c'était plutôt votre tentative pour nous convaincre qu'il n'y avait pas de poison dans le repas et la boisson d'Eckell, dit Melchior. C'était puéril et stupide, car pas une seule personne sensée n'aurait osé goûter le repas que venait de manger un homme mort d'empoisonnement. Vous avez voulu montrer l'honnêteté et l'innocence des Têtes-Noires, mais vous n'avez montré que votre sottise, *vous avez montré que vous saviez que le breuvage d'Eckell ne contenait pas de poison. Vous saviez cela car il avait déjà absorbé son poison, plusieurs heures auparavant.* »

La réponse de Freisinger lui resta coincée dans la gorge. Sa posture était toujours aussi hautaine, mais face à la conviction de Melchior il ne trouvait soudain plus rien à dire. Tous le dévisageaient en silence, seul Dorn échangea un regard avec le conseiller. Il ne savait pas quoi faire. Fallait-il réunir le tribunal du Conseil, tout de suite ? Le bailli ne vit pas Melchior lancer un coup d'œil à Kilian, comme pour donner un signal ou demander de l'aide ; le garçon, qui était jusque-là resté muet à examiner les papiers de Melchior, leva la main.

« Attendez un peu, attendez ! demanda-t-il, et il poursuivit sans attendre l'autorisation de Dorn. Je voulais dire que cette énigme, cette chanson que voici, avait quelque chose qui m'avait déjà frappé l'oreille, mais cela ne se remarque vraiment qu'en lisant le texte… C'est-à-dire… je sais qui est "celui qui marche en tête". Il est dit ici que *sur celui qui marche en tête, la Mort étend son manteau*, et, plus loin, que *le secret éternel est gardé par le serment de la chair du premier*. Celui qui marche en tête est en tête *des lignes*, de ces *lignes d'écriture*. Si on ne lit que la première lettre de chaque ligne, de haut en bas, alors… alors on voit le nom d'un homme.

— Le nom du constructeur de Saint-Olav, en effet, confirma Melchior. Qui est mort et dont les ossements ont été enterrés sous l'église.

— Et ce nom est bien… enfin, il est incomplet… poursuivit Kilian surexcité.

— Parce qu'il nous manque les trois dernières lignes de la chanson, mais elles n'ont pas d'importance.

— On peut quand même voir, s'écria Kilian, que ce nom est Conr… »

À peine Kilian avait-il dit cela qu'il fut interrompu par un rugissement jailli de la bouche de Freisinger : vif comme l'éclair, le marchand tira un poignard de sous son habit et se précipita sur le garçon.

« Tais-toi, misérable musiqueux ! hurla-t-il. Ce nom est un secret, si tu veux que l'église dure ! Silence, musiqueux ! »

Dorn fut pourtant plus rapide que le jeune Tête-Noire et bondit, l'épaule la première, devant Freisinger. Ce dernier trébucha et Dorn lui arracha son poignard. Au même instant, les deux employés du tribunal se saisirent de lui par-derrière. Le marchand se débattit, tentant d'échapper à leur étreinte, tout en criant :

« Vous n'êtes que des insensés, vous ne réalisez pas ce que vous faites ! Ce nom ne doit pas être prononcé, il doit demeurer secret à jamais ! Autrement votre église s'effondrera, votre ville s'effondrera… »

Dorn appuya la pointe de son épée de bailli contre la poitrine de Freisinger et s'exclama :

« Ne bougez plus ! Avouez-vous maintenant ? Avouez-vous votre crime ? Avouez-vous que vous avez tué Wunbaldus, Gallenreutter et le prieur ? Avouez-vous ? Ou faut-il que Kilian prononce ce nom ? Lis, Kilian ! »

Kilian n'en eut pas le temps. La voix de Freisinger était pleine de mépris et de rage.

« J'avoue, oui, j'avoue, oui, je les ai tués, mais dites à ce musiqueux de se taire !

— En cellule ! Conduisez-le à la prison du Conseil ! ordonna Dorn. Au nom du maître de l'Ordre, au nom de la ville et au nom de la loi de Lübeck, conduisez-le à la prison ! »

30

*Le couvent Saint-Michel
À l'auberge de la brasserie
22 mai, l'après-midi*

Cet endroit, presque contre les remparts, entre la tour dite Derrière les Sœurs et la tour Quad Dack, la tour « au toit pourri », là où les sœurs avaient leur brasserie et vendaient leur bière aux gens de la ville, était une des destinations qu'affectionnait Melchior. C'était un lieu calme, mais ceux qui venaient ici boire de la bière représentaient une clientèle un peu plus relevée qu'en dehors des remparts, composée essentiellement de compagnons artisans, de serviteurs de vassaux, de gardes de la ville et de la population des couvents. La bière des pieuses sœurs avait une bonne amertume, et Melchior appréciait en particulier celle qu'elles relevaient avec de la menthe. Cet après-midi-là, il était assis tranquillement en compagnie de Kilian et du frère Hinricus, qui avait enfin réussi à s'échapper du cloître – ces derniers jours avaient été rudes pour le cellérier, qui avait dû se livrer à d'interminables écritures, régler les obsèques et nombre de changements dans la vie du couvent. Le sous-prieur Gerbhardus était déjà un vieil homme et il avait laissé les jeunes s'occuper de tout, tandis qu'il passait ses journées en prière dans la chapelle. Melchior était content d'avoir pu quitter quelques instants sa boutique, car le bruit s'était répandu en ville que c'était lui qui avait aidé le Conseil à capturer le meurtrier, et de plus en plus de gens se présentaient chez lui, en quête de nouvelles. Bien entendu, ils achetaient aussi ses spécialités. Les affaires étaient florissantes, mais c'était fatigant. Toutefois, il avait sans doute fait un petit pas en direction de son rêve, de cette maison en bordure de la place de l'Hôtel-de-Ville.

Pour l'heure, cependant, Melchior, Hinricus et Kilian dégustaient leur bière et commentaient les événements stupéfiants survenus ces derniers jours à Tallinn. Le commandeur, les dominicains et le Conseil avaient eu une discussion orageuse sur ce qu'il convenait de faire du cadavre de Wunbaldus-Wigbold, de façon à ne pas trop endommager les relations entre la ville, les moines et l'Ordre. On avait fini par livrer le cadavre à l'Ordre, et celui-ci avait été pendu au gibet de la colline Saint-Antoine puis, sur place, traîné dans la poussière. Il avait été exécuté comme Wunbaldus, frère convers des dominicains, car ni le commandeur ni la ville, sans parler des moines, ne souhaitaient que l'on reconnût en lui le Vitalien que tous croyaient mort depuis longtemps. En fin de compte, personne n'avait à ce sujet de preuve indiscutable, et aucun document, au couvent, n'en faisait mention. La ville de Tallinn ne voulait pas acquérir la réputation d'avoir offert un asile à des pirates connus par toute la mer Baltique. On avait seulement annoncé aux citadins que Wunbaldus s'était querellé avec Clingenstain et qu'il lui avait coupé la tête dans un accès de rage, après quoi, ayant regagné son couvent, rongé par le remords, il avait rendu l'âme. Le meurtrier de Toompea était mort, la ville l'avait livré à l'Ordre et il avait été exécuté de manière honteuse. Maintenant, il fallait oublier tout cela.

Mais ce que Hinricus voulait révéler à Melchior, c'est que cet homme était réellement le redoutable pirate. Le vieux Gerbhardus le savait, cet ancien camarade d'Eckell avait été lui aussi au couvent de Visby et il se souvenait de Wigbold. Hinricus avait vu des larmes couler sur son visage ridé lorsque les serviteurs de l'Ordre s'étaient présentés pour traîner Wunbaldus jusqu'à Toompea, et le vieillard avait reconnu en privé que ses prières avaient été vaines et qu'une âme de meurtrier resterait toujours une âme de meurtrier. « Il avait échappé à la hache, mais Satan avait marqué son âme, avait murmuré le vieil homme. Sainte Catherine sait qu'il s'était repenti de ses fautes. Il avait sauvé trois dominicains de la rage de ses frères, mais les autres âmes, celles dont les corps gisaient au fond de la mer, celles-là ne lui avaient pas pardonné. Son plus grand péché a été de se croire ami de Dieu. »

« Wigbold a survécu à une mort et il survivra à la deuxième, dit alors Melchior à Hinricus. Je ne serais pas étonné qu'un jour certains se mettent à le considérer comme un héros, même s'il doit demeurer à jamais une énigme. Mais dis-moi plutôt, Hinricus, si tu m'as déjà pardonné ma misérable ruse ?

— Je n'ai pas vraiment été en colère contre vous, répondit Hinricus en souriant. Oh bien entendu, tout cela est arrivé si vite que je n'ai même pas eu le temps de me persuader que vous m'accusiez d'assassinat. Je vous ai toujours tenu pour un homme raisonnable, et qu'une telle folie vous vienne à l'esprit… Mais quand Freisinger a commis ce parjure en invoquant tous les saints, j'ai tout de suite compris que ce devait être un piège. Sinon il n'aurait pas eu besoin de faire ce mensonge épouvantable.

— En effet, dit Melchior. Je devais être sûr. Si on lui faisait soudain un pareil cadeau – en lui donnant la possibilité de reporter les soupçons sur quelqu'un d'autre –, il l'utiliserait aussitôt. Cet homme réfléchit très vite, mais cette fois il est allé trop vite. Je devais avoir la certitude qu'il mentait, sinon je n'aurais pas osé porter mon accusation devant le Conseil. Et ton effroi devait être naturel, pour qu'il morde à l'hameçon. Après son mensonge je savais tout, c'était la seule façon d'agencer tous les faits. »

Kilian but une gorgée de bière et lança un ou deux regards appuyés en direction de la fenêtre, au-delà de laquelle on apercevait son amie Birgitta occupée à désherber le jardin du couvent. Le garçon tenait sa mandoline sur ses genoux, il savait qu'on allait bientôt lui demander de jouer et que plus d'une sœur s'arrêterait pour l'écouter, jusqu'à ce que les convenances prennent le dessus et qu'elles retournent à leurs pieuses occupations.

« Pour ce qui est de cette chaîne d'or, dit Hinricus, j'ai cru comprendre qu'il ne s'était produit aucun miracle à Tallinn ? »

Kilian secoua tristement la tête. « Sans doute pas, dit-il. Messire Melchior avait raison, une fois de plus. J'ai ce défaut depuis mon enfance, et c'est à cause de cela que j'ai dû quitter Milan. Cette fois-là, c'était à cause de la broche en argent de la fille d'un maître charcutier. Quand je l'ai vue, j'ai senti qu'il me la fallait… Je ne pouvais rien y faire, j'en avais *tellement* envie. Ce besoin de voler est chez moi aussi fort que le désir de chanter. Mais je m'en repens sincèrement, et j'ai promis de faire un jour un pèlerinage.

— Le chant peut te rendre célèbre, dit Melchior. Peut-être pas riche, mais les gens t'aimeront. Mais si tu voles les chaînes des chevaliers, on te coupera la main.

— C'est une sensation qui s'empare de moi, gémit Kilian. Elle me pousse, elle brûle en moi. Quand je vole quelque chose, c'est comme si je me voyais de l'extérieur, comme si ce n'était pas moi.

— Tu dois lutter contre toi-même, dit Melchior, et dans ses yeux passa comme une lueur sombre et douloureuse. S'il t'arrivait de voler quelque chose chez messire Tweffell, on te chasserait et Ludke te laisserait estropié. Il a l'ordre de surveiller chacun de tes pas, mais tu t'en es peut-être déjà rendu compte. »

Kilian jeta à Melchior un regard étonné, avant de hocher la tête et de dire : « Non, je ne volerai jamais rien chez mon oncle Mertin, c'est ma demeure, je ne dois rien prendre dans ma demeure. J'ai compris cela depuis longtemps. Ce que je ne comprends pas, c'est comment vous avez découvert que c'était moi qui avais pris la chaîne.

— Volé, corrigea Melchior.

— D'accord, volé, convint Kilian. Que vous l'ayez trouvée et portée au Saint-Esprit, je le sais déjà, mais tout de même : comment… ?

— Il faut aussi croire aux miracles, Kilian, même aux miracles, dit Melchior. Comme le disait saint Augustin, si un miracle ne concorde pas avec ce que nous savons de la nature, c'est que nous en savons trop peu. Si tu ne crois pas aux miracles, tu ne crois pas non plus aux vies des saints, et tu ne crois pas ce qu'ils nous enseignent. Mais nous avons tous besoin des saints. Quant à la chaîne, disons que j'avais remarqué combien tu aimais t'asseoir sur la margelle du puits, et que ces derniers jours je t'avais observé par la fenêtre, quand tu croyais que personne ne pouvait te voir, en train de tirer cette pierre détachée qui est dans le muret. Quand j'eus compris que c'était toi qui avais volé cette chaîne sur Toompea, je me suis dit que tu n'oserais probablement pas la cacher dans la demeure de messire Tweffell, à cause de la surveillance de Ludke. Alors je suis allé inspecter le puits.

— Mais… mais tout de même, comment avez-vous fait pour savoir ? Cette chaîne était comme un châtiment que je portais au cou. Quand j'ai entendu que le chevalier avait été tué, je… je me suis mis à avoir peur. J'aurais voulu la jeter dans le puits, mais je n'ai pas pu m'y résoudre.

— Je ne sais pas si j'y serais arrivé moi-même, dit Melchior. L'or a cette faculté étrange de peser sur l'âme humaine et de s'y accrocher de toutes ses griffes. Mais comment j'ai su ? C'est très simple : j'avais remarqué ton inclination à voler les belles choses. Dans ma boutique aussi, tu as volé une cuillère – elle était en argent, d'ailleurs, et je voudrais la récupérer. Tu étais à Toompea ce jour-là, et tu as vu la chaîne. Tu voulais un certificat à propos de ton chant. Tu as vu Clingenstain pénétrer chez lui. Je me suis demandé si tu ne pouvais pas l'avoir suivi, dans l'intention de lui réclamer à nouveau, humblement, cette lettre, car tu as de l'audace et de l'initiative. Clingenstain avait laissé la chaîne chez lui et était parti se confesser. Ainsi, cette chaîne traînait sans doute quelque part, et comme avec la cuillère dans la boutique, tu n'as pas pu résister, tu as fourré la chaîne sous ton habit et tu t'es enfui. Mais ce qui t'a confondu, c'est le mensonge que tu as fait en disant que le chevalier portait sa chaîne au cou lorsque tu l'as revu par la suite. Et au fond, Kilian, tu as aussi été trahi par la chanson que tu as chantée ici à ces filles de la ville.

410

— Quelle chanson ? demanda Kilian étonné.

— Ta chanson sur rien. Tu as dit que tu l'avais improvisée, comme ça. En réalité, tu avais chanté la même chose la veille sur Toompea. Ce qui voulait dire que tu es un menteur, mais un très mauvais menteur. Les musiqueux doivent savoir mentir mieux que cela, s'ils veulent réussir dans la vie…

— Je ne suis pas un musiqueux, déclara Kilian fièrement, je suis maître chanteur. Encore compagnon, c'est un fait, mais pas un musiqueux.

— Maître chanteur, soit. Voici donc la façon dont les choses se sont passées. Dès que j'ai compris que c'était toi qui avais volé la chaîne, il était évident que Clingenstain n'avait pas été tué à cause d'elle. Que faire alors ? Je ne pouvais pas déclarer à l'Ordre que c'était toi qui l'avais volée, ou Spanheim t'aurait aussitôt accusé de meurtre. Il fallait que je trouve le vrai meurtrier et que je t'aide à te débarrasser, d'une façon ou d'une autre, de la chaîne. L'hospice du Saint-Esprit m'a paru l'endroit idéal. L'Ordre n'ira pas la réclamer aux miséreux. »

Hinricus sourit discrètement, tourna son visage pour l'exposer au soleil du printemps et plissa les yeux.

« Vous étiez convenus à l'avance, n'est-ce pas, que là-bas Kilian ferait mine de lire le nom du bâtisseur de Saint-Olav ? demanda-t-il alors.

— C'est vrai, je reconnais que c'était encore une petite ruse pour forcer Freisinger à dire la vérité. S'il défendait ce nom avec tant d'acharnement, il ne pouvait pas le laisser prononcer en public. »

Melchior tira de sous son habit le papier sur lequel il avait noté la chanson des anciens bâtisseurs d'églises, il le déroula et passa le doigt sur les lignes.

« Mais vous le saviez déjà, vous aussi ? demanda ensuite Hinricus.

— Oui, je m'en étais aperçu. "Celui qui marche en tête." Et nous sommes capables de déchiffrer ce nom, sans doute. On peut supposer que c'est un ancêtre lointain de notre maître des Têtes-Noires. "La relique appelle au loin son sang." Les Têtes-Noires l'ont envoyé ici garder le secret de son propre nom. Ces hommes pleins de secrets, ces anciens bâtisseurs d'églises, avec la science de Salomon, la truelle, le compas… Je n'aurais jamais pu imaginer ce au nom de quoi des hommes sont prêts à tuer, mais… le monde est rempli d'énigmes. Peut-être aurait-il mieux valu que nous n'ayons pas découvert ce nom.

— Ils avaient leurs propres rites, déclara Hinricus. Répugnants, certes, mais j'ai entendu parler de choses semblables. Certains disent que le mot allemand *gild* désigne précisément une ancienne coutume allemande selon laquelle la tribu dévorait en commun une victime. Et bien sûr, on a rapporté de Terre sainte de nombreuses coutumes, des secrets.

— Je me suis juré, sur ce que j'ai de plus sacré, de ne jamais révéler à quiconque le nom du constructeur de Saint-Olav, dit Kilian. Qu'est-ce que vous en pensez, est-ce vrai que les malheurs et les calamités s'abattraient sur la ville si quelqu'un venait à l'apprendre ?

— Qui sait, répondit Melchior songeur. Notre ville n'est pas protégée seulement par des murailles solides, le droit de Lübeck et l'Ordre. Une ville doit aussi avoir un sens, que tous les citoyens puissent comprendre. À l'église, nous implorons les saints et le Très-Haut pour qu'ils veillent sur notre ville, mais cela suffit-il ? Comment savoir… La ville ne durera pas si ses églises sont détruites. Mais qu'est-ce qui donne à la ville la force et la volonté de durer, au fil des siècles et toujours davantage ? Peut-être est-ce justement la science de Salomon, car la ville de Jérusalem est le Paradis sur terre, et il se peut que les croisés aient rapporté de Terre sainte des connaissances permettant aux églises des villes de durer, je ne sais pas. Et Freisinger non plus, sans doute. Il croit. Il croit que le secret des Têtes-Noires doit être préservé, que personne ne doit connaître le nom du bâtisseur de Saint-Olav, et il a tué uniquement pour que Saint-Olav et la ville subsistent. Il aurait pu épouser demoiselle Hedwig et être admis dans la Grande Guilde, mais non… Il lui fallait demeurer Tête-Noire et veiller sur leurs antiques secrets.

— Il n'a rien dit lui-même ? demanda Kilian. Freisinger, lorsque vous êtes allé le voir à la tour de Brême ? Avant qu'il… » Kilian fit une grimace énigmatique. « Avant que… avant de s'en aller à jamais, quelle que soit la manière dont cela s'est passé.

— C'est vrai ! s'écria discrètement Hinricus, et il se pencha vers l'apothicaire. Melchior, vous avez promis de nous parler de votre entrevue avec Freisinger. S'est-il repenti ? »

Melchior fit signe qu'on leur apporte de nouvelles bières, aujourd'hui c'était lui qui régalait. « Oui, je lui ai parlé, dit-il. Je l'ai interrogé. On l'avait déjà torturé. »

La veille, il avait demandé au Conseil la permission d'aller voir Freisinger dans la nouvelle tour-prison, dite de Brême. Située dans la partie de la ville proche du port, derrière le couvent des dominicains, c'était une tour neuve, dont la construction avait été achevée quelques années seulement auparavant, et où le Conseil faisait mettre aux fers les pires criminels. C'est là que Freisinger avait été mené, enchaîné, après avoir traversé la ville. Freisinger n'était pas de Tallinn, il n'était pas citoyen ; malgré sa renommée, son orgueil et son prestige, ce n'était pas un citoyen, c'était un étranger. Les gens de la ville savaient qu'il avait empoisonné leur prieur bien-aimé et assassiné un constructeur d'églises, il ne méritait pas d'être traité respectueusement ni d'occuper une cellule confortable. Au contraire, il avait été escorté jusqu'à la toute nouvelle tour de Brême, et sur son passage les citadins lui avaient crié et craché dessus, s'étaient moqués de lui et l'avaient insulté. Le fier Tête-Noire, dont on chantait naguère la louange, lors des tournois et des joutes, dont on vantait la bravoure, était désormais un ennemi foulé aux pieds, méprisé, haï.

La tour de Brême était une construction neuve et sûre, d'où un prisonnier ne pouvait s'évader à l'aide de ses seules forces. La salle de détention était située juste au-dessous de l'étage supérieur de défense, sans communication avec celui-ci. On y accédait par un escalier sur le côté sud de la tour, puis en traversant un vestibule et deux portes en poutres de chêne, fixées au mur par des verrous et des barres de fer défendus par de lourds cadenas. La prison occupait deux niveaux, et l'on ne passait de l'étage supérieur à l'étage inférieur que par une trappe dans le plancher. Freisinger était enfermé dans la cellule du niveau inférieur, dépourvue de fenêtres et où la lumière du jour ne parvenait que par une trappe dans le plafond. Melchior s'était agenouillé au bord de cette trappe pour parler avec Freisinger, dont un bras pendait de façon anormale et avait visiblement été démis ; il avait été torturé.

« Oui, répéta Melchior. Je lui ai parlé, je l'ai interrogé sur les Têtes-Noires, leur histoire, leurs secrets, je lui ai demandé quelles étaient les trois lignes manquantes, celles dont nous ne savons rien.

— Et lui ? Qu'est-ce qu'il a dit ? demandèrent Hinricus et Kilian d'une seule voix.

— Il a dit – j'essaie de le répéter aussi précisément que je peux m'en souvenir – qu'il ne m'en voulait pas. Il a dit : "Si tu as prêté une sorte de serment d'apothicaire, tu dois deviner que moi aussi j'ai prêté serment. Depuis l'époque, déjà, où mes ancêtres ont pris la croix et sont partis pour la Terre sainte, depuis cette époque déjà on prête ce serment, si les chrétiens veulent que leurs églises et que leurs villes durent." Il m'a encore dit que les Têtes-Noires sont nombreux, mais qu'ils ne sont qu'une guilde parmi tant d'autres qui gardent et protègent des secrets aussi anciens que la science de Salomon. Il m'a dit qu'il avait juré de venir à Tallinn et de veiller sur leurs secrets immémoriaux, et que ce bâtisseur stupide et avide avait attiré lui-même le malheur sur sa tête. Gallenreutter voulait de l'argent pour son silence ; il avait vaguement entendu dire que des hommes veillaient à ce que les noms des anciens bâtisseurs d'églises demeurent secrets. Dans chaque ville chrétienne, il y aurait ainsi une église, la plus ancienne, consacrée selon les rites authentiques, sans quoi la ville ne peut pas durer.

— Il ne regrettait donc pas ? demanda Hinricus.

— La mort de Gallenreutter ? Pas le moins du monde. Je lui ai demandé pourquoi il avait tué le prieur Eckell, qu'il aurait dû respecter et vénérer. Il m'a répondu que le prieur pressentait que Wunbaldus n'avait pas tué ce maître bâtisseur et qu'il ne s'était pas suicidé. Et il avait un jour raconté à Freisinger ce qu'il cachait dans son amulette. Il a dit qu'il avait agi à contrecœur, mais que vieux et malade comme il l'était, le prieur n'aurait de toute façon pas vécu encore longtemps. »

Hinricus se prit la tête entre les mains et poussa un profond soupir.

« Un meurtrier se trouve toujours une justification, dit Melchior. Il se persuade qu'il devait agir comme il l'a fait, que c'était la seule issue.

— Mais est-ce qu'il savait déjà… est-ce qu'il était sûr que… demanda Kilian, sans achever sa question.

— Il m'a dit qu'il était sûr de ne pas être pendu sur la place de l'Hôtel-de-Ville ni sur la colline du Gibet. Les Têtes-Noires sont une confrérie trop ancienne et trop puissante. Ils sont nombreux et ils ont des amis, m'a-t-il déclaré, mais à ce moment-là je ne comprenais pas encore ce que cela signifiait. Il a dit : "Ils peuvent me torturer avec leurs pinces, mais ils ne me mèneront pas à l'échafaud. Va, Melchior, et sache que je ne t'en veux pas. Mais rappelle-toi que tu dois être prudent, et ce musiqueux aussi. Oubliez ce nom que vous avez déchiffré. Je n'ai pas une voix prépondérante au sein de la confrérie. Malgré tout, je demanderai qu'on vous épargne tous deux."

— Et vous y croyez ? demanda Kilian. Est-ce que je devrais avoir peur, moi aussi ? Je connais ce nom, après tout. »

Melchior secoua la tête. « À Tallinn, nous n'avons rien à craindre. Je puis te le promettre.

— Tout de même, reprit Kilian, je serai muet comme une tombe. Je ne veux pas de mal à notre ville.

— Tu dis "notre ville" ? remarqua Hinricus.

— Oui, répondit Kilian. Tallinn est aussi ma ville. Si je devais un jour m'en aller, mon cœur se briserait.

— Mais je crois que tu ne partiras jamais d'ici, dit Melchior avec un sourire rusé. Messire Tweffell y a déjà veillé.

— Comment cela ? Je ne comprends pas…

— Messire Tweffell n'a pas d'enfants, et il est trop malin pour ne pas voir pour qui bat ton cœur, et pour

416

qui bat le cœur de Gertrud. Et son avarice ne saurait permettre que sa fortune sorte de la famille. Et souviens-toi, Ludke surveille chacun de tes pas, et moi aussi, peut-être. Un jour, sans doute bientôt, tu devras choisir si tu veux devenir maître chanteur ou marchand. L'un comme l'autre seraient utiles à Tallinn. La science de Salomon est ce qu'elle est, mais moi je sais qu'aucune ville ne peut durer si elle manque de maîtres chanteurs et si elle manque de marchands. L'ennui, c'est que le marchand doit aussi vendre son cœur. »

Kilian rougit, mais il s'écria vivement : « Dans ce cas, je veux demeurer maître chanteur !

— Que tous les saints t'y aident, dit Melchior. Une ville qui manque de maîtres chanteurs est une ville morte. Mais sans marchands, elle meurt aussi. »

Hinricus pensait qu'il en était sans doute ainsi, mais qu'il fallait aussi des couvents et des églises dans une ville, sans quoi celle-ci n'avait pas d'âme. « Plus il y a de marchands, plus il faut de couvents. Voilà ce qu'il faut. Afin que les marchands ne vendent pas tout à fait leur cœur. Nous sommes là pour prier pour eux, et pour leur rappeler qu'ils ont à se préoccuper de leur salut.

— Mais Freisinger ? demanda de nouveau Kilian. Il n'a rien dit de plus ? À propos des trois lignes manquantes ?

— Rien de plus, dit Melchior. Je le lui ai pourtant demandé, et j'ai aussi demandé où était passé ce document que Gallenreutter avait exhumé, mais il m'a répondu que je ne devais pas le savoir. C'est comme s'il avait voulu me mettre en garde, et me persuader que *lui* ne m'en voulait pas. Je ne comprenais pas bien ce qu'il voulait dire. Mais ce matin j'ai entendu les nouvelles, tout comme vous. Et *eux* resteront sûrement dans la ville pour longtemps… »

Dorn, le bailli, s'était rendu le matin même auprès de Freisinger en compagnie du gardien de la tour, pour lui demander qui il voulait avoir comme avocat face au tribunal du Conseil, mais ils avaient trouvé une cellule vide. Oui, les Têtes-Noires étaient sans aucun doute nombreux, et ils avaient de nombreux amis. Peut-être même au sein du Conseil, peut-être sur Toompea, peut-être ailleurs, au loin, haut placés.

« Freisinger est déjà loin. Il avait raison, le Conseil de Tallinn ne le pendra pas, car les Têtes-Noires ont de nombreux amis », reconnut Melchior.

La ville avait été accablée par l'évasion mystérieuse de Freisinger, mais une ville oublie vite, chacun a son travail et ses occupations. Les autres Têtes-Noires avaient juré qu'ils ne savaient rien de la fuite de leur maître, et c'était sans doute exact. La confrérie reniait Freisinger et ses secrets : les joyeux Têtes-Noires demeureraient à Tallinn, ils ne savaient rien des rites antiques ni des serments des bâtisseurs d'églises, ils exerçaient leur profession de marchands et organisaient des joutes, ils étaient déjà présents à Tallinn – les nouveaux Têtes-Noires – et il fallait sans doute qu'ils y soient : après tout on s'était déjà habitué à eux. Freisinger était comme un vilain abcès, dont on avait maintenant opéré l'ablation. Il n'avait pas été jugé, aucune trace de lui ne subsistait dans les livres du Conseil. La ville, elle, durerait, et avec elle ses églises, et ses couvents.

Hinricus se leva et se prépara à partir. On pouvait voir par la fenêtre que Katrine et Birgitta s'étaient retrouvées dans la cour du couvent, et elles appelèrent Kilian. L'heure était venue, pour chacun, fit remarquer Melchior. Mais avant qu'ils s'en aillent, il jeta la feuille sur laquelle avait été copiée la chanson des anciens Têtes-Noires dans le foyer du poêle de la taverne des sœurs. Il resta à regarder les flammes se saisir avidement du papier. La feuille jaune tourna au gris et devint d'une minceur impalpable avant de se fragmenter en mille particules de cendre invisibles et de rejoindre la fumée qui s'échappait par la cheminée. Melchior s'attarda à regarder les flammes qui dispersaient dans le ciel le secret du bâtisseur de Saint-Olav.

Vingt-quatre ans plus tard, déjà grisonnant, veuf, il se tenait rue Longue et se remémorait ce spectacle, tandis qu'un incendie dévastait la ville, que des gens pris de panique passaient devant lui en courant en tous sens, et que montaient en rugissant vers le ciel les flammes qui ravageaient le clocher de l'église Saint-Olav.

Indrek Hargla,
Budapest 2008 – Viimsi 2010.

Retrouvez Melchior l'Apothicaire
dans la collection Babel noir
et aux Éditions Gaïa.

LE SPECTRE DE LA RUE DU PUITS
traduit de l'estonien par Jean Pascal Ollivry

*Tallinn, 1419. Le gardien d'une tour est retrouvé mort
alors qu'il avait la veille déclaré avoir vu un spectre.
Quelque temps plus tôt, une prostituée était découverte
noyée dans un puits après avoir rapporté le même
témoignage. Rue du Puits, une maison qu'on dit hantée concentre des haines ancestrales, à deux pas de la
boutique de Melchior.*

*L'apothicaire arpente les ruelles de la vieille ville
jusqu'au cimetière des dominicains, à la recherche de
la vérité.*

LE GLAIVE DU BOURREAU
traduit de l'estonien par Jean Pascal Ollivry

La fille du bourreau de Tallinn ne dispose pas des meilleurs atouts pour trouver l'âme sœur. Délaissée par celui qu'elle croyait lui être destiné, elle fuit dans les bois et est témoin d'une tentative d'assassinat. Soigné par les dominicains, l'étranger vêtu d'un manteau de drap vert est devenu amnésique. Des bribes de lettres, la trace d'un anneau arraché sont autant d'indices pour Melchior, en ces temps de complots entre l'Ordre des chevaliers Teutoniques et les marchands de la Hanse.

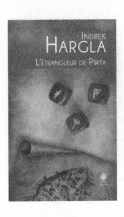

L'ÉTRANGLEUR DE PIRITA
traduit de l'estonien par Jean Pascal Ollivry

Hiver 1431. À une lieue de Tallinn, le monastère des brigittines abrite moines et religieuses, menés d'une main de maîtresse par une énigmatique abbesse. L'une des sœurs n'émet plus que des borborygmes, et un collège de savants se réunit. Melchior l'Apothicaire découvre en chemin, sous la neige, le cadavre d'un homme, mort étranglé depuis l'automne. Il ne tarde pas à faire appel à sa fille Agatha, qu'il a initiée à l'obscur art de la médecine.

BABEL NOIR

Extrait du catalogue

OUVRAGE RÉALISÉ
PAR L'ATELIER GRAPHIQUE ACTES SUD
REPRODUIT ET ACHEVÉ D'IMPRIMER
EN NOVEMBRE 2017
PAR NORMANDIE ROTO IMPRESSION S.A.S.
À LONRAI
POUR LE COMPTE DES ÉDITIONS
ACTES SUD
LE MÉJAN
PLACE NINA-BERBEROVA
13200 ARLES

DÉPÔT LÉGAL
1re ÉDITION : MARS 2014
No d'impression : 1705103
(Imprimé en France)